La principal
FULGENCIO PIMENTEL

Viñeta: György, Frédy y Édith en el zoo de Budapest

1.	ELVIRA LINDO	*Tinto de verano*
2.	SERGUÉI DOVLÁTOV	*Retiro*
3.	SABINA URRACA	*Las niñas prodigio*
4.	EDUARDO HALFON	*Clases de chapín*
5.	RUBÉN LARDÍN	*La hora atómica*
6.	PHILIPPE DJIAN	*«Oh…»*
7.	SERGUÉI DOVLÁTOV	*Oficio*
8.	WILLIAM CARLOS WILLIAMS	*Los relatos de médicos*
9.	ANDRÉI PLATÓNOV	*Dzhan*
10.	CHICHO S. FERLOSIO et al.	*El cantar tiene sentido*
11.	ION NEGOIȚESCU	*Cuartel de los dragones*
12.	JAIME DE ARMIÑÁN	*Juncal*
13.	GUEORGUI GOSPODÍNOV	*Física de la tristeza*
14.	SERGUÉI DOVLÁTOV	*La maleta*
15.	MARÍA BASTARÓS	*Hª de E. contada a las niñas*
16.	MICHAEL CAINE	*La gran vida*
17.	UNDINĖ RADZEVIČIŪTĖ	*Peces y dragones*
18.	SERGUÉI DOVLÁTOV	*Los nuestros*
19.	EDUARD LIMÓNOV	*El libro de las aguas*
20.	GUSTAVO BUENO	*Conversaciones*
21.	GUEORGUI GOSPODÍNOV	*Novela natural*
22.	PHILIPPE DJIAN	*Los incidentes*
23.	EDUARD LIMÓNOV	*El hombre sin amor*
24.	ROQUE LARRAQUY	*La telepatía nacional*
25.	INGMAR BERGMAN	*La buena voluntad*
26.	ANDRÉ LORANT	*El loro de Budapest*
27.	SERGUÉI DOVLÁTOV	*Filial*

El loro de Budapest

André Lorant

El loro de Budapest

TRADUCCIÓN DE ALFONSO MARTÍNEZ GALILEA

FULGENCIO PIMENTEL
La principal

Para Anette, Sophie y Valentine

CAPÍTULO PRIMERO

Más madrastra que madre

Durante largas décadas, fui incapaz de considerar a Hungría una madre bondadosa. En mis delirios no era sino un reino de ogros devoradores de niños, el de los magiares, vulgares e incultos. Miembro de una burguesía comerciante curiosamente apegada a la tierra —mi abuelo materno era propietario de varios miles de hectáreas y fue pionero en la introducción de la piscicultura en Transdanubia, en Cikola, junto a Pusztaszabolcs, en el condado de Fejér, y mi abuelo paterno, consejero delegado de la empresa Molinos Reales—, nunca tuve noticia de esa patria de grandes espíritus liberales, de poetas, de artistas que se rebelaban contra los energúmenos embutidos en el dolmán que solo les permitían prosperar para poder aniquilarlos más seguramente después. Bárbaros que se tenían por descendientes de Nimrod y forjaban leyendas que evocaban sus orígenes «turanios», es decir, asiáticos, y que fantaseaban con la visión de sus antepasados persiguiendo a un ciervo fabuloso que aparecía y desaparecía ante sus ojos y que se suponía los había conducido hasta la cuenca de los Cárpatos.

En su *Cantata profana*, Béla Bartók se rebela contra esta «epopeya de los orígenes», cuyo sentido oculto intuye. Un padre tenía nueve vástagos a los que amaba por encima de todo, cuenta el libreto, basado en el poema de Maros-Tordai, una balada popular rumana de asunto legendario. Salían a menudo de caza, puesto que no conocían la agricultura ni la ganadería. Un día, los jóvenes se alejaron de su progenitor y, persiguiendo a la manada fabulosa, se metamorfosearon en cérvidos. El padre, sin reconocerlos, se dispuso a abatirlos. Entonces, los hijos, armados con sus cornamentas múltiples, puntiagudas y peligrosamente entrelazadas, se revolvieron en su contra amenazando con ensartarlo, empujarlo contra las rocas y aniquilar en él hasta el último aliento de vida.

Los comentaristas se esfuerzan por destacar el sentido positivo de la historia: los hijos necesariamente han de rebelarse contra los padres en su deseo de acceder a una vida autónoma. Pero, a mi parecer, la música no se equivoca. Los fraseos melismáticos del tenor, portavoz de los hermanos, en un registro prácticamente incantable, tienen algo de inhumano, algo que provoca inquietud y desconcierto. Esos ciervos, capaces de lanzar a su propio padre por los aires tras haberlo ensartado con sus apéndices óseos y destrozar con sus pezuñas los miembros dispersos, formarán de ahí en adelante una horda salvaje que sembrará a su alrededor la muerte y el terror. Una vez llegados a Panonia, es de suponer que se convertirían en jefes de tribu sanguinarios e implacables, temidos por los naturales del país, y no en pacíficos trabajadores dispuestos a recorrer el camino de la civilización.

Las palabras revelan mi encono, dejan intuir mi decepción y son testimonio de las relaciones conflictivas con ese país en el que, por no sé qué milagro, pude escapar de las garras de la muerte y del que me marché a los veintiséis años. ¿A quién explicar mi resentimiento contra la comunidad que intentó aniquilarme? Por supuesto que no a Muriel, historiadora de unos treinta años que trabaja sobre los conceptos de Estado y nación a propósito de esa entidad artificial llamada Yugoslavia que se nos reveló, mientras soportaba varias guerras de exterminio étnico, como una terrorífica «colonia penitenciaria» y donde unos millares de máquinas de matar machacaron a sus víctimas sin descanso. «De momento, la cadena Arte nos bombardea con imágenes que no dejan de recordarnos las atrocidades alemanas durante la Segunda Guerra Mundial. Como contraposición —prosigue—, nosotros trataremos de aportar otra perspectiva sobre ese mismo periodo, conservándola una vez que los supervivientes hayan desaparecido». Es la despiadada juventud la que se expresa así. Fue aquí, en París, donde me tocó descubrir las insoportables imágenes de los supervivientes esqueléticos de los campos de concentración. (¿Has intentado imaginar siquiera durante un segundo, Muriel, lo que aquellas víctimas podían sentir en cuerpo y alma?). Y fue en la televisión donde vi a los aliados obligando a los habitantes de Mauthausen a enterrar en la fosa común aquellos descarnados cadáveres que yacían amontonados en los infectos barracones. ¿Estaba acaso yo moralmente anestesiado por la reciente muerte de mi padre, en enero de 1944, por las dificultades de mi propia supervivencia, por las ruinas que me rodeaban, por la vida que iba reapareciendo en medio de las calles destrozadas por las bombas y por las que circulaban los soldados soviéticos, la infantería rumana —el rey Miguel I abrió las fronteras al ejército de Stalin en otoño de 1944, convencido de que podría seguir dando vueltas en *jeep* por los jardines de su palacio hasta el fin de sus días— y las tropas auxiliares húngaras, que llevaban un brazalete rojo? Algunos años después, sería en 1952, me dominaron las náuseas al contemplar en un folleto un cuerpo partido en dos sobre la mesa de disección de unos médicos nazis. La visión de la caja torácica me aterrorizó, y todavía me parece sentir la misma repugnancia de entonces. Contentos por seguir vivos, abrumados por el convencimiento de que debíamos nuestra existencia al puro azar y hablando a todas horas del asunto, habíamos intentado olvidar el horror. Los supervivientes callaban y la propaganda comunista se impuso como tareas disimular la responsabilidad del ejército soviético en el aplastamiento por los nazis de la rebelión de Varsovia y presentar a las tropas alemanas como únicas responsables de la masacre de los oficiales polacos en el bosque de Katyn. Me pregunto si el proceso público contra Szálasi, el *führer* húngaro, entre octubre de 1944 y enero de 1945, sacó a la luz la verdad sobre la cooperación activa de la policía y de las tropas auxiliares hitlerianas húngaras en la deportación masiva de seiscientos mil judíos húngaros. Pero eso es cosa de mi historia personal, de mis recuerdos. Algo que no despierta ningún interés en Muriel ni en los jóvenes de su generación.

La Shoah no debe ser magnificada en detrimento de otras tragedias colectivas. Muriel, una de cuyas abuelas es siria, habla sin problemas de la represión de la revuelta armenia por los turcos. Yo mismo he visto en televisión imágenes de las masacres de los hutus a mano de los tutsis, y de la venganza de los tutsis contra los hutus; de los criminales atentados contra los chiíes y de la venganza de estos contra la mayoría suní, y he sentido indignación ante este Occidente que permanece de brazos cruzados mientras almacena impasiblemente esas imágenes cuyo horror sobrepasa todo lo imaginable. «¿Dónde está, muerte, tu victoria?», han exclamado a veces los católicos, en la estela de san Pablo, rebelándose contra la condición humana. «Aquí, hoy, ahora», parecen responder esos niños esqueléticos con el vientre hinchado que se mueren de hambre y que son filmados a veces en los últimos momentos de su existencia. Ciertamente, la televisión propicia un extraño y aterrador diálogo entre africanos que se exterminan, serbios, croatas, albaneses y macedonios que se matan unos a otros bajo la atenta mirada «legalista» de los observadores de la ONU. Kabila, Mladić, los terroristas del Dáesh, que degüellan o decapitan a sus enemigos con «armas blancas», como púdicamente suele decirse, forman una ronda infernal banalizada por los medios de comunicación. Sí, Muriel tenía razón; por eso sus palabras me parecieron tan chocantes, porque yo no era capaz de insertar entre esos otros el «episodio» del exterminio programado y fríamente ejecutado de los judíos europeos, transportados en vagones de ganado, marcados como ganado, apaleados, muertos de hambre, humillados, pero capaces de ayunar en Yom Kippur, el Día de la Expiación, de recitar versos de Dante, como ha testimoniado Primo Levi, o de canturrear piezas de Mozart a la puerta del horno crematorio.

Me da la impresión de estar divagando mientras me ocupo por primera vez de los hechos de mi pasado húngaro. Es preciso que vuelva a tomar las riendas y que aborde más tranquilamente mi propósito.

Me convierto en texto

La escritura autobiográfica consiste sobre todo en profundizar en uno mismo: nos hacemos una bola, nos volvemos muy pequeños y nos internamos en nuestros orígenes. Esta especie de zambullida la había experimentado ya en la época en que me dediqué a recopilar páginas manuscritas de Balzac. Tuve entonces la impresión de que, al descifrar el texto del manuscrito y copiarlo en mi cuaderno, iba perdiendo como por arte de magia mi propia sustancia: me hacía parte de la historia; incorpóreo, participaba desde dentro en el proceso de creación. Este tipo de regresiones no dejan de entrañar riesgos y pueden conducir a bloqueos inesperados y a desbloqueos igualmente repentinos. Si no tomas precauciones, las aguas que esas esclusas liberan pueden arrastrarte. Solo los más grandes, Balzac o Proust, conocieron una inmersión total en semejante «estado de escritura». Escribían como al dictado de sus personajes, y sus propias intervenciones, en forma de reflexiones o comentarios, se ajustaban al sentido de la ficción y en ningún caso al de una suerte de autorregulación desmitificadora. Solo una vez salidos de ese embrutecimiento creativo podían sustraerse a la gravitación de la escritura y, sintiéndose culpables por su genialidad, se atormentaban corrigiendo pruebas y revisando manuscritos. El «estado de escritura» reserva algunas sorpresas al memorialista grafómano, que en algún momento debe intuir cómo, entre las reflexiones de la jornada sobre las que trabajará al día siguiente, se filtran con frecuencia ciertas obsesiones poco controladas, asociaciones espontáneas, divagaciones sorprendentes que pueden llegar a alterar el ritmo de la escritura. Sus lecturas lo asaltan impensadamente, sus personajes reclaman atención, y una sensibilidad desmadejada amenaza continuamente la coherencia de su proyecto.

El «estado de escritura» es la puerta de entrada a la «arqueología escrituraria». La regresión permite que rebobinemos el hilo de nuestra existencia. Primero intentas dar unos pasos hacia atrás, luego tratas de correr, parándote y reculando a veces, te alejas del presente y finalmente te vas progresivamente encogiendo para poder entrar en ese misterioso laberinto que es tu pasado. Como un topo en mi dédalo subterráneo, no puedo hacer otra cosa que evocar sombras a partir de mínimas referencias o indicios grabados a fuego en mi memoria, puesto que no tengo ningún documento oficial relativo a mi familia. ¿De dónde vinieron? ¿De Silesia o de sus alrededores? ¿Cuándo se establecieron en Hungría? ¿Cómo hicieron fortuna mis abuelos? ¿Cómo fue la boda de mi padre y mi madre? «¿Dónde están tus archivos?», me preguntas. ¿Te burlas de mí? Las cartas de mi madre son el único documento familiar que conservo. Conciernen esas cartas a su vida miserable entre 1956 y 1963, fecha en que se reunió con nosotros en París. Esa correspondencia es la crónica de la liquidación de los últimos vestigios materiales de nuestro pasado. Durante largos años, mi madre se dedicó a prepararse para la emigración y jamás abandonaba su domicilio sin llevar encima un cenicero de cristal de Bohemia, unos platos de porcelana Rosenthal, jarrones de estilo *art déco* o unos cubiertos de plata que depositaba en la «oficina de empeños», gestionada por expertos del Estado que, naturalmente, conocían su valor. La burguesía empeñaba allí a muy bajo precio los objetos que habían sobrevivido a bombardeos, pillajes y confiscaciones. Al llegar a Francia, mi madre trazó una línea tras la cual quedó nuestro pasado, y nunca tuve oportunidad de intercambiar con ella una sola frase relativa a mi infancia, a mi padre —tema tabú entre nosotros—, a su juventud, a sus primeros bailes, a su boda. Aunque algunas fotos en álbumes que pudimos ver entonces empezaron a insinuarnos sus secretos.

La experiencia psicoanalítica, que liberó mi palabra y mi imaginario, ha eliminado muchos obstáculos y me ha animado a recuperar el hilo rojo de mi vida. Me ayudó a descubrir y restaurar la continuidad de mi historia. Día tras día, la «arqueología escrituraria» me ha mostrado sus virtudes mágicas y sus sorprendentes propiedades. Me permite excavar y sacar a la luz pequeños restos fragmentarios, raros collares o meros utensilios domésticos, como el molinillo de café que se fijaba en la pared: la manivela servía para moler los granos, que se tostaban al fuego en el último minuto en un recipiente negro cerrado, provisto de un sistema de palas que se hacían girar desde el exterior. Entre 1948 y 1950 compraba cincuenta gramos de café a la semana. Una cucharada cuidadosamente molida y hervida a la turca era suficiente para cada día. «Tu padre hacía lo mismo», me dijo una vez mi madre, sin emoción aparente, viéndome aplastar un grano de café y aspirar su aroma, pese a que casi nunca se permitía aludir a él. «Lo imitas inconscientemente, porque tú no pudiste verlo hacer ese gesto».

Esta excavación me permite, todavía hoy, salvaguardar mosaicos cubiertos de arena, materiales necesariamente fragmentarios y recuerdos de personas. A la autobiografía no puede imponérsele límite alguno. ¿No mezclaban los más grandes pintores otros «materiales» con sus colores? Y, sin embargo, ¡esos cuadros no huelen mal! Tratando de encontrar la unidad de mi ser, la continuidad de mi existencia, confesando hasta qué punto los veintiséis años pasados en Hungría gravitan sobre los sesenta pasados en Francia, *quiero contarlo todo* (o casi todo, para ser sincero): hechos históricos, amores, odios, momentos de alegría y de angustia, secretos finalmente desvelados, plegarias y blasfemias.

Los conflictos del multilingüismo

Con ocasión de una visita a Budapest en mayo de 1997, y con el pretexto de un viaje universitario cuidadosamente preparado, había decidido volver a conectar con mi país, volver a ver a los supervivientes, recoger testimonios, ir al encuentro de ese pasado que no había podido descubrir más que tardíamente al fondo de mí mismo. No me di cuenta entonces, pero me vi como si estuviera aplastado contra un espejo cuyo reflejo devolvía mis características personales, mis mejillas planas, mis ojos inexpresivos, mi nariz perforada, desfigurada por un botón en la adolescencia. Desvinculado de la lengua magiar, aun habiendo vivido esos episodios en húngaro, la realidad de *aquello*, el universo húngaro, no la he comprendido más que *aquí*, en París. No puedo formular sino en francés la carga sentimental de que se hallan revestidos los acontecimientos importantes de mi juventud. Mi lengua materna no me ha sido fiel pese a que yo viví esos acontecimientos en húngaro. Es verdad que mi primera niñera, Teta, era austriaca. Seguramente, me cambiaría los pañales en alemán, acariciándome y manoseándome en su dialecto natal. ¿Serviría su presencia para explicar mi visceral vinculación con la lengua germánica? ¿O es que acaso esa lengua se hallaba inscrita en mi identidad ancestral secreta, voluntariamente pasada por alto, olvidada o deliberadamente escondida hasta la promulgación de las primeras leyes antisemitas? Porque incluso en ese momento —¿no es sobrecogedor?—, cuando desapareció por completo la fantasía de la integración en la sociedad húngara, mis padres y mis abuelos nos impidieron conocer la verdad acerca de nuestros orígenes familiares.

Mis abuelos maternos continuaron siendo judíos y conservaron su apellido familiar, Hirsch. Mi abuelo paterno siguió una estrategia distinta. Béla Löwenstein, nacido en Szombathely en torno a 1870, ingeniero mecánico de formación, eligió, tras el fin de la guerra, el apellido Loránt. Su mujer, Vilma Strauss, que pertenecía a una rica familia de molineros, y él mismo debieron convertirse algunos años después de haber nacido yo. En tanto los Hirsch permanecieron fieles a la religión de sus antepasados, los Loránt rompieron con su tradición religiosa, ilusoriamente convencidos de haber logrado así una completa integración social. Ocurrió seguramente lo mismo con mis padres, que debieron de abrazar la fe de los gentiles poco tiempo después de su matrimonio, porque yo fui bautizado al nacer. Creo, no obstante, que mi partida de nacimiento, redactada en la parroquia, hacía mención de la religión anterior. Mi madre contribuyó a la financiación de la Jevrá Kadishá, la «Santa Sociedad», que velaba por la «buena muerte» de sus correligionarios y por que los funerales se celebrasen con acuerdo al ritual israelita, hasta 1936. ¿Lo hacía solo con el objeto de que aquella organización se ocupara de la sepultura de sus propios padres? No lo creo. Seguramente, no era más que una deferencia con su religión de origen tras su adhesión a la Iglesia católica romana. Sea como sea, en la época en que la ley prohibió a los judíos emplear personal doméstico, mi abuela materna comentó: «¡Imponernos eso a nosotros, que somos cristianos desde hace tres generaciones!». El alemán debía de actuar como una fuerza atávica en mi inconsciente —mis bisabuelos paternos procedían de Silesia, donde sus antepasados habían reunido el suficiente dinero para comprar el nombre Löwenstein, orgullosos de no tener que llamarse Klein (pequeño) o Grün (verde)— y entraba en conflicto con el magiar, razón por la que tartamudeé durante muchos años. Este defecto traducía certeramente una agresividad que los «buenos modales» no permitían expresar y revelaba el «conflicto» lingüístico que me inclinaba a esforzarme aún más en mi aprendizaje del francés. De manera paradójica, ese enriquecimiento cultural, la apertura al otro, paralizaba mi glotis. ¿O era quizá el entorno hostil lo que provocaba que las palabras quedasen sumidas en el fondo de mis pulmones?

De la francofonía materna

El amor a la lengua francesa me fue transmitido por mi madre. A los diecisiete años pasó una escarlatina que dañó su oreja izquierda y que le afectó también al tímpano, lo que le ocasionó una otitis supurante. Preocupados por su salud, sus padres, Alfred e Iren Hirsch, la mandaron a Suiza y la matricularon en la institución de la señora Euby, en Nyon, donde pasó dos de los mejores años de su juventud. Aprendió allí todo lo que una chica de buena familia debía saber, en especial, a cocinar, a partir de recetas que copiaba cuidadosamente con su escritura regular en un grueso dietario alfabético. Conservo conmigo el de Sári Hirsch —su nombre de soltera aparece en el reverso de la primera página— iluminado por su escritura, que me inspira y reconforta al comienzo de este relato en el que me propongo evocar y conjurar el pasado. Las colegialas de la señora Euby preparaban platos fríos y los presentaban con elegancia; naturalmente, también aprendían a coser, pero ese «oficio de mujer» resultaba poco del gusto de la joven húngara, pese a que era de manos hábiles. Durante su estancia en la Romandía (la Suiza francesa), la jovencita enferma del oído se entregó a algo mucho más importante, aunque de naturaleza diferente, y que resulta esencial para mi propósito narrativo. Adquirió allí el amor a la lengua francesa. Y los libros que trajo se convirtieron en mis libros de cabecera.

La librería Laufer nos enviaba cada mes una pila de libros franceses «para elegir». Mi madre se quedaba la mayor parte y, así, las obras de Maurois y Mauriac, junto a las de Anatole France, Pierre Loti, Colette e incluso Gyp, figuraban en nuestra biblioteca. Voy a revelar aquí un secreto: el héroe de *Bamboulina*, de Paul Reboux, que para salvar a su prometida amenazada por las insinuaciones de un gorila se entrega a rítmicos tocamientos masturbatorios en la creencia de que el animal lo imitará, contribuyó bastante a mi educación sexual, casi tanto como *Nuestra vida sexual* (en dos volúmenes), obra científica del doctor Fritz Kahn que mi profesor de piano me prestó, con la sana intención de desasnar en esas materias al muchachito pudibundo que era yo. Recientemente, he vuelto a ver las novelas de Reboux, en su bella edición de 1930, cuya cubierta exhibe unas hojas de palma de un verde intensísimo que se recortan contra un cielo azul, tropical, colonial e irreal.

Fue la inmisericorde *fräulein* Seidl, profesora de liceo del Tercer Reich, la que me inculcó con sus métodos prusianos las declinaciones y conjugaciones de la lengua de Goethe y de Hitler. Soportaba la presencia de esa nazi en estado puro gracias al consuelo que me proporcionaba la señorita Adler, hija de un médico judío, que había aprendido el francés en Suiza, como mi madre. *Les Grands Hommes quand ils étaient petits*, que todavía ando buscando hoy, debió de ser el primer libro que leímos juntos. Arrancaba con una apología del general Bazaine capitulando ante los prusianos en 1870. Los dictados, la búsqueda de palabras que comenzasen por una letra elegida al azar (página 19, línea tercera, décimo signo) me procuraba un inmenso placer. La llegada de la señorita Pauline de la escuela de la señora Euby puso fin a esas clases. Aquella suiza perfecta, de cara gorda e inexpresiva, desembarcó entre nosotros pertrechada de un verdadero arsenal de argucias pedagógicas. Yo la detestaba, lloraba y despotricaba, y finalmente conseguí que volviera la señorita Adler. Fue una magnífica victoria y una inmensa satisfacción.

La señorita Adler dejó de venir por casa, me parece, a partir de 1940, es decir, cuando abandonamos la villa familiar en la cercanía del bosque para establecernos en un apartamento del centro. No volví a verla tras el asedio de Budapest y la entrada en la capital de las tropas rusas. Aquella maravillosa joven, digna, inteligente, comprensiva y sociable, que sabía jugar con su alumno e incitarlo a la vez a buscar en el diccionario diez palabras nuevas cada día, había sido deportada con toda su familia. ¿Para cuándo una placa conmemorativa colocada por el presidente de la República de Hungría a la entrada del campo de concentración de Kistarcsa, desde donde columnas de mujeres, de ancianos y de niños tuvieron que salir en diciembre de 1944 en dirección a Hegyeshalom? A los que desfallecían se los asesinaba en el sitio. ¿Seguirá el ejemplo del presidente Chirac, quien el 23 de agosto de 2013 reconoció la responsabilidad del Estado francés en el arresto de trece mil judíos, encerrados en el Velódromo de Invierno, en el distrito XV de París entre el 16 y el 17 de julio de 1942 y deportados y asesinados luego en Auschwitz?

En 1945, en el liceo de los escolapios, los alumnos de mi clase apenas podían progresar en lenguas extranjeras. Sus padres sufrían la presión, justa o arbitraria, de esos comités de depuración presididos por comunistas, con prosélitos recién convertidos o con antiguos deportados vueltos milagrosa y misteriosamente al país. Mis amigos judíos se entregaban al estudio del inglés; sus padres, enriquecidos en el mercado negro en aquellos tiempos de inflación, los preparaban para el porvenir, vale decir, para la emigración, desde 1948. Arruinados por la guerra, víctimas de la rapacidad de los nuevos poderes, nuestro objetivo estuvo siempre puesto en Francia. Hermine, la hermana de Violette que cuidaba sus gatos, siguió dándome clases. Aquellas mujeres habían embarrancado en Budapest y vivían de modestas remuneraciones por su trabajo. Dejaron el país, bajo protección de la embajada de Francia, que tuvo que repatriar a muchos conciudadanos tras la toma del poder por los comunistas, en 1949 o 1950. ¡Así funcionaba la enseñanza del francés en la Europa central!

Mi vinculación con el francés, lengua verdaderamente materna para mí, gracias a la que pude renacer a una nueva vida en Occidente, ¿tendría otros motivos que los que he apuntado al redactar este preámbulo a mis memorias de Budapest? La experiencia del psicoanálisis me ha permitido sumergirme en mi pasado *en francés*; recuerdos, sueños, fantasmas, temores, alegrías, inclinaciones confesables y deseos inconfesables han surgido espontáneamente en una lengua distinta a la de mi país de origen. La «arqueología escrituraria» ha nacido en el hueco dejado en mí por la experiencia psicoanalítica. Me ayuda a retomar temas muy a menudo dolorosos, por más que lo sean menos pasados tantos años; los desarrolla, los detalla, los enriquece y afirma su impulso en la palabra que se quiere libre. Milan Kundera, con quien mantuve relaciones cordiales desde su llegada a Francia, en la Universidad de Rennes, se ha referido a la *densidad* de la escritura, cualidad indispensable que la hace apta para traducir con parecida precisión los pensamientos fugaces y las ideas obsesivas, unas y otras presentes en nuestro ser fragmentado. Ojalá la *intensidad* de mi propósito anime estas páginas, aunque mi escepticismo es total en relación con que lo escrito sirva para entender lo vivido. Uno no puede contar su vida. Sería necesaria una segunda existencia para hacerlo adecuadamente. El discurso denso y los propósitos entusiastas hacen que sea posible a veces localizar en el fondo marino ánforas semienterradas, arcones llenos de arena o de joyas.

Mi barco navega por un mar en calma. El viento amaina, el navío se inmoviliza, balanceándose a babor y a estribor... Abandono el timón y me dejo arrastrar por mis más dolorosos recuerdos.

Convocado de urgencia al hospital, vuelvo a encontrarme con mi madre en su cama. Tiene «seis» de tensión, me dicen, y «eso» debería ocurrir pasado el mediodía. Tiene sed, pero no puede sostener el vaso. Se lo sostengo, incómodo a la vista de su dentadura. Me dirige la palabra *en húngaro*, porque nunca he cedido a su deseo de conversar conmigo en francés. Yo buscaba con eso conservar la autenticidad de nuestros intercambios verbales, basándolos en el idioma de mi infancia. Nunca pude aprobar su fantasía de volverse totalmente francesa, aunque hubiese adoptado la lengua del país, ilusión semejante a aquella de los judíos húngaros que se creyeron ciudadanos de Hungría y trataron de conservar sus vidas inclinando la frente sobre la pila bautismal. Le sorprende que esté en el hospital a hora tan temprana. La tranquilizo: estoy de paso. Salgo de la habitación. No volveré a verla más que en su ataúd, en la Salpêtrière, para «identificar su cadáver». Entra mi hermana. Le habla *en francés*, puesto que ambas comparten esa feroz determinación de renegar de su pasado y comenzar una nueva vida, en un idioma nuevo, en un nuevo país. Las enfermeras nos piden «no fatigar a la enferma, la pobre». Hemos vuelto a la tarde para recoger sus cosas... En la cercanía de la muerte, ¿ha sido el bilingüismo un código secreto que solo el corazón podría descifrar? ¿Volveré a encontrar los rastros de mi madre en mi memoria o tendré que buscarlos en Hungría?

CAPÍTULO SEGUNDO

La llegada

En mayo de 1997 llego al aeropuerto de Budapest, que se halla en plena expansión. El visitante es bien recibido. El control policial no es tan humillante como los de antaño y el funcionario te examina durante menos tiempo, también. Cambio algunos cientos de francos antes de apoderarme de mi maleta (al menos parece que es la mía) y me embolso los forintos, obtenidos a un cambio poco favorable. Esquivo a los taxistas latosos que te ofrecen sus Mercedes a precios disparatados y me introduzco en el minibús que me conduce al hotel Peregrinus, en el centro, a un centenar de metros del domicilio en donde vivía en 1940 y en el que permanecí hasta mi salida, en 1956. Me cuesta distinguir las estructuras de las viejas oficinas, antiguas joyas de la industria húngara, alineadas una junto a la otra en el trayecto de mi visita de cuatro años antes. En las inmediaciones de unos barracones, unos manzanos en flor alegran el paisaje. Durante este fin de semana de Primero de Mayo, la ciudad se queda vacía. El recuerdo de los desfiles de antes de 1956, obligatorios y llenos de entusiasmo fingido —los rostros de los camaradas de las

Juventudes Comunistas lucían radiantes, y se ensayaban los cánticos revolucionarios a paso de marcha durante las jornadas anteriores al gran día— apenas ha rozado mi espíritu. El minibús Volkswagen en el que nos desplazamos enfila por la avenida Üllői, con sus cuarteles y clínicas dañadas por los disparos de los cañones soviéticos contra los insurgentes de 1956, y llega rápidamente a su destino, en la calle Szerb.

La Universidad Eötvös Loránd, fundada por el cardenal Péter Pázmány, está muy orgullosa de su residencia para invitados, un antiguo edificio administrativo rehabilitado que han convertido en el hotel Peregrinus, discretamente pasado de moda. Las ventanas dobles de las habitaciones de techos altos dan casi todas al jardín de la iglesia ortodoxa serbia. (Durante el siglo XVIII, eslavos del sur que huían de los turcos se establecieron en algunos distritos de Pest-Buda y en sus alrededores). El ascensor todavía no funciona y me veo obligado a arrastrar mi maleta con ruedas, que me resulta mucho más pesada a medida que subo hasta el segundo piso.

Salgo del hotel y bajo los tres escalones que separan la puerta de entrada de la acera. Estoy en la calle, en casa, en mi ciudad y en mi barrio. Una impresión de irrealidad se apodera de mí y siento un impacto que disuelve en un instante cuarenta años de exilio. Pero ¿es adecuado hablar de un exilio de cuatro decenios cuando en realidad este ha sido libremente elegido, siendo así, además, que cada uno de los días pasados en París resultó una verdadera fiesta, un deslumbramiento, un regalo de Occidente al refugiado político apátrida que fui? Por el momento no quise acercarme a mi antiguo domicilio, en el n.º 10 de la calle György Fejér, y dejé para más tarde el cara a cara. De manera que volví a recorrer el itinerario que me condujo al liceo durante ocho años seguidos: calle Szerb, plaza de la Universidad, calle Kecskeméti, plaza Ferenciek, calle Kígyó, y, si tenía prisa, por la calle Pálné Veres, por donde circulaba el tranvía n.º 16. En mi época —e involuntariamente adopto aquí el tono de un cronista de los de antes—, los estudios secundarios arrancaban a la edad de diez años. Recorro el centro de la ciudad durante una hora, atravieso pasajes subterráneos en los que se apuestan mendigos repulsivos, paso por delante de las oficinas de los cambistas, en cuyas inmediaciones descubro algunas tiendas que frecuentaba en mi juventud. La calle Váci, una de las arterias principales de la ciudad, parecida a la antigua Kärntner Straße de Viena o a la actual calle de Faubourg-Saint-Honoré, por la que circulaban antes de la guerra los vehículos y los empleados de poderosos personajes, sumida en la oscuridad por el régimen comunista que a toda costa quería castigar al centro por el hecho mismo de haber existido, ha sido convertida en zona peatonal, un gran tablero del ajedrez de la vulgaridad con sus inevitables casillas de McDonald's, Air France o Sabena, sus cafés de un lujo impostado, sus bares a media luz frente a los que los delegados locales de la mafia ucraniana, sólidamente implantada por aquí, pastorean hermosas chicas de acento imprecisamente eslavo. Paso por delante de comercios que exhiben nombres de marcas exclusivamente extranjeras. Todo fue saldado por los viejos comunistas en el poder (y debo subrayar que es el año del «gran cambio» lo que está en marcha). Esquivo en mi camino a gitanos que arrastran a niños de alquiler y vengo a dar al fin en la plaza Vörösmarty (el gran poeta romántico, traductor de *El rey Lear*), que recuerda en esta zona a la plaza Beaubourg de París: un espacio atestado de músicos ambulantes, pintores domingueros y apacibles turistas de todas las nacionalidades. La taquilla de los conciertos, alojada en el antiguo Vigadó y al parecer en obras, está cerrada: el Festival de Primavera de Budapest ha debido de consumir todos los fondos públicos y privados disponibles. Busco en vano aquellos pequeños afiches de la Ópera que consultaba semana tras semana en los años cuarenta. Aparecieron más de una vez en mis sueños de emigrado, muchos años después de mi llegada a Francia: me veía absurdamente de regreso en Hungría y no podía salir del país. Y aquí estaba ahora, en Budapest, en plena primavera de 1997, circulando libremente y con un billete de vuelta en el bolsillo. Pero sin acabar de vencer, al no comprenderla totalmente, esa impresión de irrealidad que no me había abandonado ni un instante. ¿Sería yo parecido a ese muerto del que habla Marcel Arland en una de sus novelas, que vuelve a la tierra, junto a su mujer, pero que siente al hacer el amor con ella la rara y frustrante sensación de hallarse en el vacío, en una vagina que no lo contiene en absoluto? ¿Por qué habría de querer retozar en ese ambiente, a la vez odiado, temido y amado? Probablemente para recoger muestras que recopilar, tintar y fijar no en láminas de vidrio, sino en hojas de papel. No puedo ocultar que esta idea también está presente, sobreimpresa, en las fotografías tomadas en Budapest. Sirven para dominar la realidad irreal de allá, para intentar hacerla comprensible con el portaminas de cuerpo liso que se apoya sobre mi dedo medio, algo encallecido por la presión ejercida por el pulgar y el índice durante décadas.

El palacio Gerbeaud, en la plaza Vörösmarty

Me encuentro frente al palacio Gerbeaud, vendido tras la caída del Muro por algunos miles de millones de forintos a un comerciante suizo (los antiguos propietarios, expropiados en los años cincuenta, no recibieron más que unos pocos centenares de miles). El comerciante helvético se ha comprometido a conservar durante al menos diez años la legendaria pastelería, en la que no pude encontrar un solo pastellillo confeccionado según las recetas tradicionales de principios del siglo xx. Las empleadas eran entonces damas distinguidas, impecablemente vestidas de negro, de una dignidad y una amabilidad a toda prueba. «Señor director, ¿se llevará una tarta Sacher hoy?», preguntaba

Györgyke, la elegante dependienta, a mi padre hace más de medio siglo. No hace falta decir que un regalo a fin de año recompensaba su devoción y su delicadeza durante doce meses. Volví a verla tras la nacionalización de las pastelerías en un mezquino establecimiento donde se dedicaba a despachar bolas de helado. Su dentadura rechinaba de la indignación, como el aparato que utilizaba para llenar los cucuruchos.

Circunstancias personales me vinculan con el tercer piso del palacio Gerbeaud. Entre 1940 y 1944 frecuenté la escuela de música dirigida por Dódy, la nieta del fundador de la pastelería, antigua alumna de Kodály y de los grandes maestros contemporáneos de la Academia de Budapest; tras haber ampliado estudios en Berlín, su trabajo se hallaba en la vanguardia de la pedagogía musical. Sabía que la iniciación en las artes debía, sobre todo, provocar placer en el alumno. Las piezas breves para flauta dulce de Bach, Telemann, Pachelbel o Daquin que nos hacía tocar, acompañados al piano, al unísono o en conjuntos pequeños, encantaban el oído y el alma del debutante que era yo entonces. A menudo nos hacía escuchar discos, de aquellos frágiles 78 r. p. m. que ondulaban en el plato de la Victrola, para hacernos descubrir a los grandes clásicos y prepararnos para esos conciertos en los que mis padres nunca me dejaron tomar parte porque los muchachitos de mi edad nunca debían acostarse pasadas las diez. Hijos de las mejores familias frecuentaban sus cursos. Ádám Bárdos-Féltoronyi, por ejemplo, que tendría trece o catorce años por entonces y cuya fotografía apareció un día en los periódicos; embutido en su uniforme de las juventudes paramilitares, había sido presentado al regente Horthy en el Castillo Real de Buda. Algunos días más tarde, desfilando con su atuendo de magiar pura sangre, me llamó despectivamente judío en presencia de las jovencitas que nos acompañaban. Yo era un buen chico, según parece, y las chicas contaron con todo detalle el incidente a Dódy, quien, presa de la indignación, hizo saber a Ádám que sus chulerías antisemitas estaban totalmente fuera de lugar allí y que no podría seguir en el curso mientras vistiese un uniforme tan teatral. A finales del mes de abril de 1944 dejé de frecuentar aquellas sesiones musicales que tanto disfrutaba, porque vivíamos prácticamente encerrados en nuestra casa, blasonada con una estrella amarilla. Sin embargo, Dódy me recibió durante las horas de salida acordadas para los judíos; no parecía temer al signo infamante que yo soportaba, e incluso me ofreció un helado que hizo subir de la pastelería de la planta baja a su apartamento del quinto piso.

Se casó con Dabasi-Schweng Lóránd, ilustre economista diplomado por la London School of Economics en vísperas de la entrada de las tropas rusas en Hungría. Volvieron a su piso —que habían tenido que abandonar durante el asedio a la ciudad, entre diciembre de 1944 y enero de 1945— y se lo encontraron lleno de excrementos de soldados rusos en latas de conservas. Después de 1945,

Dódy me ofreció generosamente clases de piano gratuitas y, para que no me preocupase por ello, me hizo encargado de traerle queso fresco del mercado de Pest. Su marido, Lóránd, secretario de Estado de Finanzas y presidente de la Asociación Húngaro-Americana, siempre se negó a edulcorar sus declaraciones relativas a las exorbitantes reparaciones de guerra pagadas por la nación a la URSS. Abandonaron el país en condiciones particularmente difíciles, atravesando la frontera austrohúngara, que estaba *minada*, a sabiendas de que sería la zona de ocupación soviética la que los acogería. Más adelante, Lóránd se convirtió en especialista en agronomía para los países subdesarrollados; un tanto enloquecidamente, se dedicó a combatir el gasto en los países del tercer mundo, criticando la utilización poco racional de la ayuda americana, empleada de manera paradójica (pero, en cierto sentido, lógica) en multiplicar el descontento de la población y favoreciendo en aquellos tiempos de guerra fría que prosperasen allí las actitudes prosoviéticas. Incurable idealista, fue despedido por sus empleadores norteamericanos a petición de un ministro marroquí que se negaba a entregarle las estadísticas indispensables para sus investigaciones. Arruinados, viejos, rodeados de objetos curiosos, de cerámicas y tejidos comprados en mercados sudamericanos, coreanos o sirios y de algunos hermosos muebles rescatados de su patrimonio en Hungría, la pareja de exiliados sobrevivía en una aldea situada entre Ginebra y Lausana gracias a las clases de piano de

Dódy. Profundamente depresivo, sin confianza alguna en el futuro, habiendo intentado en más de una ocasión seducir a su mujer con la idea del suicido, Lóránd falleció primero. Tenía, sin embargo, una extraordinaria fortaleza física; en vísperas de su deceso todavía enarbolaba la pala para quitar la nieve que cubría totalmente la puerta de su garaje. Dódy lo sobrevivió pocos meses, atormentada, decía, por las Erinias; se reprochaba haberlo agobiado con sus reproches, siendo así que esas pequeñas exigencias cotidianas eran las que lo habían mantenido *con vida*. No quiso aceptar su muerte, creyó que aún respiraba: las enciclopedias médicas aseguran que, cuando las funciones vitales cesan, los residuos de aire retenidos en los pulmones salen al exterior en una horripilante expiración. Me encontré con Dódy poco antes de que fuera operada de una oclusión intestinal que acabó con su vida. Desde el balcón me dijo: «Hasta la vista». Necesitaba conservar una imagen intacta suya y no volví a verla por puro egoísmo, puesto que sabía que habría podido ofrecer un último consuelo a esa mujer que, cansada de vivir, había renunciado a luchar. Durante casi medio siglo, entre 1940 y 1990, estuvo ligada a lo más íntimo y secreto de mi ser. ¿Podré volver a hablar de ella algún día? Quizá si reuniera sus cartas, quizá. Allá donde esté, espero que acepte este *in memoriam*, porque no puedo añadir nada más sin traicionar mi devoción.

Me encuentro enfrente de la fachada blanca del palacio Gerbeaud: indolente, obtuso, aturdido, lo contemplo con indiferencia, asombrado. A la derecha, un panel publicitario proclama los muchos beneficios derivados de tener una oficina en el centro. A la izquierda, observo un árbol cuyas ramas más altas llegan hasta la tercera planta. Mis ojos captan la imagen de ese amable lugar, pero no me explico qué betabloqueante impide a mi cerebro secretar la toxina misteriosa que provoca la emoción. No siento otra cosa que el tiempo abolido, una especie de continuidad que reniega de sí, una impresión de extranjería, de fatiga, de náusea y de hundimiento. Trato de entrar al edificio, de remontar el tiempo subiendo las escaleras. Pero la única entrada que conozco, por la calle Dorottya, está tapiada. ¿Habrán aprovechado el impresionante hueco de la escalera para agrandar el espacio a la venta? El bello edificio neobarroco, cada uno de cuyos detalles fue concebido por un arquitecto al servicio del propietario suizo, había quedado en parte devastado por el fuego. En marzo de 1944, mi madre confió a Dódy su solitario, la sortija con diamantes tradicional en las buenas familias, generalmente de segunda mano, como la mayoría de los objetos lujosos de la Europa central. Intimidada por el clima político dominante, Dódy guardó la joya en una caja metálica oculta tras una montaña de carbón en el sótano. Los soldados rusos incendiaron intencionadamente el edificio en 1945, durante el asedio. El solitario en su caja, requemada por el carbón, sufrió graves daños. Solo un especialista en diamantes de Amberes habría podido eliminar las groseras impurezas dejadas por el fuego sobre su fondo puro y transparente.

Los comunistas confesaron, muchos años después de tomar el poder, que su objetivo era incitar a la burguesía a reconstruir el país a sus expensas; después, irla eliminando de cualquier coalición política y, finalmente, nacionalizar sus riquezas. Era la «táctica de las lonchas de salami», como teorizó un día Rákosi, el lugarteniente de Stalin en Budapest; un enano cobarde casado con una kirguisa que trataba de vestir a la moda de París y a la que el agregado cultural francés abastecía de revistas de moda. Rákosi hablaba el húngaro con un acento detestable y circulaba —como todos los dignatarios del régimen— en una limusina ZIS de fabricación soviética con los cristales ahumados, impenetrables a la mirada de los que se cruzaban con el vehículo. Naturalmente, nosotros no estábamos informados de esos secretos olímpicos, y teníamos necesidad de dinero, de mucho dinero, para hacer frente a las reparaciones de los cuatro inmuebles que mi padre había hecho construir entre 1936 y 1940. Desamparada, desesperada, viuda a los treinta y siete años, arruinada por la enfermedad de su marido, mi madre se dirigió al señor Steiner —un corredor al que yo debí de conocer, en 1942 o 1943, en casa de mi abuelo— para que este mostrase el diamante dañado a joyeros expertos en la materia. El señor Steiner *vendió* la joya en pleno periodo de inflación galopante. Nos entregó varios paquetes de un papel moneda cuyo valor disminuía a cada minuto. Un conocido nuestro controlaba los paquetes que, según Steiner, un miserable carente de principios, salían de la banca. Allí faltaban una buena cantidad de billetes, que nos restituyó sin pestañear.

Rodeo la plaza Vörösmarty, convertida en zona peatonal. Me encuentro ante un lujoso edificio con la planta baja decorada con piedras de mampostería. A su lado se encuentra una obra maestra de la arquitectura modernista. La fachada, sabiamente dispuesta con conjuntos de tres ventanas superpuestas enmarcadas por mosaicos; la parte central, sostenida por dos piedras huecas, como una especie de chapiteles que soportan los ventanales cuadriculados y que invitan a levantar la mirada al techo: allí se descubren dos esculturas de mujeres con los brazos anudados tras la cabeza que sostienen la cúpula de bronce azulado adornado con flecos en las cornisas. No tengo la menor intención de dedicarme a cantar las riquezas arquitectónicas del Este. Antes y después de cumplir los veinte, yo solía andar con las espaldas hundidas, la cabeza gacha, con la vista fija en lo que cayera a la altura de los ojos. Fue en el curso de esos días en Pest —Buda es un universo aparte— cuando por primera vez alcé la mirada para descubrir la belleza particular de las barriadas edificadas durante la segunda mitad del siglo xix y principios del xx. Solo había sido restaurada una pequeña parte, y el paisaje urbano de la capital no había recuperado aún su aspecto de anteguerra. Algunos edificios habían sido rehabilitados al estilo socialista: con picos y martillos se habían echado abajo todas aquellas partes de la construcción susceptibles de desplomarse sobre los transeúntes. Más adelante, con ocasión de visitas a Viena y Trieste, me fui dando cuenta de que existía un estilo austrohúngaro pleno de reminiscencias habsburguesas que, materializado en esos edificios grandiosos, había sobrevivido a la monarquía, a las guerras, a los desplazamientos de fronteras y al socialismo. El capitalismo salvaje actualmente imperante en Hungría también le dará batalla, incapaz —pese a su poderío— de rivalizar con esa grandeza, fundada en una pretenciosa ilusión de perennidad.

Paso, metido en mi papel de turista aburrido, por delante del edificio, cuya primera planta, rodeada por un balcón, albergó en su día un espacio concebido para la distinción y el lujo. Me acuerdo de que, cuando cumplí dieciocho años, fui allí a saludar a mi abuelo, miembro del Automóvil Club del Reino de Hungría, club muy exclusivo y lugar de reunión de los más poderosos industriales del país. Mi abuelo sabía de mi pasión por la lírica y me presentó al presidente de los Amigos de la Ópera de Budapest. Gracias a su mediación obtuve una entrada (en la fila doce) para una representación de gala de *Lohengrin*; el gran tenor sueco Set Svanholm interpretaba el papel estelar, metido en una armadura tan tradicional como resplandeciente. En aquella época no se temía al mito y sus representaciones, por ejemplo, al cisne que llevaba a Lohengrin a escena y que luego despide al final de la obra.

Pero ¿estaba hablando de Lohengrin o de mí mismo? ¿Adónde me ha traído el cisne de la leyenda? La realidad húngara de 1997 no guarda relación alguna con los mitos de mi infancia, con mi experiencia adolescente o con el tormento de mis últimos años en el país. Debería de haberme dado cuenta de que la búsqueda del tiempo perdido —y, sobre todo, el verbalizar todo lo que me rondaba la cabeza en esa visita de 1997— no podría tener por marco esta ciudad de Pest, cuya vulgaridad balcánica me repugna e incomoda. El sentimiento de inseguridad no deja de rondarme lo mismo en el metro que el puente de las Cadenas («Lánchíd», en húngaro), donde un individuo, sin excesiva agresividad, me aborda: «¿Turista?», gruñe con voz estropajosa. ¿Qué querría proporcionarme? ¿Droga o mujeres? Tuve miedo de que me tirase al Danubio y apreté el paso para alcanzar la otra orilla. Me sentía descorazonado por el peso de los cuarenta años de ausencia que llevaba a mis espaldas, y no buscaba otra alegría ni otro placer que no fuera una buena comida en un buen restaurante. Pero ¿habría podido dar un solo paso de haber seguido empantanado en mis recuerdos? Mucho antes de iniciar el viaje, tuve el presentimiento de que mis sensaciones contradictorias, la nostalgia y el amor-odio por la capital de los húngaros, terminarían por deprimirme, pero no pude prever que fueran a hacerlo con tanta intensidad. Astronauta recién llegado del espacio exterior, me encontraba en ese género de atmósfera despresurizada donde uno se mueve con dificultad. Nunca hubiera pensado que este viaje de dos horas en avión fuera a tener unas repercusiones tan dolorosas para mí. En aquel sitio, comprendí que mi propia vacuidad —porque me sentí vacío, privado de mi infancia— se proyectaba sobre la ciudad misma. Saberme hijo de esa ciudad, producto y retoño suyo, me produjo cierta repugnancia. Yo era extranjero, progresivamente empujado a la marginalidad por leyes antisemitas votadas en el Parlamento neogótico, y me quedé en extranjero en virtud de la lógica implacable de la lucha de clases bajo el régimen comunista. En adelante llevaré el pesado disfraz del emigrado que vuelve a su país de origen. El traumatismo de hoy no hace más que actualizar los sufrimientos de ayer; me doy perfecta cuenta al consagrar las mañanas de este verano de 1997 a desentrañar el sentido de mi visita a Hungría. Encontrarse cara a cara con la realidad de antaño no beneficia en nada al duelo, no aporta serenidad, algo que no tiene nada que ver con estar presente, porque está íntimamente ligado a la ausencia. La rememoración se alimenta de lo imaginario: es un proceso puramente interno; de otra manera, está condenado al fracaso.

El señor Hedrich o el notario de la esquina de mi calle

Vuelvo a encontrarme con mi personaje de espaldas al palacio Gerbeaud; se dirige hacia la calle Ferenc Deák, a su izquierda. El señor Hedrich, el notario, tenía su despacho antes de la guerra en el n.º 2. Naturalmente, no había pensado en ello durante mi estancia de dos semanas en Budapest, en mayo de 1997. Y eso que, una vez instalado en Francia, soñaba a menudo con él. Lo visité en 1945: buscaba el testamento de mi tío paterno, György Loránt, desaparecido en un campo de trabajo o en el camino de regreso a casa. Mi demanda no había prosperado porque no me encontraba en condiciones de aportar los documentos necesarios. Sin embargo, yo soñaba con consultar sus archivos. ¿No obtuve en París, cierto que sorteando alguna dificultad, autorización para consultar unos documentos del señor Guyonnet de Merville, que dirigió a la sazón el estudio donde trabajó un joven empleado llamado Honoré Balzac, sin partícula? ¿No se me autorizó a estudiar los documentos personales de Bernard-François Balzac, padre del novelista, en los Archivos de la Guerra en Vincennes, y a seguir la carrera de ese oportunista hasta su carta de solicitud de jubilación, redactada por el hijo? Entonces, ¿no es verdaderamente absurdo, doloroso e insufrible que yo no sepa NADA —ignoro cómo expresarlo con la debida indignación—, *RIEN, NICHTS, NOTHING*, acerca de la historia de mi propia familia? El señor Hedrich, o su sucesor, debió de hallarse en ejercicio durante la toma del poder por los comunistas. ¿Existe en Hungría un registro central? ¿Se volcaron en él los registros de los notarios «de la monarquía» cuando se proclamó la república en

1945? ¿Dónde se halla el documento de venta de la gran propiedad de los padres de mi madre? ¿En qué expediente podría figurar el contrato matrimonial de mis padres? ¿Qué podría revelarme acerca de la naturaleza de sus vínculos? ¿Matrimonio por amor? ¿Matrimonio convencional? ¿O matrimonio de conveniencia? ¿Cuál de los dos había hecho «una buena boda»? ¿Por qué el hermano de mi madre, Miklós Halász (nacido Hirsch), abogado, coheredero junto a mi madre de la gran hacienda de Cikola y al tiempo sinceramente interesado en la suerte de sus paisanos pobres (¿qué era? ¿Librepensador? ¿Socialista? ¿Populista o francmasón?) montaba en cólera cada vez que aparecía por nuestra casa? ¿En qué momento dijo mi padre, dirigiéndose a mi madre en mi presencia: «No aguanto más a tu hermano»? ¿Por qué no puedo examinar el documento de constitución de La Viga, la sociedad de responsabilidad limitada testimonio de la ambición irracional de mi padre, empeñado en la promoción inmobiliaria aprovechando la fortuna de sus padres y los bienes de su esposa mientras la guerra se nos echaba encima? ¡Y cómo le gustaba a mi abuela estampar su firma al pie de documentos en los que se le otorgaban acciones de la empresa para satisfacer su pasión por constituir contratos, vale decir, por poseer bienes! La ceguera familiar fue característica de la burguesía israelita húngara, en una época en la que los irredentistas exigían no solamente el retorno a la madre patria de los territorios entregados a países vecinos por el Tratado de Trianón, sino también sanciones contra los judíos que «chupan la sangre de la nación como sanguijuelas». ¡Qué complicado fue, a partir de 1945, disolver aquella sociedad inmobiliaria ficticia para venderla, piso a piso, por un miserable pedazo de pan! Si los archivos familiares pudieran ser reconstruidos, ¿nos revelarían acaso algún secreto? Aunque, de cualquier manera, ¿no es mucho más fascinante fantasear con ellos que aclararlos?

Yasmina Reza o el reencuentro con las «actualidades»

Cansado, inquieto, desorientado, busco un espectáculo que pueda acogerme al anochecer y hacerme tolerable la soledad. En el teatro Katona, que en los últimos años ha conseguido gracias a sus renovadoras puestas en escena superar en prestigio al antaño célebre Teatro Nacional (hoy en plena decadencia), se representa *Arte*, de Yasmina Reza —en húngaro, naturalmente—. Por la calle Petőfi, paralela a la calle Váci que antes me condujo al palacio Gerbeaud, me dirijo en dirección contraria hacia el teatro. Peatón sonámbulo, paso por delante de la tienda de música Rózsavölgyi (uno de los más antiguos comercios de Budapest, fundado en el siglo XIX), bien provista de discos de la Callas y de Elton John y en donde se echan dolorosamente en falta las obras de los grandes musicólogos húngaros: las había espléndidas, como la de Aladár Tóth sobre el arte de Mozart, síntesis genial de las escuelas de Mannheim, París, Venecia y Viena; u otras como la de Bence Szabolcsi sobre el Liszt anciano, en la época en que componía esa música audazmente atonal precursora de las grandes innovaciones del siglo xx. El transeúnte sin oficio ni beneficio que era yo se lamentaba en mayo de 1997 de la desaparición de aquellas obras clásicas que en otro tiempo fueron motor de su entusiasmo y alimentaron su deseo nostálgico de seguir las huellas de Mozart en Salzburgo o las del clérigo Liszt en Roma. Tenía la impresión de no tener cabida en este universo tan olvidadizo respecto a su propia cultura. Hoy día no puedo identificarme en forma alguna con él. ¿Se da alguien cuenta de que los libros de Kundera y Hrabal, de Lovecraft y de Stephen King, de Wittgenstein y de Chomsky que se ven en las librerías están ahí gracias a Soros, el millonario húngaro, mecenas de toda la vida cultural en los países del Este, que financia la traducción a otros idiomas de aquellas obras que juzga indispensables? En nuestros días se producen situaciones insólitas: las novelas de Kosztolányi, escritor impresionista, observador minucioso de las ambivalencias del alma humana, incontestable deudor de Freud y Schopenhauer, el Stefan Zweig húngaro, no se encuentran en los estantes de las librerías de Budapest, hallándose en cambio disponibles en todas las librerías de París en su versión francesa, que incluso disfrutó de cierto reconocimiento.

En el Teatro de los Campos Elíseos, Pierre Arditi y sus dos secuaces hicieron triunfar la obra de Yasmina Reza.

Hora y media de conversación entre tres amigos: una pintura de blancura inmaculada, ligeramente estriada por unos trazos transversales, que uno de los amigos ha comprado, altera las relaciones que los vinculan y acaba por revelar aspectos de cada uno que siempre habían estado latentes. En el teatro Katona, los constantes cambios de iluminación, ciertos sonidos de música concreta y la gesticulación excesiva e inútil de los actores en unos papeles que les venían grandes lastraban pesadamente aquel espectáculo intimista, reflexivo y ligero en su versión original. *Arte* renueva la tradición de las conversaciones espirituales llevadas a escena; está lleno de matices, y las interrogaciones mismas adquieren a veces un valor semántico. Yasmina Reza se mofa con ganas del culto ciego a la abstracción en la pintura, lo mismo que de la teoría psicoanalítica o de la filosofía deconstruccionista. El traductor húngaro ha trasladado fielmente la expresión «une merde» por la palabra «szar» sin darse cuenta de que el término francés no siempre remite a la defecación, mientras que las cuatro letras del término húngaro (que incluye una «a» gutural tan vulgar como se quiera) no disfrutan de un parecido nivel de abstracción.

A decir verdad, sin esperar una representación en francés como la que escuché hace quince años en el Odeón a esta misma compañía llevando a escena *Las tres hermanas*, de Chéjov, me pilló por sorpresa que los actores se expresasen en húngaro. Al cabo de diez minutos seguía normalmente el espectáculo y, al final, aplaudí a los actores sin demasiada convicción, es cierto, feliz por que las agujas del reloj hubieran recorrido ya los noventa minutos. Por contarlo todo, aquella representación se reveló como un poderoso antídoto contra mi aburrimiento, contra ese vago sentimiento de inanidad que me embargaba desde mi llegada. En dos horas había recorrido todo el centro. Había cedido a mis viejos deseos y cumplido con el deber que me había impuesto... ¿Qué podría hacer los días restantes?

Me veo otra vez en el teatro Katona hace más de medio siglo. La sala acaba de ser transformada en el primer «cine de actualidades» y se puede asistir a los noticiarios en sesiones que duran una hora. Diversas imágenes pasan por mi pantalla: soldados finlandeses, que calzan esquís y van equipados con uniformes blancos, resisten heroicamente los embates del ejército soviético; cañones alemanes de largo alcance atacan las instalaciones rusas; Stukas nazis, capaces de ejecutar picados vertiginosos, se acercan a sus objetivos y atacan puntos estratégicos mal defendidos por los aliados; barcos ingleses y americanos se dejan ver en los periscopios y explotan segundos después, alcanzados por torpedos. Sobre la música tonitronante de los *Preludios* de Liszt, una inmensa uve mayúscula inunda la pantalla; miles de prisioneros soviéticos desfilan en segundo plano, víctimas del Tratado Germano-Soviético, del mal planeamiento táctico por parte de la URSS y de la estrategia de Stalin, capaz de sacrificar a miles de soldados mal equipados para hacer callar una sola ametralladora enemiga bien protegida. ¿Cuál era la reacción del muchacho de doce o trece años ante esas imágenes? Horror, estupefacción, miedo, compasión por los soldados capturados, mal afeitados, de ojos desorbitados. ¿Se imaginaba la horrible muerte de los marineros de la Marina Real británica, abrasados vivos o arrojados malheridos al océano? Débil, tímido, incapaz de resolver negocio alguno, se dejaba arrastrar por los grandiosos sonidos de la música de Liszt y se decía, sin ningún entusiasmo guerrero, «habrá que pasar por ello». No puedo disculparlo, querría simplemente comprenderlo, a él, que en la feria esquivaba las barracas de tiro, tal era el horror que le producían las armas. ¿Qué pulsiones lo hacían vibrar? ¿Sentiría algún tipo de satisfacción sádica ante el espectáculo? Hoy habría querido imitar a Mishima, inspirarme en su amoroso baile con la sinceridad, en la lucidez que preside *Confesiones de una máscara*.

Al contrario que los muchachos de mi edad, yo me colgaba con verdadero placer el paraguas del brazo, plegado a la altura del pecho. Mis camaradas del liceo, en su mayoría miembros de las clases medias nacionalistas, antisemitas y que daban por descontada la victoria de Alemania, rectora de la Europa aria, me tenían por un pequeño judío anglófilo y me apodaban «Chamberlain». Nunca me quejé del mote. En torno a los carteles confeccionados con la bendición de los padres escolapios celebrando las victorias de los ejércitos nazis en Rusia, colgaban de hilos metálicos Stukas en miniatura; aquellos minúsculos aviones también parecían amenazar mi existencia y me inspiraban un inmenso terror. Naturalmente, yo había sido descartado de la fraternidad Scout, muy activa bajo el liderazgo de curas jóvenes, deportistas y reprimidos. Pese a las repetidas peticiones de mi madre al chantre de los escolapios, también tenía prohibido participar en el coro con el pretexto de que pronunciaba las erres en la parte trasera de la cavidad bucal, lo que ponía en evidencia mis poco confesables orígenes. Esta prohibición me pareció particularmente dolorosa. Me habría gustado cantar las misas de Palestrina y los motetes de Orlando di Lasso. Cantos mucho menos severos acompañados por el órgano —una especie de criado de aquellos señores, poseedores de inmensos dominios y orgullosos de sus viñas en las regiones de Bálaton y Tokay, un muchacho con la cadera dislocada, accionaba el fuelle del instrumento— me transportaban al séptimo cielo de los frescos barrocos. Mi exclusión casi definitiva de la comunidad fue resuelta el día en que uno de los directores del liceo nos reclamó públicamente, sin rodeo alguno, a los tres católicos practicantes de origen judío de la clase, Gyárfás, Hirschfeld y Loránt, no solo nuestras actas bautismales, sino también nuestros certificados de nacimiento. Para aquellos en los que se mencionaba algo así como «nacido de padre y de madre de confesión israelita» no sería tenida en cuenta la conversión posterior de los padres.

Tras la liberación de Hungría por el Ejército Rojo, los «cines de actualidades» recuperaron su vocación teatral. En una pieza satírica inspirada en la mitología griega, Sári Déry, una popular actriz, más tarde víctima de la deportación interior, atravesaba el escenario, desnuda bajo una túnica transparente, en compañía de una cabra que hacía fantasear al público con extravagantes cópulas. La sala, el antiguo Teatro Belvárosi, había sido rehabilitada por su antiguo propietario, Sándor Góth, el gran actor del Vígszínház, antes de ser nacionalizada. A finales de los años treinta había conocido un éxito extraordinario con *Le Verre d'eau*, la comedia de Scribe, que era muy popular en Hungría. El anciano comediante volvió a ejecutar, un año antes de su muerte, en 1946, su más celebrado papel en aquel espectáculo sutil y encantador, y dijo adiós a su carrera en una sala medio vacía, pese a que, con la inflación desbocada, la entrada costaba menos que un billete de tranvía. Los comunistas cerraron el teatro en cuanto pudieron, con la intención de privar al centro de cualquier atractivo cultural.

Salgo del teatro Katona, abismado en mi pasado, obviando la historia del lugar, y tomo de nuevo el itinerario de mis años de liceo para volver, en mayo de 1997, a la casa para huéspedes de la universidad, al hotel Peregrinus, que dista apenas un centenar de metros de mi desaparecido hogar.

Los tres escalones del hotel Peregrinus

Atravieso la plaza de los Franciscanos, mal iluminada, y me interno en la calle de la Universidad; para sorpresa mía, los coches no están aparcados a lo largo de la acera sino en batería, dejando poco sitio a los peatones (la zona ha sido peatonalizada con posterioridad). Llego a la plaza de la Universidad y me encuentro frente al monumento a los muertos de la guerra de 1914-1918. «Pro patria mortuis»: unos brazos se extienden en ayuda del joven infante, que se desploma mortalmente herido, desesperadamente solo encima de su roca, y deja caer el fusil al tiempo que la gloria le tiende la corona del martirio. Me sorprende un poco que haya tantos taxis en una esquina de la calle Szerb y que todos sean de la marca Mercedes; pero pronto caigo en la cuenta de que el club Afrodita, conocido almacén de carne fresca, se encuentra en las cercanías. Fiel al camino que seguía siendo estudiante —¿qué habrá sido del cabás que cargaba continuamente?—, entro en la casa. Sé de sobra que no vivo ya en la primera calle a la izquierda, la György Fejér *utca*, sino junto a la calle Szerb, frente a la iglesia de los ortodoxos, en la casa de huéspedes de la universidad, el hotel Peregrinus. Subo los tres escalones, abro la puerta de entrada elevada, saludo al estudiante de guardia en la recepción y me derrumbo en mi cama. Llamo por teléfono a Melinda, descendiente de la familia Gerbeaud, que vive en el barrio alto de Buda, en la cercanía del Castillo Real restaurado, ignorando totalmente que esta distinguida historiadora del arte, fundadora del lapidario de la catedral de Pécs, se halla afectada por el Alzheimer, y me dispongo a entregarme a Morfeo. Abro *mi* maleta... y descubro unas cuantas braguitas, un chaleco rojo de circo, un bodi con esos botones a presión que parecen estar esperando una mano impaciente que libere la entrepierna y una falda blanca de algodón. He debido de llevarme por error la maleta de una turista. Encuentro su nombre y su dirección en la etiqueta y me apresuro a telefonearla. Al contrario que su madre, seguramente anciana y bastante enfadada por mi llamada tardía, ella se muestra comprensiva, aunque algo extrañada: «¿Cómo no se dio usted cuenta de que mi maleta era más pesada que la suya?». Concertamos el intercambio para la mañana siguiente en el aeropuerto; aquel «profesor Nimbus», cuyo despiste era completamente auténtico, recobró su maleta, de la misma marca y del mismo tipo, aunque algo más pequeña, y provocó la hilaridad indulgente de los policías y aduaneros de servicio.

De regreso al hotel subo otra vez mis tres escalones... Me entretengo en ellos, los olisqueo como un perro, pongo la oreja sobre el bloque de piedra para escuchar los pasos que lo han pisado y capto sus vibraciones... En mayo de 1997, solo estaba tratando de abrir la puerta de entrada, y para poder hacerlo me apoyé en uno de los tres escalones.

Rozándola mientras camino, me apropio de lo que revelan las asperezas de la piedra porosa, que respira mis más antiguos recuerdos. Mis hospedadores, orgullosos de su hotel, me han dicho que albergaba los servicios administrativos de la universidad. No sabían, o no querían confesar que lo sabían, que en 1945, o quizá un poco antes, hubo en funcionamiento aquí una comisaría de policía.

El refugio o los silencios de la memoria

Quince días después de la entrada de las tropas rusas en Pest, en enero de 1945, mi madre y yo volvimos a vernos encerrados en el refugio de nuestra casa. Mi hermana estaba todavía en Buda, oculta y protegida de la caza de niños judíos en el orfelinato que estaba al pie de la colina del Castillo Real en ruinas. No teníamos noticias suyas; a veces soñaba con ir a visitarla atravesando uno de los puentes que los alemanes no habían volado todavía. El subsuelo de nuestra vivienda estaba «ocupado» por una mujer en la cincuentena y su hija de alrededor de veintidós años. Durante los meses precedentes, mientras vivimos ocultos, se habían instalado en nuestro piso, que el marido había desvalijado rápidamente, llevándose nuestros muebles (las cajas que guardaban nuestras cuberterías, amontonadas en el cuarto de la criada bajo llave, como habían aconsejado hacer las autoridades fascistas, se habían igualmente volatilizado); también nuestros documentos habían desaparecido. Madre e hija juraban no haberse apoderado de nada y no tener nada que devolvernos. Sin embargo, un día que habían salido, descubrimos bajo el almohadón de su sofá un marco de marfil tallado que había sido de mis abuelos paternos. Personas menos belicosas que nosotros también habrían denunciado esas prácticas de carroñeo. Auxiliares de la policía con brazalete rojo aparecieron para detenerlos y llevarlos a la comisaría correspondiente. Los nuevos policías, a menudo presos recién salidos de los campos de concentración fascistas que buscaban venganza, habían sido designados guardianes y torturadores por el nuevo régimen. Estuvieron toda la noche en comisaría; pero tanto la madre, una especie de jarrón chino, como la hija, una putilla de piel bronceada presta a entregar su poco casto tesoro al primero que le pasase por delante, fueron puestas en libertad por falta de pruebas. Por la mañana, bajaban los tres escalones del hotel Peregrinus…

El suministro eléctrico todavía no había sido restablecido y en el refugio en el que éramos prisioneros voluntarios no disponíamos más que de la triste llama de una pobre vela. ¿Qué es lo que nos impedía volver al piso y encender la estufa? ¿Sería esa apatía síntoma de nuestra incapacidad para hacer frente a la nueva realidad? ¿O tenía que ver con el temor por la vida de mi hermana, que se había quedado en Buda, en un barrio ferozmente defendido por los alemanes?

Me introduzco en la penumbra del refugio que repueblo con sus antiguos ocupantes. Entre los años

1938 y 1940, mi padre había hecho construir en la calle György Fejér dos edificios colindantes; el uno ostentaba la estrella infamante, el otro formaba parte de paisaje urbano normal, sin ningún indicativo racial deshonroso. A partir de marzo de 1944, tras la muerte de mi padre, de la ocupación efectiva del país por los alemanes y de la puesta en marcha del aparato gubernamental a su servicio, el refugio común a los dos edificios —situado en el nuestro— fue reorganizado y dividido en dos recintos. El del fondo se asignó a los judíos, que en caso de alarma debían atravesar la zona desinfectada asignada a los arios. Al contrario que muchos otros inquilinos de raza pura, la señora Ürüléky se había negado a abandonar su piso, en el edificio de la estrella amarilla. Cercana a los de la Cruz Flechada —la extrema derecha del fascismo húngaro de la época—, que esperaban su turno, ella *sabía* que esta casa superpoblada sería prontamente vaciada de sus ocupantes indeseables. Se unía a nosotros durante los ataques aéreos; los bombarderos que despegaban de las bases aliadas establecidas en Italia aterrorizaban a los inquilinos de purísima raza inmaculada y a nosotros nos llenaban de una esperanza perfectamente irracional.

Yo me ocupo de permanecer a la escucha junto a la radio instalada en la planta baja; debo dar la alarma siempre que el ataque sea calificado de «inminente». Escucho en secreto las emisiones de la BBC, para tener un poco de consuelo ante una situación cada vez más amenazante, cada vez más desesperada; acciono la alarma, subo corriendo al segundo piso y ayudo a una vecina a bajar a su bebé en una cesta. El marido, deportado, excavaba trincheras en el frente ruso. A mi madre le gustaba contar que el niño había nacido justo el día del fallecimiento de mi padre. ¿Quería sugerir que concebía la vida como un sistema de vasos comunicantes entre muertos y vivos? Se trataría, me parece más bien, de una fórmula que la ayudaba a resignarse. Una vez, el día de la muerte de su padre, una amiga me dijo: «No se ha enterado de nada». Una frase semejante no significa gran cosa, pero parece que consuela y tranquiliza: no ha sufrido, se ha evitado una agonía, la muerte se lo ha llevado antes de quedar desfigurado por el dolor.

Me encuentro con más dificultades de las previstas para acabar con la película del refugio. No veo por ninguna parte a mi abuelo Béla. Perdió a su mujer, víctima de un cáncer de estómago, en 1942. Su hijo mayor, Endre, mi padre, falleció a comienzos de 1944, tras haber sufrido una enfermedad maníacodepresiva. Gyuri, el pequeño, se hallaba entonces en un campo de trabajo, en algún lugar desconocido. ¿Se habrá negado a abandonar el piso? Hay, sin embargo, otro viejo allí; esculpe en huesos de melocotón unos minúsculos monitos arrugados que vende a un *pengő* la pieza. Es viudo y vive solo. Sus dos hijos están en los campos de trabajo y uno de ellos viene a verlo de cuando en cuando. Las explosiones sacuden el edificio. Los aviones ingleses y americanos bombardean los suburbios del sur de Pest y la isla de Csepel, donde se concentra la industria pesada. Las mujeres tejen, los niños duermen, los maletines de supervivencia cuelgan junto a cada uno de los habituales de la bodega mal protegida. Ninguno se atreve a quejarse, no asoma una sola lágrima, nadie conversa. Mi cámara funciona al ralentí. La banda sonora apenas se oye. ¿Habrá paralizado el terror a estos seres encogidos, mudos y apretados los unos contra los otros? La casa tiembla bajo los bombardeos; las veinticuatro personas que ocupan el refugio solo pueden quedarse inmóviles, congeladas en posturas hieráticas. Me interno por los limbos de mi memoria y no encuentro más que sombras y fantasmas. No llego a verlos, a tocarlos con mis manos; se escapan, soy incapaz de convocarlos, de reunirlos, de mirarlos, de describirlos, de tocar la campana que los hacía bajar al refugio de la calle del matemático György Fejér hace más de medio siglo.

Gyuri: mi tío Georges

La llama de la vela se extinguió hace rato. Me despierto en la oscuridad y luego vuelvo a dormirme; estoy a salvo, mi madre descansa apaciblemente y muy pronto (estamos íntimamente convencidos de ello) mi hermana se pondrá en contacto con nosotros, por telepatía, seguramente... Por la mañana salgo del refugio. Chicos fornidos del barrio desmantelan el techo de una chabola y alimentan un fuego con la madera robada. Intento hacer lo mismo que ellos, pero no me las arreglo para arrastrar los maderos abandonados. Una vez más nos hemos visto obligados a recurrir al amigo de mi tía, un tipo de la Gestapo antiguo amante suyo al que pagaba, según parece, un napoleón diario para que encontrase a *su marido*, mi tío, el hermano de mi padre, entre los adscritos al servicio de trabajo cuyas columnas avanzan a pie hacia la frontera austrohúngara, en medio del caos provocado por la cercanía del Ejército Rojo. Es él quien nos proporciona la madera necesaria, porque yo soy incapaz de manejar el hacha ni la sierra. Su colaboración nos sale cara, mil francos suizos (una fortuna en la época) que le había prometido mi tía por los servicios prestados (deshollinado de chimenea, mantenimiento de tuberías, tallado de un mueble de madera para objetos de arte, troceado de ese mismo mueble para destinar sus restos a la calefacción). Con el espíritu robustecido y un cuerpo joven, y con unos ahorros considerables, el individuo se marchó a Suiza, donde esperaba hacer carrera en el fútbol.

Totalmente identificado con la causa de mi tío paterno, me hallaba indignado por las «infidelidades» de su viuda, a quien debíamos la vida. Reaccionaba como el perfecto adolescente quinceañero que era, sin llegar a comprender que aquella joven mujer debía satisfacer sus íntimas pulsiones. Yo adoraba a Gyuri, el bohemio inconformista que, en la época de antes de la guerra, encendía tras el almuerzo dominical el receptor TSF para escuchar discos clásicos, cuyas grabaciones se emitían entre las dos y las tres de la tarde. La colección de Radio Budapest no era excesivamente rica. La eterna obertura de *La escala de seda* de Rossini, dirigida por Toscanini; el aria de Rosina, de *El barbero de Sevilla*, o la de Santuzza de *Cavalleria rusticana* de Mascagni, cantadas por la inigualable *mezzosoprano* Ebe Stignani; las transcripciones realizadas por Fritz Kreisler y también los grandes finales de ópera, como el de *Norma*, por ejemplo, se hallan indisolublemente unidos al recuerdo de mi tío. Tras disfrutar de este abigarrado programa, nos dejaba, supuestamente para asistir a la representación de una comedieta. Entre 1942 y 1943 buscaba por todos los medios ganarnos para la causa de sus proyectos matrimoniales. Pötye, su prometida, vino a visitarnos durante la enfermedad de mi padre mientras mi hermana y yo, bajo la vigilancia de Fernande, nuestra gobernanta francesa, nos hallábamos en un centro turístico junto al lago Bálaton. Pasamos una agradable jornada con esa joven de piel un tanto descuidada pero de estilo decidido y enérgico. Le gustaba la música clásica, como me había confiado; haciendo caja común de nuestros respectivos ahorros, decidimos comprar un gramófono eléctrico que utilizaríamos por turnos. Me sentí muy frustrado por la vehemente oposición de mi madre a ese plan. Su reacción expresaba a las claras la reticencia de la familia a ese matrimonio con una modesta arribista campesina a la que, por añadidura, había que educar.

Nunca llegué a aceptar del todo la desaparición de mi tío. Durante el verano de 1944 había pasado algunos días en su apartamento del edificio vecino, donde vivía desde hacía muchos años. Los judíos casados con una aria se beneficiaban de ciertas leyes todavía en vigor. Después (¿por qué no se escondió?) se marchó a su «campo de trabajo». ¿Sería una especie de fábrica? ¿O un sitio donde los hombres en buenas condiciones se dedicaban a excavar trincheras anticarro? ¿En qué momento entregaron a los alemanes los nazis húngaros a esos «trabajadores» judíos?

En 1944, e incluso a principios de 1945, lo ignorábamos casi todo acerca de la Shoah. Esto apenas resulta creíble hoy. Los soviéticos, responsables de la muerte de millones de prisioneros en el Gulag, no tenían interés alguno en revelar el funcionamiento de un tan sabiamente organizado método de exterminio, aunque hubiera podido servir para su propaganda antinazi. Los húngaros, cómplices de las peores atrocidades, eligieron también permanecer en silencio. Los supervivientes no estaban todavía en condiciones de narrar el horror. Finalmente, fue la prensa sensacionalista la que acaparó el asunto. El relato de un médico húngaro, Miklós Nyiszli, «al servicio del doctor Mengele», nos reveló la verdad acerca de toda clase de experimentos pseudocientíficos llevados a la práctica por aquel sádico sanguinario y demente que buscaba demostrar en Auschwitz la superioridad de los arios respecto a las degeneradas razas inferiores.

Al escribir estas líneas, vuelvo a verme en la orilla del lago Bálaton, en compañía de Tutti —a quien daba clases de francés— y de la familia que nos hospedaba.

Probablemente, fuéramos huéspedes de pago. Por la tarde, a la luz de la lámpara de petróleo, se desataba la locuacidad de todos. Tutti nos contó que en el campo donde ella había estado internada, que fue liberado por los americanos, los nazis hacían comer a los prisioneros lombrices de tierra, que devoraban sin ningún reparo, tal era el hambre que pasaban. Tutti, una mujer asombrosamente hermosa, emigró a Australia, donde su marido, muy bien dotado para el comercio, supo hacer fructificar sus habilidades. En Francia, el testimonio de Jean, un resistente hecho a sí mismo, industrial retirado, que vive con Michèle en una mansión abarrotada de obras de arte, siempre me producía inquietud. La pareja, de una calidad humana excepcional, atendía a sus invitados con generosidad. Tras haber dado cuenta del paté, asado a la brasa unas chuletillas de cordero y servido los postres, Jean no podía renunciar a narrar cómo sobrevivió a Dachau. Asistí a esa escena en varias ocasiones. Sin querer hacerlo, casi sin darse cuenta, ponía incómodo a su auditorio, atiborrado de exquisitas viandas, recordando que él se había dado cuenta de que, para poder sobrevivir, era necesario colocarse a la hora de la distribución de la sopa en la última fila a la izquierda, porque era allí donde se repartían los restos más densos del fondo de la perola.

No podía dejar de hablar de Gyuri: su nombre, se nos dijo, figuraba en una lista de supervivientes que habían colgado en la puerta de un despacho del ayuntamiento. ¿No leí yo mismo sus apellidos en una hoja pegada en la puerta de una oficina de la Cruz Roja? ¿Se habría derrumbado en el camino de vuelta a punto de alcanzar su meta? Dejé correr mi imaginación pensando en él: incómodo en una Europa supuestamente civilizada, rebelde contra su país, traicionado por la mujer que amaba, se marchaba a Estados Unidos, donde se hacía rico. Aquí se me ocurrían dos guiones distintos: en uno, volvía a Hungría con uniforme del ejército americano; en otro, nos invitaba a California, a su lujosa villa costera. Con ocasión de unas conferencias en Israel —yo ya he cumplido con el ancestral «el año que viene en Jerusalén»— consulté, bajo la cúpula de los nombres, los archivos de Yad Vashem, pero no pude dar con referencia alguna. Había nacido en 1907, tenía la misma edad que mi madre. En mi memoria vive como un joven de treinta y siete años, de cuya pérdida todavía me duelo. ¡*Poor Yorick*, pobre Gyuri!

Manyi y Révész

Me parece que todavía nos pudríamos en el sótano cuando, un día, el señor Révész, peletero de profesión, nos invitó a almorzar. Había sobrevivido a las persecuciones gracias a Manyi, una bailarina del Moulin Rouge de Pest que, dando por segura la generosidad del individuo, lo había alojado entre sus piernas, que habrían podido rivalizar con las de las bailarinas del Lido parisino. Él la había salvado de la miseria, y ella le salvó la vida. Poco tiempo después de la liberación, recuperó su comercio de peletería y, como dirigente del partido socialdemócrata, aprovechó todas las oportunidades que el Frente Popular le facilitó. Siempre llevaba encima una pesada medalla de oro con sus iniciales y cubría a Manyi de espléndidas pieles. Gracias a sus buenas relaciones había conseguido poner cristales en las ventanas, mientras la mayoría de sus conciudadanos temblaban de frío tras las suyas, en las que el hule sustituía a los vidrios. Recuperó sus muebles y sus alfombras, su tupé, su nerviosismo y su mediocridad natural. No muy inteligente pero dadivoso, animado hasta donde le parecía justo por un sentimiento de venganza contra los fascistas —el pronunciaba «fasistas» y no «fachistas»—, estaba dotado con la brillante inventiva del pequeño judío conquistador. Es verdad que sus fiestas resultaban un tanto ostentosas, pero en ellas no encontrábamos nada que nos ofendiese. Con los ojos bien abiertos, descubrimos un escenario donde se respiraba la normalidad de antes. Un piso caliente, un suelo brillante protegido por alfombras, muebles de madera de cerezo de un mal gusto exquisito, una mesa con su mantel adamascado, con el servicio de mesa de plata en las vitrinas, a las que les quitaba el polvo la madre de la exbailarina, condenada a la ociosidad de las viejas jubiladas. Después de esa comida «mundana» se nos hizo menos llevadero tener que volver al refugio. El evento sirvió para que nos sacudiéramos nuestro letargo y suscitó en todos deseos fervientes de subir a instalarnos en nuestro viejo piso de suelo negro de mugre y ventanas cegadas. Las despensas estaban vacías, los aparadores y las vitrinas abiertos. Un reloj «tipo Boulle» —como aprendimos a denominarlo cuando tratamos de venderlo, en la época de la inflación—, colocado sobre una falsa chimenea, parecía reírse de nuestra indigencia. El portero, con unos cuantos ladrillos colocados sobre el suelo y cubiertos con una placa de metal, nos construyó una estufa para salir del paso, comunicada mediante un tubo con la chimenea de la casa. Muy satisfecho de su creación, aseguró que esa modesta caldera-cocina-horno-salamandra «hablaría en siete lenguas», expresión metafórica relativa tanto a la fuerza de combustión como al tiro de la chimenea, y quizá, quién sabe, al milagro de Pentecostés cuando, henchidos del Espíritu Santo, los apóstoles se pusieron a hablar en lenguas desconocidas.

Révész y Manyi formaban aparentemente la pareja perfecta, mientras que la madre se dedicaba a tricotar bufandas. Invitaban frecuentemente a la gente a su casa, donde organizaban partidas de *bridge* que ellos dos abandonaban rápidamente. A Manyi le gustaba jugar al *rummy* en *petit comité*. Solía invitar a un primo suyo, que era, por lo visto un muy buen mozo. El desdichado Révész se veía obligado a tomar parte en aquel enjuague que acabaría por ser su perdición. Por si fuera poco, sus negocios empezaron a venirse abajo, aunque vendió a tiempo su *stock* de pieles. La actividad privada empezaba a periclitar bajo la presión de los comunistas, que se aprestaban a fagocitar al partido socialdemócrata, al que pertenecía nuestro hombre. No estaba en modo alguno a la altura de su rival en el combate, el guapo e insolente primo que había plantado sus reales a la sombra de una Manyi rejuvenecida que se pintaba los gruesos labios de un rojo escandaloso. Pasó lo que tenía que pasar. Manyi y su supuesto primo levaron anclas, abandonaron al viejo peletero arruinado y el país que los comunistas se habían incautado.

Un Révész amargado, arrugado, empobrecido, muy desmejorado tras una crisis cardiaca, relataba sus desgracias a quien se prestaba a escucharlo. Un día recibimos una carta suya desde Israel: «No me va mal, he retomado mis actividades y también mi agonizante corazón ha encontrado consuelo…».

Hace muy poco que ha vuelto a reaparecer en mi memoria. De hecho, no es que me importe mucho, me importan más sus vecinos. La anécdota que estoy presto a relatar revela un antiguo dolor siempre presente. Seguro que eso no es «capitalismo», como diría Proust. «Révész» en húngaro significa «barquero». No podía decirse que el mío fuera un Caronte tiránico y malvado, ni siquiera por su delgadez o por su barba hirsuta. En lo más profundo de mí mismo, es él un barquero que me ayuda a abandonar las orillas del Danubio para regresar a los bancos arenosos del Sena, un barquero que rema en las aguas del inconsciente. Subo a su barca y…

Los Szlovák

Llamo en casa de los Szlovák. Gyuri tiene la misma edad que yo, es afable, amistoso y viril sin necesidad de andar exhibiendo sus músculos. Me prestaba con cierta frecuencia su electrófono, que yo conectaba a nuestra vieja radio para escuchar las grabaciones de música clásica que me entusiasmaban: me parecía sentir las vibraciones de mi cuero cabelludo, las notas penetraban todo mi ser, temperaban mi melancolía y calmaban mis frustraciones. La señora Szlovák abre la puerta, me recibe con fingida amabilidad y de repente se pone a ensalzar la generosidad de su hermano, que vive en los Estados Unidos, donde ejerce como secretario en el poderoso sindicato de camioneros del que tanto se oiría hablar tras el asesinato del presidente Kennedy. Con gesto brusco, brutal, deberíamos decir, saca el primer cajón de la cómoda, amplio y profundo, donde se amontonan los paquetes de café, las latas de *corned-beef*, los frascos de mermelada, las bolsas de té, los paquetes de arroz. Pero yo no he venido a hacer el inventario de un supermercado de barrio. Armada de un sadismo contra el que resulta absurdo defenderse, la señora Szlovák enumera sus pertenencias. Sabe de sobra que nosotros estamos arruinados y que, sin pasar hambre, nos cuesta mucho trabajo procurarnos lo estrictamente indispensable. Ha hecho exactamente lo mismo, me cuentan, con todos los inquilinos del inmueble. Adolescente maduro antes de tiempo debido a la enfermedad y la muerte de mi padre, agobiado por las angustias de mi madre, enclaustrado en mi soledad, estupefacto ante el curso de los acontecimientos, escucho sin pestañear, orgulloso de mi superioridad de desclasado, a esa mujer angulosa, pálida e insatisfecha. El señor Szlovák, otro superviviente, se había enriquecido gracias al mercado negro durante la época de la bendita inflación, cuyos mecanismos intuyó mientras que los demás nos quedábamos petrificados ante tamaño temblor de tierra monetario. Compró seda, hizo fabricar corbatas y se dedicó a venderlas personalmente. Era también vendedor de sellos, y ganaba sumas considerables que le permitían ofrecer un anillo de diamantes a su mujer para que le perdonase por mantener a una querida.

Al comienzo del verano de 1946, Gyuri y yo nos fuimos de vacaciones juntos, a una mansión dirigida por una pareja amiga de sus padres y situada a algunas decenas de kilómetros de Pest. El hostelero, un hombre de gestos enérgicos, deportista, con un arrogante mentón, era un gran pescador en las aguas revueltas de la época. Circulaba en un sidecar que había comprado a un soldado ruso que a su vez lo había robado al Ejército. Su mujer, rubia y guapa, se ocupaba del bar. Tenían cinco o seis habitaciones a disposición de los clientes, que salían baratas de día pero resultaban muy caras de noche, cuando todos bebían cócteles preparados por la hostelera, que también solía ponerse al piano para interpretar canciones picantes. La habitación contigua a la nuestra estaba ocupada por un cambista de cierta edad y su joven empleada. A través del tabique podíamos oír con cierta frecuencia los gemidos de la muchacha, que debía de estar retorciéndose de dolor y placer. «¡Ya está! —gritaba Gyuri alborotado—. ¡Ya se la ha metido!». Por la tarde Gyuri se iba al bar y me dejaba solo. Por la mañana íbamos a nadar al Danubio, hasta el día en que fuimos rodeados por una banda de adolescentes agresivos, azuzados por la célula local del Partido. Rápidamente tuvimos que poner fin a nuestra estancia. Poco antes de que nos marchásemos nos enteramos de las desventuras del dueño. Acompañado por el ruso del sidecar, se había dirigido a Viena para conseguir cierta mercancía (¿drogas, acaso?) de contrabando. Al regreso, su cómplice soviético lo había despojado de sus bienes amenazándolo con un revólver y luego lo había abandonado en la frontera austrohúngara, huyendo después a lomos de la potente motocicleta.

Gyuri le sacaba a la vida todo el partido posible. Formaba parte de una simpática horda de machos jóvenes que recorrían las colinas de Buda de borrachera en borrachera. Un domingo, me contó una vez, se habían encontrado en un bosque de robles que rodeaba la capilla de «Nuestra Señora de los Glandes». Allí habían hecho una exhibición y concedido un premio al dueño del glande más grueso y de color más violáceo. Inhibido, acomplejado, pudoroso y asfixiado por la presión de mi madre, me negué a juntarme con esos jovencitos ávidos de placeres que, sin darse cuenta siquiera, vivían con naturalidad las pulsiones homosexuales propias de su edad al tiempo que la impaciencia de que llegara la hora de poder arrojarse sobre sus novias. Uno o dos años más tarde no me hubiera importado irme con ellos, pero era demasiado tarde. Formaban efímeras parejas y me evitaban por haberlos yo despreciado antes.

El joven Szlovák salía con chicas de las tenidas por fáciles. Disponía de dinero suficiente para alquilar una habitación a alguna vieja alcahueta y llevarlas allí. Me lo encontré un día en la calle de la Universidad, presumiendo de haberse comprado tres preservativos y de tener intención de usarlos todos a lo largo de la tarde. En otra ocasión, en invierno, Gyuri me aseguró que le flaqueaban las piernas, porque se había tenido que colgar de una viga de madera para penetrar a su dama —a la que, si no recuerdo mal, llamaba Pongó—. Tras quedarse embarazada, le había exigido dinero para abortar. Gyuri no estaba nada convencido y, exhibiendo un gesto de desprecio, le entregó, dándole la espalda y sin volverse, un billete doblado en dos en sentido longitudinal apretado entre los dedos medio e índice.

Szlovák padre murió y Gyuri se quedó con su madre, que contaba a quien quería escucharla que su hijo no estaba en ese momento preocupado más que por una sola cosa, ya os figuráis a lo que me refiero, pero que ya se le pasaría; se la veía resignada y a la vez orgullosa de la energía de su vástago. Al hacerse cómplice de sus aventuras, ¿buscaba ella retenerlo enteramente para sí? Sea como fuere, Gyuri se quedó soltero. La idea de visitar a ese pobre desdichado no se me había pasado por la cabeza hasta que no eché una mirada a la lista de nombres del portero automático, en la puerta de entrada al n.º 10 de la calle György Fejér. Me acuerdo de él y el nombre de su «Pongó» resuena en mi oreja como si fuera «pengő», es decir, la moneda devaluada que precedió a la creación del forinto en 1946.

Las cucharas del conde Batthyány

En las semanas que siguieron a la entrada en Budapest de las tropas rusas —pese a su abominable comportamiento, habían sido nuestras libertadoras— nos enteramos de que estábamos completamente arruinados. Continuar con mis estudios se me antojaba utópico. Me encontraba con mis antiguos maestros, los padres escolapios, por las calles cubiertas de nieve de mi barrio. A ninguno se le había ocurrido interesarse por mi suerte en el periodo crítico entre abril y noviembre de 1944; expulsados de su casa convento, que había sido incendiada por los soviéticos, arrastraban sus pertenencias por la calle.

¿Reemprendería mis estudios? ¿Podría ser aprendiz? ¿En qué rama? Los circuitos eléctricos, el encendido de las lámparas de pequeño voltaje por medio de interruptores, me fascinaban desde la infancia. (¿Quería acaso encerrarme en mi propio universo? ¿Qué «conexión» familiar buscaba restablecer? ¿La de mis padres?). ¿Acabaría siendo electricista en una de las empresas que antaño trabajaban para mi padre? Tuve que abandonar rápidamente el proyecto. Ocurrió que mi madre, de manera casi milagrosa, recuperó una decena de cajas que había llenado en su día de objetos de lo más diverso, en la época en que fueron promulgados los primeros decretos antisemitas. Ropa de cama, una cámara de 16 mm que se rebobinaba manualmente, discos, ropa de mi padre, mi tren Märklin, utensilios de cocina, cubertería; un tesoro, un auténtico don del cielo organizado por el genio femenino, una barcaza llena de víveres encallada en nuestra miserable ribera. La existencia de ese depósito había pasado desapercibida a los alemanes. Una nueva vida se abría ante la familia, otra vez completa.

Mi madre estuvo entre las primeras que cruzaron los pontones aparejados sobre el Danubio por el ejército ruso para unir las dos partes de la capital; encontró a mi hermana sana y salva, infestada de pulgas pero aparentemente con buena salud. Édith me cuenta ahora que su orfanato no tuvo que aguantar más que una visita de los alemanes y de sus acólitos húngaros. Las bondadosas monjas aconsejaron simplemente a sus pequeñas pupilas que no sacasen la cabeza del plato de sopa, y gracias a eso salvaron alguna nariz de niña judía... ¿Recordaba algo de los combates que se sucedieron esos días en la colina del Castillo Real? Nunca quiso hablar de aquello.

La perspectiva de volver a mis estudios de secundaria no era inmediata. Durante este periodo, en el que el dinero se devaluaba a cada minuto, los especuladores de la Bolsa de Budapest, resurgida de sus cenizas, y los estraperlistas del mercado negro estaban a la búsqueda de correos seguros a los que se pudieran confiar sumas importantes para llevar de un lado a otro rápidamente. El porcentaje fijado como remuneración era bastante tentador. Azuzado por mi madre, quise colocarme como telegrafista junto a esos individuos. «¿Ha reflexionado lo suficiente el joven señor Loránt en lo que a enderezar su vida se refiere?...», me preguntó una vez un amigo de la familia que todavía se acordaba de nuestra posición de antes de la guerra. Era un hombre mayor y parecía no entender que yo no tuviera una bicicleta...

Una de las famosas cajas contenía una docena de cucharillas de plata con ópalos engastados, una labor exquisita, regalo de mi madrina, la condesa Batthyány (¿cómo habría conseguido mi familia engatusar a esa aristócrata para que me sostuviera ante la pila bautismal de la santa Iglesia católica romana?). Era nieta del general Batthyány, primer ministro del gobierno húngaro que se levantó contra Austria, condenado a muerte por un tribunal militar en 1849 por orden de la corte vienesa, y colgado —pese a las heridas que se hizo en el cuello de pura desesperación— por los verdugos del emperador Francisco José, recién ascendido al trono. El cofre, que perteneció a este mártir de las románticas ilusiones cuarentayochistas, tenía un valor histórico incalculable. Las cucharillas habían sido fabricadas por un renombrado orfebre del siglo XVII. Nuestra actitud de entonces me llena de tristeza mientras redacto estas líneas. A ojos de personas no educadas en el aprecio de los objetos artísticos o históricos, en la época todo parecía carente de valor. Mi madre, perdida en su mundo de antes de 1945, traumatizada por las semanas pasadas en un campo de trabajo para mujeres judías a las que se trataba de eliminar, no se preocupaba más que de la cena de mañana. Estaba poseída por un frenesí liquidatorio.

Bajo el impacto de los acontecimientos, observando su desarrollo, a su incapacidad para acometer una nueva vida esta joven y distinguida mujer sumó un completo desprecio por las «buenas maneras». Mi hermana, que tenía once años, y yo, que tenía quince, nos sentíamos totalmente desesperados viéndola sentada en el miserable taburete de la cocina, hablando con la boca llena y disfrutando de su particular tic: con los cuchillos imaginarios que formaban sus dedos índice y medio, se recortaba la punta de la nariz, recta en realidad, pero que ponía de relieve sus orígenes judíos. Se pasaba los fines de semana llorando. Se quejaba del descalabro en el que vivíamos, de los astrosos sillones usados y hasta del tapizado, que le era imposible renovar. Temíamos la llegada de las fiestas, la Navidad sobre todo, como cabos difíciles de rodear con nuestra frágil embarcación familiar, porque su tristeza se hacía infinita. ¿Fue en esta época cuando mi hermana exigía entre sollozos un hermanito o una hermanita? Tratábamos de consolarla, pero en aquellos años no se hablaba sensatamente a los niños del duelo por sus padres. Los amigos de mi madre, y entre ellos una anciana empleada de mi padre, se reintegraron a una vida normal, trabajaban, salían, se entregaban a amores efímeros, mientras que ella se había rodeado de una muralla de desoladora soledad.

Mi madre decidió que yo, acompañado de Vavrinez, el conserje de la casa de al lado, iría al rastro de la plaza Teleki. Mucho mejor hubiera sido denominarlo «mercado de objetos robados», la verdad. A cuenta de un traje heredado de mi padre, confeccionado con genuina tela inglesa, la familia Vavrinez me dio de comer durante semanas. (Y, por cierto, ¿dónde comían mi madre y mi hermana? ¿En la cocina popular?). Llegados al mercado, donde todos los vendedores eran reputados truhanes, fuimos rápidamente despojados, por muy poco dinero y sin mucha pena por mi parte, del precioso cofre. El dinero perdía valor a cada minuto y a duras penas conseguimos encontrar una bicicleta, pesada como para hacer echar pestes al conserje pero apta para la circulación. Vavrinez no puso nada de su parte, indiferente a mis asuntos. Volvimos a casa y me presenté en el comisariado para registrar a mi «princesita», tras haber ascendido los tres escalones fatídicos. «¿Tiene usted la factura de la venta?», me dijo el guardia de servicio. Legalidad, legalidad... ¿La habían respetado ellos pocas semanas antes, cuando nos exigieron entregar nuestros aparatos de radio en la alcaldía, por orden de los rusos, a quienes traían de cabeza tanto las emisiones propagandísticas alemanas como los noticiarios de la BBC? Es curioso, pero poco tiempo después algunos funcionarios del Partido exhibían en sus casas espléndidos tocadiscos... Tartamudeando, confesé que había comprado la bicicleta en la plaza Teleki y prometí que volvería al lugar a resolver el entuerto. Cosa que hice, con el resultado que os podéis imaginar.

Finalmente, un amigo se prestó a elaborar un certificado de venta ficticio y la bici pudo ser, al fin, registrada. Muy aliviado, descendí por aquellos mismos escalones que, en 1997, subiría para llegar a la entrada del hotel Peregrinus...

«Húsar marroquí» subastado, reencontrado en París

La ruina de la burguesía era parte fundamental del proyecto a largo plazo de los comunistas, minoritarios entonces en el país. Si en 1944 los judíos ignoraban la existencia de Auschwitz, entre 1945 y 1947 la burguesía húngara ignoraba que iba a ser completamente expoliada de sus bienes y posesiones. El señor Bednárc, un anciano terrateniente, la caricatura misma de todo lo que representaba, aparecía por nuestra casa cada vez con más frecuencia. Su sombrero tirolés y su acento característico de la Hungría norteña divertían a mi madre, que le fue vendiendo nuestras casas, piso a piso, por poco más que pedazos de pan. La reparación de los destrozos de la guerra era obligatoria. Denunciando el pasado fascista de algunos líderes del Partido de los Pequeños Propietarios, los comunistas retornados de su exilio en Moscovia (al menos los que habían podido escapar a las purgas estalinianas, que no fue el caso de Béla Kun, jefe de la Comuna en 1919 y sepultado después en el olvido por sus herederos ideológicos) empezaron a desvelar sus verdaderas intenciones. Pese a todo, Bednárc permanecía confiado: los americanos intervendrían en cualquier momento y echarían a todos los comunistas de los puestos clave. Conservaba sus ilusiones, pero compraba los pisos a precios cada vez más ridículos que siempre, sin embargo, calificaba de «perfectamente ajustados». Él se aplicaba, se sacrificaba —venía a decir— por respeto a la memoria de mi padre, con quien había hecho buenos negocios. Yo asistí a estas transacciones vergonzosas hechas pasar por respetables: mi hermana y yo fuimos convocados también, un poco antes, por el juez encargado de las tutelas para dar nuestro consentimiento a las decisiones de mi madre. Las formalidades, las formalidades… debían ser respetadas, incluso en esa época de expropiaciones larvadas. Contamos con la asistencia de la señora Polacsek, superviviente de la Shoah, que quería volver a amueblar su piso desmantelado y se dedicaba a comprar obras completas de grandes novelistas húngaros con el solo objeto de que «adornasen» los estantes vacíos de su biblioteca.

Individuos taimados y cobardes se cebaron en el desbarajuste de la joven viuda. Mi madre se dio perfecta cuenta de nuestro inevitable desclasamiento, pero, en su lucha por asegurar la supervivencia cotidiana, lo precipitó. Los bienes muebles no tenían ningún valor para ella, salvo cuando eran vendidos por una suma miserable para hacer frente a los gastos corrientes. En la primavera de 1945 vendió un objeto mágico que incluso había sobrevivido al asedio, nuestro frigorífico, para poder enviar a mi hermana diez días al campo. De la misma manera, acudió a sus «viejos amigos» para desprenderse de un cuadro esplendido de Rippl-Rónai, el nabi húngaro discípulo de Gauguin, amigo íntimo de Maillol y de Vuillard, que representaba, o nos lo parecía a nosotros, a un húsar marroquí.

Hacia 1945 o 1946 mi madre vovió a entrar en contacto con György Fränkel, el arquitecto interiorista que en 1940 había decorado nuestro piso. Ella se entendía bien con el individuo, que era «práctico» y «moderno», dos palabras claves para halagar el oído de una burguesía harta de recortar su tren de vida y de renunciar a las grandes habitaciones de techos altos; el chic de la época comenzó a consistir en confinarse en espacios muy reducidos y en sustituir los muebles antiguos o en empotrarlos en las paredes con una parte oculta tras un tabique falso, lo que contribuía a reducir el espacio disponible. Muy bien remunerado por sus servicios, el arquitecto, que en sus horas libres era acuarelista, nos había regalado uno de sus originales, un «fresco de nuevo tipo» de su propia invención, elaborado con personajes y elementos recortados de papeles pintados con los que había compuesto la imagen de una boda rural. Mi padre, que había delegado todo lo relativo a la casa en mi madre, lo miraba con cierta reserva.

Tras la liberación, György Fränkel, que había magiarizado su apellido transformándolo en Almár —porque durante el régimen comunista, que no se confesaba antisemita, un apellido húngaro era más apreciado que un patronímico con resonancias judías o alemanas—, descubrió su vocación comunista. Miembro entusiasta del Partido, se distanció de todos esos burgueses que se habían aprovechado de su espíritu creativo y se entregó a su pasión de acuarelista dominguero. Apenas lo veíamos. Su hostilidad tenía como blanco a su cuñada, dentista y viuda de buen ver, por su amistad con un comerciante de especias al por mayor, que también comerciaba con blusas a medida en puro nailon, de precios astronómicos. La señora Fränkel, profesora de piano, militaba en el sindicato de músicos, animada por un compositor vuelto de Moscú que siempre llevaba puesto el uniforme del Ejército Rojo. Se vengaba de sus colegas de buena familia por las humillaciones soportadas durante la guerra como ayudante a sueldo suyo en los internados de la élite húngara. Admito que le debo mucho: mientras que yo cultivaba una cierta sentimentalidad chopiniana y tocaba los *Nocturnos* en cuanto me ponía al teclado, ella me hizo descubrir sonidos más consistentes, «que tengan núcleo», solía decir, y que se obtenían trabajando los músculos del brazo y no la muñeca.

Una profunda solidaridad ligaba a los pintores comunistas unos con otros. Soñaban con un porvenir radiante, restablecido el contacto con la Escuela de París y con las vanguardias europeas, sin sospechar en absoluto que el Partido, que impondría a partir de 1948 el «realismo socialista», iba a cortarles las alas. Pero había que ver las cosas con realismo. La burguesía arruinada no podría comprar sus composiciones y los dirigentes obreros y campesinos colgaban cromos y láminas en las paredes de la cocina. Durante el periodo inflacionista, György Fränkel, inquieto ante los cambios políticos y sociales, tenía —igual que todos sus amigos— un notable conocimiento del valor en el mercado de las grandes obras de arte.

Mi madre resultaba una presa perfecta para todos ellos. Soñaba con vender el *Húsar marroquí* de Rippl-Rónai y, seguramente, pensaba en su decorador para ejecutar la operación. Pero Fränkel no quiso ocuparse del asunto y delegó en el pintor Diener-Dénes, uno de los mejores conocedores de la obra de Rippl-Rónai, el más destacado representante en Hungría del movimiento nabi, de quien había sido alumno. Él mismo había vivido en Francia entre 1924 y 1931. Diener-Dénes, acompañado de un aficionado a quien más tarde identifique como el pintor István Biai-Föglein, se presentó un día en nuestra casa.

Me acuerdo de cómo se puso delante del cuadro, sin conseguir ocultar su placer. El pintor disertó acerca de la técnica específica del maestro, cuyas espesas pinceladas recordaban «a las palomitas de maíz». El precio ofrecido por estos cazadores de gangas, que parecían Magus y Rémonencq recién salidos de *El primo Pons*, estuvo a la altura de su astucia y da una idea de la situación que se vivía: dos kilos de manteca y un quintal de harina. No me acuerdo cuándo descolgaron el cuadro ni estuve presente cuando se lo llevaron de la calle György Fejér.

No volví a pensar en el *Húsar marroquí*. Sin embargo, durante mi visita a Budapest en mayo de 1997, traté de buscarlo entre los fondos de las galerías nacionales, sin éxito alguno; nunca se lo oyó decir «¡presente!». Pero en enero de 1999, mientras repasaba estas páginas, tuve la impresión de que lo oía llamándome. Me dirigí a ver la exposición de pinturas y obra gráfica de Rippl-Rónai expuesta en el museo Maurice Denis, en Saint-Germain-en-Laye. En la planta baja vi sus cuadros del periodo negro, entre los que destaca uno espléndido que representa a una esbelta mujer que lleva una jaula entre las manos y cuya silueta se destaca apenas sobre el fondo empastado de verdes y azules; el retrato doble del padre y la madre del artista; algunos interiores, en los que parecen estallar los colores que el artista había evitado hasta entonces. Maravillado y decepcionado a la vez —al estilo de Hamlet, hechizado por el recuerdo de su padre—, iba yo a la búsqueda del húsar desaparecido.

Subí al primer piso y allí, lleno de emoción, distinguí *nuestro* cuadro a unos diez metros de mí.

Un soldado francés, ese era su título. La ficha decía exactamente: «Óleo sobre cartón, 104 x 75», firmado y fechado en la parte superior derecha: Rónai, 1914, Issy-l'Évêque; al dorso, una inscripción a mano del artista: «Mi sobrino carnal, Laurent, Rippl-Rónai, 1914». La siguiente parte de la ficha se refiere a la venta del cuadro: «Hist.: hacia 1947, adquirido por el Club Fészek de Artistas por intermediación de István Biai-Föglein», obviamente, cómplice de Diener-Dénes, osea, que no un pajarillo precisamente; «Vöglein», sí, o lo que es lo mismo, «pajarillo» en alemán, pero también un perfecto buitre magiarizado. «Desde 1997, colección particular». El marco tallado ha sido sustituido por uno más simple, más en consonancia con el fondo dorado de la pintura. La figura se inscribe en uno de esos contornos habituales en los nabis, que se desinteresan generalmente del volumen. Mi zuavo está vestido, como siempre, con su casaca negra de botones amarillos, lleva el mismo pantalón rojo que hace cincuenta años. El sobrino Laurent pertenecía a la familia de Lazarine Baudrion, esposa francesa del artista.

Lo contemplo, acercándome y alejándome mientras intento conservar en la memoria cada uno de sus trazos. Cuando nací, ya estaba en el piso de la calle Aréna. Pasé mis primeros años en su compañía, en la calle György Fejér; fue testigo impasible de los tormentos de mi padre, de su muerte, del momento en que cerramos su ataúd. Había soportado las violentas sacudidas provocadas por los bombardeos aliados, sobreviviendo milagrosamente a la guerra y al pillaje. Tuvo que oír mis lecciones de piano, asistir a mis lecciones de francés, echar una discreta ojeada a la *Crónica de los Pasquier* o a *El gran Meaulnes* que yo me ponía a leer en cuanto tenía ocasión. Después nos lo robaron esos carteristas. El *Soldado francés*, antes *Húsar marroquí*, se ha unido al regimiento de sus nuevos dueños. El propietario se ha vuelto millonario sin necesidad de jugar a la lotería. Lo felicito. ¿Qué otra cosa podría hacer?

De vuelta al colegio

Tomo de nuevo el camino del colegio de los escolapios. Los profesores continuaron con sus cursos allá donde los habían dejado en noviembre de 1944. Algunos se asombraban de que hubiésemos olvidado una lección escuchada varios meses antes. La ficción de la continuidad permitía vivir a los traumatizados por la derrota alemana. Los Fetter habían abandonado Hungría huyendo de la guerra y volvieron de Alemania convertidos en los Károlyházy. Los dos hijos de esta familia arruinada se pasaban el uno al otro su único par de zapatillas de deporte para cada clase de gimnasia. El más joven, compañero mío de curso, se reveló como un extraordinario matemático intuitivo. Los Hirschfeld también habían sobrevivido al desastre. Habían magiarizado su patronímico y, así, el germánico Hirschfeld, «pradera de ciervos», se había convertido en Hűvös, nombre mucho más prosaico, pero discreto y que venía a significar «fresco», con cierto matiz de umbrío. El padre había vuelto a poner en funcionamiento su negocio de madera, la madre volvió a lucir sus boas y el hijo pasaba el rato flotando en las aguas del lago Bálaton, en «cabo Julia» *(Siófok)*, tradicionalmente denominado «cabo Judería» *(Zsidófok)* por los antisemitas. Jojo, mi compañero de clase, presumía de su potente masculinidad y de saber gastar bromas. Un día, sacó del refrigerador una botella de orina fría y se la sirvió en una jarra colmada a uno de sus compañeros asegurándole que era cerveza. Antes de la toma del poder por los comunistas, en 1948, la familia se estableció en Viena y mandó a Cambridge al heredero, que hizo carrera en la hostelería vendiendo equipos de reparaciones. A mi llegada a Francia me prestó quinientos francos para comprarme un traje, suma que no se privó de reclamarme algunos años más tarde. Un buen amigo, un amigo fiel, un ser noble que parece el portaestandarte de alguna reina visigoda.

Nyárfás siguió siendo Nyárfás. Conocí a su padre, un abogado especializado en marcas y patentes, excombatiente de la primera gran guerra que había perdido las falanges delanteras de los dedos en las trincheras durante un invierno asesino. Deportado, nunca regresó. La madre, secretaria del sucesor de su marido, pudo hacer frente a las necesidades de la casa. A la edad de quince años, Nyárfás fue despojado por primera vez de su «sustancia viril» por una repugnante vecina ninfómana; atormentado por sus «malas costumbres», se convirtió, con la ayuda pecuniaria de un tío suyo ginecólogo, en habitual de las putas de la calle Conti. Exhibía en clase su equipo instrumental: una toalla propia, jabón, un líquido para irrigar el meato urinario después del coito. Abogado de corazón, Nyárfás se engañó durante algunos años estudiando medicina y, luego, pasó otros cuantos en prisión por haber intentado cruzar ilegalmente la frontera; después, con ayuda de su sentido práctico, volvió a tomar conciencia de su talento de jurista y se convirtió en abogado de un astillero fluvial del Danubio. Buen padre de familia, tiene puesta siempre al día la lista de los supervivientes de nuestra promoción y, cada diez años, trata de reunirnos para celebrar algo en relación con nuestro bachillerato. Me invitó al cincuentenario de esa efeméride: «Ya sabes que una cosa así solo pasa una vez en la vida», dijo. Su fidelidad a nuestro pasado de colegiales me emocionó, la verdad, pero cuando me dio a entender que alguno de nuestros viejos compañeros de clase, como el altivo Tivadar, habían llegado a la decrepitud tan desprovistos de caridad cristiana como en sus años mozos, preferí evitar el contacto con aquellos esclerotizados supervivientes de mi generación, antiguos alumnos todos de los piadosos padres escolapios.

CAPÍTULO TERCERO

La partitura de los recuerdos;
tentaciones de sinfonista

Mi pluma se mueve en distintas direcciones al dictado de asociaciones que le provocan imprevisibles reminiscencias. Sin embargo, no puedo echarme atrás ante esos asaltos del pasado y me obligo a disponer las palabras según un orden inmutable, de izquierda a derecha. La partitura de mi encantamiento queda así inevitablemente empobrecida y reducida a una línea melódica, por más sabiamente ligada y ritmada que lo esté. Sí, de lo que se trata es de traducir una página musical donde cada pentagrama tiene su propia clave. Las palabras tienen su propia semántica, pero ¿acaso no ocultan también las intenciones del escritor? La frase acabada guarda el secreto de su génesis, de la entonación de la voz de quien la ha concebido, improvisado, repetido interiormente y finalmente apuntado en el cuaderno de notas.

Como el soldado Švejk, no sé hacer otra cosa que especular sobre las cosas, contar historias, hablar acerca de las diversas emociones antes de abordar lo esencial de mi relato. ¿Usaré de alguna estratagema en relación con mi último viaje al país de los ogros? Medio dopado por varias tazas de café y unas cuantas cápsulas de Arcalion, no acabo de recuperar el hilo de mis asuntos; parezco el típico violinista que toca una cadencia brillante, lo que le permite hacer brillar al tiempo su propio virtuosismo; sabe que, tras las dos notas decisivas que siguen al último trino de su vagabundeo de virtuoso, deberá volver a integrarse en la orquesta que lo espera en la tonalidad del principio. Y sospecho que mi propósito me fascina y me repele a la vez. Dejadme ejecutar el preludio a mi aire, trenzar los motivos, que me ayuden a repescar el hilo de mi pensamiento. Una línea curva, ondulada y retorcida es la más adecuada para unir dos puntos en una biografía.

En *La educación sentimental* de Flaubert, el joven Frédéric Moreau, recién obtenido su título de bachiller en París, sube a un barco en el Sena para encontrase con sus padres en Nogent-sur-Seine, antes comenzar sus estudios de Derecho. En la cubierta, llena de basura, ve a una hermosa mujer que lo tendrá fascinado hasta los últimos días de su carrera romántica. Flaubert escribe: «Ce fut comme une apparition:». La expresión y el artificio tipográfico me impresionan muy particularmente. Es algo tan sugestivo y misterioso como la entrepierna de las nínfulas de Balthus. El artista utiliza el pincel, pero apenas si roza el lienzo. La muchachita que se levanta la falda parece no ser muy consciente de lo que hace; el pintor que la invita a replegar la rodilla tiene la impresión de estar dirigiéndose a una criatura angélica, pero el espectador queda asombrado con tan alambicada perversidad. De la misma manera, los dos puntos colocados al final de la frase por Flaubert en forma tan sorprendente abren perspectivas sobre el sexo de la señora Arnoux, que permanece oculto, enterrado en un pliegue de su cuerpo y en el texto de la novela hasta las últimas líneas. Frédéric es cegado por el resplandor brutal de la luz que le descubre lo evidente de su amor, un encantamiento sin límite. Desde el principio de la novela está cegado por el sol, mientras yo me hundo en mi noche. Debo combatir a las furias, a las larvas, a monstruos —como aquellos a los que Orfeo intenta aplacar tocando el arpa en la ópera de Gluck— especialmente peligrosos por cuanto están desprovistos de forma. Debo defenderme contra los peligros del bilingüismo mientras me dedico a explorar los más remotos rincones de la realidad, las trampas de la memoria, las cavernas del inconsciente. Tengo una partitura que descifrar, pero no puedo verla completa de ninguna forma. De los pentagramas reservados a las cuerdas paso a otros donde resuenan las maderas y los metales; no puedo permanecer impasible ante los redobles de los timbales mientras espero el estallido de los platillos. Debo renunciar a la sinfonía y limitarme a desgranar mi melodía, la cadena de mis recuerdos. Al salir del teatro Katona, vuelvo a tomar el camino que me llevaba a casa entre 1940 y 1956.

El Instituto Cultural Alemán: cambio de propietarios

La imponente construcción neogótica frente a la iglesia de los Franciscanos, en el centro de la ciudad, era una institución prestigiosa destinada a albergar en 1943 el Instituto Cultural Alemán, donde se ofrecían magníficos conciertos de música de cámara. Dódy me sugirió un día que fuera por allí. El anonimato estaba garantizado y no correría ningún riesgo al meterme en aquel sitio, donde yo era, evidentemente, un indeseable. A mi madre no le gustaba nada el asunto, pero tampoco se opuso explícitamente. Oficiales de la *Wehrmacht* uniformados se pavoneaban por los salones y elogiaban la calidad incomparable del sonido de los instrumentos, que no tenían nada que ver con el nazismo. Me viene a la cabeza la interpretación verdaderamente «trascendental» de un dúo para dos violines de Mozart, al que siguió una cata de vinos blancos renanos. Los dignatarios alemanes se paseaban con el monóculo incrustado en el arco de la ceja entre una humareda de cigarrillos de boquilla dorada. El pequeño judío que era yo se sentía bastante incómodo en esas salas separadas por paneles, pero le gustaba mucho el «cuarteto de las disonancias» de Wolfgang Amadeus que había sonado antes del refrigerio y que había descubierto hacía poco. De hecho, se trataba de un desafío inconsciente y de una provocación totalmente superflua contra el orden imperante en aquel búnker del lujo y la cultura. No ponderaba su gravedad, realmente.

La reconstrucción de este recuerdo (que ha aparecido en mi memoria *hic et nunc*) viene acompañada de un remordimiento: el que me produce recordar al mismo tiempo que mi madre me tenía prohibido asistir a la sala donde ofrecían sus conciertos los artistas judíos excluidos del acceso a la Ópera y a las formaciones oficiales. ¿Sentía miedo por las represalias que pudieran derivarse de asistir a esos espectáculos? Lo cierto es que mantenerse al margen de la comunidad israelita le proporcionaba un vago sentimiento de seguridad.

Pese a que el curso de la historia nunca se invierte, recorre a veces extraños meandros que solo los supervivientes tienen el privilegio de hacer notar. En 1945, en los antiguos locales del Instituto Cultural Alemán vino a instalarse la Sociedad para la Amistad Húngaro-Soviética, presidida por el conde Zilahy, autor de novelas de gran tirada dedicadas a la exaltación del amor romántico. De cuando en cuando, en el mayor de los secretos, sacaba de la biblioteca familiar su *Primavera mortal*, cuyo argumento he olvidado. Pero sí me acuerdo de algunos fragmentos, tan grandilocuentes como se quiera, y en especial de una escena en el curso de la cual «dos cuerpos entrechocaban» en el abrazo físico, que me hacía fantasear con las relaciones íntimas. El conde Zilahy fue el presentador de Ilyá Ehrenburg, quien, en un perfecto francés de anteguerra, nos hizo partícipes de sus esperanzas en un renacimiento europeo, pese al espectáculo de ruinas que dominaba el viejo continente devastado. Fue la primera vez que asistí a una conferencia en francés. Me quedé seducido por el encanto de la conferencia y por el aspecto del anciano conde escritor. En el momento en que se celebraba aquella charla a nadie se le pasaba por la cabeza que las obras de Zilahy serían puestas en el índice por los social realistas marxianos y que se vería obligado a exiliarse al poco tiempo, como tampoco teníamos ni idea de que la poco ortodoxa novela de Ehrenburg *La vida agitada de Lásik Roitschwantz* estaba prohibida en Rusia desde hacía casi dos décadas.

En los años que siguieron, Ilyá Ehrenburg se puso al servicio del Movimiento por la Paz, una de las muchas organizaciones del tipo Frente Popular que funcionaban en realidad como «correas de transmisión» (el término está tomado del vocabulario marxista-leninista) y que finalmente dependían del Partido Comunista de la URSS. Espíritus eminentes como Joliot-Curie, Ravi Shankar, Pablo Neruda, Paul Éluard y Aragon, naturalmente, publicitaban —subvencionados por los soviéticos— la causa de la paz universal, justificaban la guerra de Corea y denunciaban a los imperialistas norteamericanos. La historia de este grupo de abominables timadores está por escribir. Cuando sea escrita se sabrá de esos visados volantes entregados a los luchadores por la paz franceses para que sus pasaportes no conservasen huella alguna de su paso por Hungría; se conocerá el papel de los «amables acompañantes» que no dejaban al viajero a sol ni a sombra y que, bajo las amenazas de la policía política, se veían obligados a redactar extensos informes sobre los contactos que los ingenuos y ciegos visitantes habían establecido y las personas con las que se habían visto. La exploración de esos archivos tampoco ha sido llevada a cabo todavía; demasiadas personas en Francia, de Pierre Daix a Yves Farge, de André Stil a Elsa Triolet, se verían salpicados por ella. En Hungría, bajo la dictadura comunista, no se ha producido ningún trabajo histórico de verdadero interés. No tiene nada de sorprendente. En los últimos años del siglo pasado, asesinos y torturadores amnistiados se paseaban libremente, disfrutando de sus pensiones. Vladímir Farkas —que hacía sus necesidades en la boca de sus víctimas, János Kádár entre ellas, y que fue alejado a mediados de los cincuenta de la escena húngara y enviado como diplomático a Tel Aviv— y Péter Gábor, el Beria húngaro, tomaban el fresco en las colinas de Buda y disfrutaban de una jubilación de la que se habían hecho titulares tras innumerables crímenes. Me da la impresión de que esta continua vecindad entre los asesinos y sus víctimas y la incapacidad de todos para enfrentarse al pasado han contribuido a acrecentar mi malestar por hallarme aquí. A decir verdad, procesar a todos los miembros del aparato estalinista y dejarlos en libertad —no meterlos en prisión, no, simplemente revelar y denunciar el maquiavélico funcionamiento del poder soviético en Hungría— no serviría de nada. Un miembro del Comité Central del Partido Comunista, encargado de la censura, se convirtió en el defensor más sincero y ferviente de la francofonía en Hungría, creando cierto número de liceos franco-húngaros repartidos por todo el territorio nacional. Pero ¡qué difícil era sustraerse a la presión marxistizante en la enseñanza del francés durante los estudios universitarios! ¡Qué cantidad de gilipolleces en el manual editado en Moscú, como aquella de relacionar la aparición del monstruo marino en la *Fedra* de Racine con la quiebra de la Compañía de las Indias francesa! ¡Qué enorme daño nos hicisteis, al fin puedo decirlo, vosotros, los intelectuales a sueldo de Moscú, que para rendir pleitesía a Mátyás Rákosi, el dictador, denunciabais en artículos publicados en *La Pensée* las intenciones disolventes del esteta Baudelaire, presente, sin embargo, en las barricadas en 1848 —«Golpea, golpea un poco más fuerte —grita en medio del motín—, golpea de nuevo, guardia de mi corazón, porque en medio de esa soberbia paliza me recuerdas a Júpiter, el gran justiciero, y te rindo mi adoración»—, o exaltabais los muchos méritos de Joseph Chénier, autor de una oda revolucionaria que vino a sustituir al himno nacional húngaro, de inspiración nacionalista y religiosa («Bendice al húngaro, Señor»), mientras condenabais al «decadente» y enfermizo André Chénier, su hermano, que perdió la cabeza en aquellos años en que se guillotinaba con un increíble salvajismo. El mismo Aragon echaba pestes de aquella pequeña inquisición y lo hizo notar en un artículo publicado en *Les Lettres françaises* titulado «El pueblo francés es una larga memoria». Nunca adivinarían ustedes la respuesta de Janine Bouissounouse, colaboradora de la revista *Europe* de visita en Budapest, a la pregunta que le hizo uno de mis ingenuos camaradas: «¿Cuándo nos será posible a nosotros ir a París, ver a Gérard Philipe en el Teatro Nacional Popular y visitar el Louvre?». «Cuando Francia se haya convertido en una república popular», le respondió, sucintamente.

Un antisemita... ¿solamente teatral?

Vuelvo a verme en la puerta de entrada del lujoso edifico de la plaza de los Franciscanos, sede de la Sociedad para la Amistad Húngaro-Soviética, algunos años después de la visita de Ehrenburg, en torno a 1950. Poco más tarde me crucé allí con un joven de aspecto insolente, de mirada fría y altiva. Lo saludé levantando mi fino sombrero, a lo que asintió esbozando una sonrisa cortés. En alguna rara ocasión coincidí también con él en actos organizados por la alta sociedad de los gentiles arruinados de Buda, entre los que era calurosamente acogido. Mi amigo me miró sin pestañear, aparentemente sorprendido, y siguió su camino. De hecho, lo conocía desde hacía diez años. En 1942, los caritativos y piadosos padres escolapios hicieron construir un escenario, rodeado de una amplia banda de estuco a la manera barroca, al fondo del gimnasio situado bajo la capilla. La fiesta de inauguración fue confiada a los *scouts* del liceo, deportistas, musculosos, que derrochaban vitalidad y eran entusiastas hasta el aburrimiento: «Hay que estar siempre a punto...». Padres y alumnos participaban en el espectáculo. Un tendero hebreo, calvo y con la espalda encorvada, que se expresaba con el acento de su raza y gesticulaba en escena con gestos que parecían tomados de los carteles antisemitas (el pulgar, el índice y el medio servían para argumentar, mientras que el anular y el meñique, plegados, se ocultaban con pudor), engañaba con gran soltura a los clientes sobre los productos que les ofertaba. El público se moría de risa ante la figura del comerciante deshonesto desenmascarado. Mi madre trataba de disimular su vergüenza, y en cuanto a mí... La verdad es que me había quedado estupefacto con el trabajo del actor. Me acuerdo —ahora y aquí, y no en los lugares donde coincidimos antaño, porque, por parafrasear al enigmático y mallarmeano Lacan, «nunca recuerdo mientras soy, y nunca soy mientras recuerdo»— de que, pese a mi timidez, había tratado de entablar conversación con este antisemita adolescente. Alabé su interpretación y lo interrogué acerca de sus secretos de actor y de su capacidad para identificarse con el personaje. No debió de decirme gran cosa, y tampoco nada ofensivo, porque me acordaría. ¿Por qué me fascinaba? Encarnaba el tipo del «pequeño judío» que los israelitas de la alta burguesía, fieles a la religión de sus antepasados o conversos, habían odiado siempre. Es difícil analizar esta jerarquía establecida en el seno de la sociedad de los réprobos. Ciertos hechos son innegables, como la existencia del comité creado por el consistorio de Budapest para colaborar con los alemanes en el agrupamiento de los judíos con vistas a su deportación. Pero ¿cómo explicar a las generaciones venideras los motivos de esa irracional esperanza de salvar vidas entrando en tratos con el enemigo? ¿Quién estará en condiciones de entender que fueron los mismos nazis los que impusieron esta actitud demencial y perversa a sus futuras víctimas? En los años 1942 y 1943 los judíos polacos refugiados vivían en una suerte de chabolas, amontonadas la una junto a la otra formando líneas regulares que se entrecruzaban, en una parcela abandonada, al norte de Budapest. Una mujer famélica de aspecto miserable vino un día a mendigar a nuestra puerta. Sin dejarla entrar, mi madre los socorrió, a ella y a los suyos, mes tras mes: algo de dinero para la polaca, evidentemente abandonada, y nuestra ropa vieja para los hijos. Con propósitos pedagógicos, me llevó una vez hasta esa villa miseria construida como un tablero de ajedrez; quería hacerme entender que semejante tragedia tenía lugar en las cercanías de una capital de gente acomodada. A su manera, era una inconformista, porque sin negar nunca que la pobreza existía, no llegó a percibir con claridad las amenazas derivadas del nuevo orden político. Su pensamiento estaba limitado por la visión del mundo imperante en su entorno. Para desesperación mía, hizo confeccionar un abrigo de entretiempo a un «sastrecillo» que ejercía su profesión en lo que, a partir del golpe de mano de los cruzflechados en octubre de 1944, pasaría a denominarse «gueto»; menos mal que no me obligó a usar los zapatos que había encargado a un zapatero del mismo barrio. Sobreprotegido, acomplejado, yo quería respetar las reglas del chic, ese conjunto de normas sociales con las que ella precisamente deseaba acabar. No sabía ocultar su desaprobación cuando su suegra, mi abuela paterna, me contaba un chiste con acento yidis, a la manera del tendero encarnado por el altivo adolescente del que he hablado, cuando hacía hablar húngaro a su personaje en la representación del liceo.

En los años cincuenta volví a encontrarme con él un día, frente a la iglesia de los Franciscanos. Como siempre, fui el primero en saludar y también le sonreí. Él me paró: «¿Pero es que no vas a darte cuenta nunca de que jamás respondo a tus zalamerías?», me dijo de repente. Sorprendido y molesto, traté de zafarme de la situación: «No te entiendo», le dije, y me di la vuelta intentando conservar la dignidad. Hasta ahora, había expulsado al tipo de mi memoria; ahora, acabo de clavarle un horquillo —metafórico, por supuesto, e inspirado en el folclore magiar— en la espalda. Pero no tenía las puntas suficientemente afiladas, me temo, y ese fantasma húngaro continuará persiguiéndome. ¿Podría desembarazarme de él utilizando alguna fórmula mágica? Él me había rechazado y yo comprendía al fin que mi yo melancólico, el que deambulaba por las calles de

Budapest en mayo de 1997, estaba lleno de especímenes de ese tipo. ¿Llegaría a despegarme del asfalto hirviente de la acera donde estaba parado?

«Ágnes, por tu corazón la vida entera daría...»[1]

Descubrí el amor, en su forma platónica, muy tarde, con diecisiete años. Conocí a Ágnes, una hermosa judía de recia cabellera, aunque cualquier cosa menos maternal, momentáneamente sola, abandonada realmente, aunque eso solo lo supe más tarde por Pali, su novio oficial.

Su abuelo materno, único superviviente varón de la familia, estaba a la cabeza del consistorio israelita de Budapest y obligaba a su nieta a observar los preceptos religiosos. ¡Nada de conciertos durante el *sabbat*! La madre regentaba Mona Lisa, una pequeña empresa que confeccionaba camisas para ambos sexos. Ágnes me invitó al baile del colegio israelita organizado en un gran hotel situado en el antiguo Corso budapestino. Padres y profesores vigilaban a las parejas que bailaban en la penumbra. Antes de la toma del poder por los comunistas se bailaba a ritmo de discos traídos de América y se bebía gin fizz. Ágnes llevaba un vestido de tafetán negro arrugadizo y chirriante. Estaba deslumbrante. Ligeramente

---

1 Libremente adaptado de «La judía», de Jacques Halévy, con música de Meyerbeer. (N. del A.).

achispado, la tenía aferrada contra mí y mis dedos se deslizaban por su seno derecho. «Las manos quietas», susurró la señora madre, cuya intención no era proteger la virginidad de su hija, sino simplemente hacernos observar las reglas del decoro. Me enamoré de Ágnes perdidamente, estúpidamente; me pasaba el día besando sus manos, acortando el tiempo que dedicaba a mis estudios de piano. (Leía muy poco, pero me pasaba dos horas al día interpretando a Bach, a Mozart, a Schubert y a Chopin, tratando en vano de recuperar mi retraso en el dominio del teclado). Nunca hablábamos de religión, pero siempre estaba quejándose de los problemas que le planteaba asistir a fiestas y de la severidad de su abuelo, que encendía las luminarias del *sabbat* el viernes. Era una chica poco sumisa, independiente y decidida. Su mirada, alegre pero carente de ternura, su rostro, alargado, con el mentón firme y acusado, sus cabellos, rizados como una crin que nunca pude alisar, deberían de haberme revelado su carácter duro e implacable. Finalmente, un día, durante el entreacto del *Don Giovanni* dirigido por Klemperer, la estreché entre mis brazos y la besé.

Se la presenté a Aladár Rácz, el músico gitano descubierto por Ansermet, que era un virtuoso del címbalo húngaro: especialista en música francesa del siglo XVIII, fue profesor de la Academia de Música de Budapest hasta el fin de sus días. Vivía retirado en una casita en las colinas de Buda. «Tiene una mirada cálida», observó en presencia de Ágnes. Fabricaba él mismo sus mazos para lograr un sonido metálico rico en vibraciones acariciantes. Yvonne, una maravillosa suiza, lo acompañaba al piano. Nunca he visto una manera de tocar tan delicada, tan discreta, tan sumisa. A veces, el gitano se superponía al artista experto en la teoría musical de Rameau. En esas ocasiones, para desesperación de Yvonne, Aladár se desmadraba. La obligaba a acompañarlo tocando la *Canción de Jászberény*, llena de expresiones obscenas, tomada supuestamente del folclore húngaro por gentes inclinadas a la juerga: la ejecutaba al címbalo húngaro, con el que acababa de hacer sonar las notas de la música simpática y amanerada del Siglo de las Luces.

Dódy, mi encantadora profesora de piano, consagró una sesión a analizar el gran dúo de *Tristán e Isolda* en el acto segundo de la obra. Había comprendido la naturaleza de mis relaciones con Ágnes. «Sigue adelante, si ella te lo permite», me dijo para animarme en la siguiente visita. «Pero es que ocurre que no soy el primero...». Me interrumpió: «Es una chica con suerte. Bésale la oreja, eso nos gusta, ya verás». Esas palabras, delicadas y llenas de matices, eran transposición, en el sentido musical del término, del consejo enérgico que un padre habría podido dar a su hijo: «¡Pórtate como un hombre!». Pero las nubes rosas de esa felicidad garantizada no escondían más que una tormentosa borrasca, oscura y agitada. Un golpe violento de platillos, acompañado del tronar de una pareja de timbales discordes vino a poner fin a las notas perladas de los celestiales conciertos de Mozart. ¡Qué lluvia de querubines regordetes y mofletudos! ¡Como un diluvio en medio de un paisaje nublado, con rocas cubiertas de serpientes e iluminado por rayos zigzagueantes! ¡Pobre de mí, perdido como lo estaba por un espurio «Mapa de los Sentimientos»! Un buen día, Pali reapareció y Ágnes volvió con él y me dejó tirado como a un trasto viejo. Celoso a la manera de Otelo, estaba fascinado por su entendimiento. Los oía cantar a dúo y las inflexiones concordes de sus voces me amargaban la existencia. Me hundí en el desaliento y la depresión, porque no sabía cómo podría reemplazarla.

Intermedio: visita al burdel que termina en el confesionario

«J'ai perdu mon Eurydice!». ¿Dónde podría volver a encontrarla? ¿En el infierno? En 1948, el banquete tradicionalmente celebrado al final del bachillerato tuvo lugar en el colegio, que acababa de ser nacionalizado pese a las protestas valientes y ruidosas del cardenal Mindszenty, figura terca y heroica que vivía en el pasado (se consideraba a sí mismo «abanderado» del extinto Reino de Hungría). Tras la comida, me dispuse a regresar a casa, pero me detuve —al diablo la decencia y las buenas costumbres— para orinar en medio de una leve erección contra una empalizada que, por cierto, sigue allí, como pude comprobar años después, en la cercanía del hotel Peregrinus, la casa de huéspedes de la universidad. Se me olvidó fotografiarla en mi último viaje. ¿Qué habrían pensado los paseantes viendo a un turista, perdido en todos los sentidos del término, fotografiar una cerca hecha de tablones que protegía un solar yermo? Estaba bastante borracho y no recuerdo nada hasta que me vi en el burdel de la calle Király. Hice levantar a sus pupilas a las dos de la mañana y exigí una jovencita de pechos pequeños. Apareció una obesa Nana, desprovista de los perversos encantos de la heroína de Zola y con unas tetas fellinianas, me parece recordar. Totalmente ignorante de los «asuntos de cama» y sin sentirme muy atraído por mi compañera, me arrodillé a sus pies. Sobreexcitado y desganado al tiempo, me corrí sobre su pierna, para desesperación mía y disgusto suyo. Este fracaso me marcó de por vida. Tuvieron que pasar decenios hasta que pude valorar la desmesurada repercusión de ese episodio completamente banal. He hablado de ello con las mujeres que amé, con las que la confidencia siempre funcionó como un requisito previo a la práctica del sexo. «Yo no voy a valorarte por tus hazañas sexuales», era lo que siempre esperaba oír de mis parejas. Una de ellas me escribió en una ocasión: «Nunca he tenido el propósito de deslizarme entre tus sábanas para batir un récord. Lo único que buscaba era el placer de un amor *compartido* que también abarca al cuerpo, por supuesto, pero en el que lo verdaderamente importante son las pulsiones del alma». Y en otra ocasión: «No quiero tener contigo una relación mecánica. Quiero que el orgasmo que me provoques salga de dentro, no solo del fuego de los sentidos, sino del corazón y del alma». ¡Qué adorable actitud moral, tan de los tiempos de antes de Anna Karénina! ¡Dan ganas de ponerse de rodillas ante un ángel semejante! La fracasada visita al burdel era a la vez la consecuencia y la confirmación de las burlas de mis condiscípulos. Olfateando mis complejos —nadie me creía cuando afirmaba que no había descubierto el placer solitario hasta los dieciséis o diecisiete años—, mis compañeros de clase, que ya contaban con sus primeras amiguitas en la escuela de danza del señor Petris, un corpulento coronel retirado del ejército imperial y real de la extinta monarquía austrohúngara, se mofaban de mi timidez, que ellos tenían por impotencia. ¿Había hecho su efecto el veneno de la decepción amorosa? ¿Temía yo ser un poco más homosexual que la media? Me tranquilizó nuestro médico de cabecera, que cantó la fuerza prodigiosa de la juventud que «por todas partes siembra». Por su parte, en el declinar de su existencia, él paraba para fumarse un cigarrillo —permitiéndose así la ilusión de prolongar el placer— antes de ponerse nuevamente al asunto. La suerte de su mujer debía de ser poco envidiable, dado que, según se rumoreaba, el médico tampoco desdeñaba los encantos de jóvenes pacientes que apenas se asomaban al umbral de la adolescencia.

«El hombre recupera la fe cuando se dispone a morir», escribió el poeta húngaro Endre Ady, y ese era mi caso, en cierto sentido, aunque nunca hubiese pensado en el suicidio. Y acabé viéndome ante uno de los confesionarios de la iglesia de los Franciscanos. A decir verdad, nunca me encontré cómodo en esa iglesia. El olor *sui generis* de la pobreza me había mantenido alejado. Pero, tras haber perdido a Ágnes y tras mi visita al prostíbulo, deprimido, desesperado, sintiéndome culpable, busqué allí el anonimato y al interlocutor que me quitara de encima la carga enorme que aplastaba mi corazón. «Padre, he pecado, he practicado tocamientos obscenos y prohibidos». El cura me interrumpió —prestad atención, por favor, porque no «vais a dar crédito», por decirlo así, «al testimonio de vuestras orejas»—: «Los tocamientos, ¿qué fueron? ¿Con un perro?...». Tanta perversidad, un ejemplo semejante de desviación de la libido, me hizo tambalearme, como un puñetazo inesperado. «No, no... ¡Fueron con una mujer!». Creo que lo hundí en el más profundo desconsuelo, y seguí haciéndolo relatándole mi visita al burdel. No confiaba mucho en la salvación de mi alma, dijo, pero me otorgó, muy escéptico, la absolución.

«¿Con un perro?...». Maldito cura, ojalá te pudras en el infierno, mientras en el paraíso yo le acaricio la barriga a Vodka, mi adorable *golden retriever*. (Tiene cáncer de mama y pronto nos abandonará. Va hacia la puerta del patio lleno de flores de nuestro edificio, como si quisiera oler allí abajo el aire refrescante del paraíso que la espera). ¿Acaso le metías tú el dedo ganchudo, y si es así que se te seque al instante, a tu propia perra en la vagina? ¿Has violado, quizá, aunque solo sea con el pensamiento, a esa bestia inocente que no es más que amor, que ignora la maldad, que no ha quedado marcada por el pecado original? Odioso imbécil de rostro demacrado a quien las profundas ojeras causadas por el onanismo dan un aire de payaso trágico, ¿nunca has sentido la alegría que produce acariciar el cuerpo de un animal que se echa de espaldas y se te ofrece con entera confianza, con las patas levantadas y los ojos brillantes, llenos de astucia y de bondad? ¿Le has palpado el tórax, la has tranquilizado con una caricia cuidadosa? ¿Has sentido la suavidad de su vientre, se lo has masajeado como sueles hacer con el plexo de tus semejantes para eliminar contracturas? ¿Has palpado la parte baja de su cuerpo para asegurarte de que no tuviera nódulos malignos? ¿Has respetado sus órganos genitales, como se respetan los de los niños? ¿Has agarrado su hocico, has rozado esos caninos que nunca te morderán? Monstruo envilecido y desnaturalizado, me jodiste bien pero no me vino mal, porque dejaste que me asomara a los abismos de tu frustración, repletos de inmundicias. Tras haber rezado dos avemarías y un padrenuestro, salí de aquel agujero, ultrajado, indignado, asombrado y entristecido. Juro por Dios y por san Jorge, e incluso por san Martín de Hungría, que no me acordé de esa extraña confesión cuando pasé por delante de la iglesia de los Franciscanos y que la idea de entrar allí no se me pasó por la cabeza en mi visita al país, en mayo de 1997.

Me dirigí a una fiesta donde sabía que encontraría a Ágnes. Las parejas tanteaban en la oscuridad, desaparecían un rato y volvían a aparecer, salidas de sus escondites. Las chicas se ajustaban discretamente los corpiños, los chicos se abotonaban la ropa con mucho más desparpajo. Ágnes se restregaba contra mí de manera poco disimulada. Desechada por su amigo, que había vuelto a sus estudios en Suiza, ella buscaba recuperarme, herido como lo estaba por el duelo amoroso, como una vieja cacerola machacada por el uso. Pero yo la rechacé y anduve eluyéndola durante casi un año, siguiendo en esto los dictados de mi madre, que me quería solo para ella, en realidad, aunque pretextaba que era para evitarme más sufrimientos. Finalmente, pocos días antes de su partida hacia Israel (los sionistas organizaban las *aliyás* con la complicidad de las autoridades checoslovacas), vino a verme. Una prolongada gripe me tenía encamado. Fue la primera vez que exploré el cuerpo húmedo de esa chica, sin dejar de repetirle que era «demasiado tarde». Mi madre nos vigilaba desde la habitación contigua, y llegado el momento nos indicó que ya era hora de que Ágnes volviera a su casa. Fuera por pura amabilidad o por una mezcla de piedad y sadismo, probablemente alimentada por la ausencia de Pali, la seductora me invitó a pasar la noche en su casa, bajo el techo materno, donde al alba nos diríamos adiós.

Cuando llegamos, el ambiente estaba muy lejos de ser distendido. A la entrada, me crucé con un diplomático británico, cómplice simpático de los viajeros clandestinos, que daba a Ágnes sus últimas instrucciones en inglés y terminaba su discurso con un escueto «buen viaje» en francés. Sobre la mesa de la cocina había un lingote de oro y un irrigador vaginal, concebido para hacer recuperar la virginidad a la más descocada de las jovencitas y para dar caza al más pérfido de los espermatozoides, maternales viáticos para una aventura, confesémoslo, bastante peligrosa. No tuvimos un solo momento de intimidad. Pasé la noche, lleno de agitación, en un sofá junto a la puerta de entrada, a escasos metros de su cama. ¿Con qué soñaría yo? ¿Con la imposible cópula, tan ansiosamente esperada, con esa muchacha que me volvía loco? Sea como fuere, al despertar me di cuenta de que las sábanas, inmaculadas la noche anterior, tenían manchas de semen. Falto de tiempo y de medios, no pude hacer desaparecer los rastros de mi vergüenza. Al amanecer, una asamblea de amigos y conocidos se reunió en el hogar de esta nueva Ester, codiciada por innumerables Asueros. Ella se despidió apresuradamente de todos y se metió al taxi que la esperaba en la calle. Volví a casa y, mientras escuchaba el segundo concierto de Rachmaninov, un fabuloso afrodisíaco para combatir el dolor, me puse a sollozar como un recién nacido. Durante los siguientes dos años permanecí inconsolable, de duelo por la mujer amada, que se había integrado a la vida del kibutz y con quien mantener cualquier clase de correspondencia parecía inútil o decepcionante. Ágnes se casó con un militar israelí bien situado, con quien tuvo cuatro críos y la oportunidad de conocer la angustia de las madres cuyos hijos deben ir al frente periódicamente.

Treinta años después me tocó dar la bienvenida a una mujer envejecida, de anchísimas caderas, maravillada ante ciertas calles de París, sinuosas, disparejas, llenas de ángulos y curvas, y por la belleza de las balaustradas de hierro de los bulevares haussmannianos. Tomé entre mis brazos a esa mujer frustrada y excitada a la vista de los pijamas expuestos en una *boutique* de lujo en la calle Saint-Honoré, pero el deseo había desaparecido. Era la misma que había intentado subir a mi habitación en el hotel de Tel Aviv. En esa ocasión sí que hice el amor con ella, pero sin ponérselo fácil, porque quería devolverle el castigo. La misma que luego me asedió con incesantes llamadas telefónicas a casa de los amigos que me acogían aquellos días en Jerusalén. ¡Pobre Ágnes! Te acaricié el rostro antaño deslumbrante, besé tus labios hoy descoloridos, tuve entre las mías tus manos, marcadas con el ámbar de la edad. ¡Y pensar que estuve a punto de internarme en el desierto para seguirte! Te creía inteligente y nunca habría imaginado que te convertirías en una mujer sin expectativas, intimidada por la dureza de la vida en el bíblico país de nuestros ancestros.

Perdí de vista a Ágnes hace tiempo. Quizá debiera emprender unas excavaciones arqueológicas para volverme a encontrar con esa momia, que seguramente podría aclararme ciertos misterios de nuestro pasado común en Budapest.

En compañía del nieto del Edison húngaro

Me encuentro en la misma acera, a escasos pasos de la iglesia de los Franciscanos, delante de la cervecería Kárpátia, establecimiento de segunda categoría de cierto renombre y cuyos precios, en 1997, no están al alcance de ningún húngaro de clase media. Vuelvo a verme en compañía de Tivadar Puskás, en la primavera de 1943. Aquel muchacho inquieto me resultaba simpático. Sus labios pronunciaban las palabras correcta y bien articuladamente, no sin algunos momentos de duda. Su familia vivía en bastante malas condiciones en un piso sombrío y destartalado. De origen transilvano, soñaban con gloria y riquezas y parecían infatigablemente abonados a la amargura. El abuelo, el Edison húngaro, había inventado el teléfono en su humilde laboratorio durante el siglo anterior. Una placa con su nombre destacaba en un muro de la capital, premio de consolación para un genio semidesconocido que debió de sentirse despojado por su colega estadounidense. La señora Puskás, de rasgos congelados o esculpidos quizá, permanecía siempre muy derecha y erguida, como todas las damas húngaras de cierto nivel; era pobre y su dignidad constituía su único patrimonio. Alguna vez me invitó a tomar el té. El hermano mayor me miraba por encima del hombro, pero al más pequeño, mi camarada, le encantaba jugar al tren eléctrico conmigo, un tren que recorría incansable el mismo circuito. Jugábamos en aquel piso anticuado, triste y frío, y también en mi casa, en mi habitación desnuda, decorada con el fresco que Fränkel había confeccionado con trozos de papel pintado.

Debo confesar que me hallaba un poco atrasado desde el punto de vista intelectual; naturalmente, leía a Julio Verne y al inevitable Karl May, muy popular entonces por sus descripciones de la vida salvaje de los esquipétaros. Para entender un poco el temperamento belicoso de los albaneses, los occidentales deberían leer esos libros, cuya inmortalidad es bastante dudosa. Pero en vez de sumergirme en la lectura de *sir* Walter Scott o de Tolstói, tenía predilección por novelitas del tipo *El mundo como dinamo*, de un autor cuyo nombre he olvidado, que describía el descubrimiento de un ingeniero: hilos tendidos como los cables de alta tensión rodeaban la Tierra y producían electricidad gracias a la rotación del planeta. Todo en beneficio de la humanidad. Estaba dotado de cierto sentido del humor, desde luego, porque me encantaba la historia del gigante imaginado por Sándor Török en su novela *Las decepciones del gigante* (1934). El gigante de la historia que, ante las repetidas sorpresas que un mundo tan poco fabuloso como el nuestro le depara, se va haciendo más y más pequeño, me divertía muchísimo. Habiendo alcanzado una talla normal, llegaba a ser propietario de una posada en las colinas de Budapest, donde se reunían los jugadores del mejor equipo de fútbol del país. Cincuenta años antes de *Marranadas*, de Marie Darrieussecq, los escritores se dedicaban ya a las metáforas. «Se me duermen los brazos» —de pura estupefacción—, se dice en francés. Los húngaros dicen «se me desencaja la mandíbula» cuando se encuentran ante algo que los deja asombrados. Mi gigante se veía obligado a sostener la suya con un estribo de caballo, porque cada vez que se le desencajaba veía reducido su tamaño en unos diez centímetros. El niño, que se tiene por un gigante todopoderoso, y que va sintiéndose cada vez más impotente en relación con el mundo que lo rodea, ¿no iba a sentirse identificado con ese gigante convertido en ser humano normal y tranquilizado por esa especie de integración en la vida cotidiana que propone el relato? Me da la impresión de que ahí está es el secreto de esa «novela de aprendizaje».

Nunca superé ese retraso en lo que se refiere a la lectura de los clásicos húngaros y de los grandes autores extranjeros. Pero me tomaba la revancha abismándome en los placeres casi físicos que me proporcionaba la música. Las tremendas sinfonías de Chaikovski o de Dvořák, los poemas sinfónicos más enfáticos, como *Los preludios* de Liszt, los conciertos de gran porte, como los de Grieg o Rajmáninov, cuya ejecución exigía siempre altas dosis de virtuosismo, me descubrieron el sentido de la vida, me entusiasmaban, me deslumbraban, me llenaban de alegría. Los sollozos patéticos de los violines en la *Sexta sinfonía* de Piotr Ilich, esas cuerdas que evocan la bohemia al músico que se siente exiliado en el Nuevo Mundo, me hacían llorar. Oía a Mozart, a Bach o a Händel con una delectación mucho más razonable, como un antídoto contra el veneno romántico. Adopté todas las convenciones de la divulgación musicológica: al comienzo de la *Quinta sinfonía* de Beethoven, el ritmo espasmódico era advertencia de un destino inexorable; el tema principal tenía un carácter viril; el secundario, naturaleza femenina. Me hice aficionado a la ópera a la edad de once años. Conocía por anticipado los datos de las retransmisiones operísticas en la radio. Compraba el libreto en húngaro y después seguía el texto cantado en italiano línea a línea. Así llegaron a serme familiares *Aida* o *Un ballo in maschera*, y también aprendí a admirar el canto de Beniamino Gigli, de Aureliano Pertile, de Gino Bechi o de Ezio Pinza. Las voces de Maria Caniglia, Dusolina Giannini, Ebe Stignani, Toti dal Monte o Amelita Galli-Curci me subyugaban; conocía de memoria las vocalizaciones de Violetta y de Gilda, las proezas vocales de *Lucia di Lammermoor*, las imprecaciones de Aida («Numi, pietà del mio soffrir», es decir, «Tened, dioses, piedad de mi sufrir») y las de Amneris todavía me emocionan hoy. Tengo la impresión de que mi familia no veía mal mis sesiones operísticas y no fui molestado cuando me entregaba a ellas ni una sola vez. El señor Taraba, el peluquero, compartía ese entretenimiento mío cuando venía a casa. Poníamos el receptor de baquelita sobre el radiador. Los cliqueteos de las tijeras cuadraban con el aria de Fígaro de *El barbero de Sevilla*, y el chorro de la ducha se unía al sonido del agua en la fuente del jardín en *Così fan tutte*. Yo obtenía un disfrute adicional, musical solo a medias, memorizando los carteles de los conciertos a los que me estaba prohibido asistir. En los años cuarenta, Karajan dirigió tal sinfonía de Beethoven, y Richard Strauss estuvo a la cabeza de la orquesta de la Ópera que interpretó *Le Chevalier à la rose*. Al escuchar la música que tengo memorizada de ese periodo, una indefinida nostalgia se apodera de mí. Y me alteran lo mismo una representación de *La viuda alegre* que las lamentaciones de Otelo, destrozado por el adulterio imaginario de Desdémona.

En 1997 me habría gustado encontrarme con el pequeño Puskás, fiel compañero siempre bien dispuesto durante aquel mes de marzo de 1943. A la salida del liceo, en el camino de vuelta a casa, alguna vez discutimos tranquilamente acerca de la cuestión judía. Yo aseguré con absoluta convicción que mi familia era católica sin traza alguna de sangre israelita. Un año después, la historia se encargaría de poner en movimiento un mecanismo que nos permitiría a todos enterarnos de la verdad. La entrada de los alemanes, el 19 de marzo de 1944, había activado las alarmas que acabarían por poner en evidencia mis mentiras. El ocultamiento era un medio de autodefensa miserable. A partir del mes de abril, me puse la estrella amarilla, justamente calificada de «infamante» (tengo la duda de si la expresión ha caído en desuso y perdido parte de su fuerza) y que a duras penas podía ocultar con mi pesado cabás. El pequeño de los Puskás, grande en lo que tocaba a mi estima personal, tuvo el coraje de hacer el recorrido de vuelta en mi compañía. Al llegar a la cervecería Kárpátia me recordó, sin mala intención alguna, mis afirmaciones de hacía un año. En lugar de admitir mi mentira, aseguré que no recordaba haber dicho nada en relación con el asunto. Seguimos nuestro camino. Hoy sigo con la vista a esos dos estudiantes que vuelven del liceo a casa.

Por última vez en estas memorias de un pequeño-judío-de-Budapest-que-todavía-vive, me encuentro no delante, sino dentro del patio de ese restaurante, en compañía de mi madre, en 1945, probablemente. Hacíamos cola para recibir un tazón de «sopa popular», una bazofia hecha de guisantes triturados cuyo gusto alabamos hasta descubrir al fondo de la taza una loncha de tocino ahumado. Cuarenta y dos años más tarde, consulto la carta de la desierta cervecería. El menú me produce náuseas, y no me apetece sentarme a la mesa solo, rodeado de unos empleados serviles («Que Dios le conserve esa salud», «Déjeme que le exprese humildemente que...», «No sé si atreverme a recomendarle de postre unos hojaldres de pasta fresca y col roja», etc.) que me pusieron una ensalada de lechuga poco y mal lavada. Salgo sin pena ni gloria..., acaso un poco avergonzado de mi aspecto de turista occidental que, entre 1940 y 1956, vivió dieciséis años decisivos de su vida en este barrio... Y me alejo precipitadamente.

Bajo el porche he escrito tu nombre

Por la calle de la Universidad *(Egyetem utca)*, saliendo de la plaza de los Franciscanos, llego al hotel Erzsébet, lujosamente reformado, donde se encontraba la cantina universitaria entre 1952 y 1954 y cuya especialidad era el *goulash* de menudillos. Enfrente estaba la sobria fachada del palacio del conde Károlyi, antiguo presidente de la República Popular de Hungría, aristócrata francófilo e idealista, vuelto del exilio en torno a 1946 y que ejerció como representante diplomático del país al frente de la legación en París. Conservó el puesto hasta 1949, cuando se iniciaron los absurdos procesos, calcados de los soviéticos, contra antiguos miembros del Partido y socios moderados de los comunistas, engañados con el señuelo del Frente Popular. Antes de mi estancia en 1997 no me acordaba de una inolvidable tormenta que me sorprendió en este preciso lugar en marzo de 1945. Aquel tornado agita todavía hoy mi pluma y se introduce con toda su violencia en los intersticios de mi escritura. La villa estaba en ruinas, y las heridas causadas por la artillería soviética, abiertas todavía. Las canaletas de aluminio o de plomo, separadas del borde del tejado, permanecían colgando durante semanas para ir luego a dar sobre la calle. Los batientes de las ventanas de desplomaban sobre las aceras y las caedizas tejas amenazaban con aplastar la cabeza a los raros paseantes. Hay trozos de yeso esparcidos por la calzada y una polvareda asfixiante ciega a los peatones que se metamorfosean voluntariamente en fantasmas. Me refugio en el hueco de una puerta para protegerme del diluvio de materiales caídos del cielo. Era el n.º 11 de la calle de la Universidad. En mayo de 1997, irritado contra los conductores que aparcaban sus coches en la acera, seguí mi camino sin dejar aflorar el pasado, que todavía hoy se resiste a hacerlo.

Mi padre, enfermo desde 1940, probablemente a causa de un tumor cerebral, murió en enero de 1944, pocas semanas antes de la entrada de las tropas alemanas en Hungría. ¿Se trató de una muerte natural? ¿Cómo tenía fuerza todavía para atender sus asuntos, aterrorizado como debía de estarlo por los electrochoques que le administraban sin anestésico alguno? Lo trataban dos médicos: el profesor Lehotzky, según parece una autoridad en la materia, que emitía certificados para las autoridades militares, y el doctor Klauber (¿no recuerda su nombre al alemán *glauben*, «el que tiene fe»?), que vivía en el n.º 11 de la calle de la Universidad, un modesto psiquiatra judío que confiaba tanto en la eficacia de las medicinas como en la logoterapia. Mi padre, cada vez más deprimido, triste, agobiado por el incierto resultado del tratamiento, iba a verlo todos los días, de las once a las doce. ¿Qué podría decir al médico al amparo de aquel despacho? ¿Sabía Klauber con seguridad absoluta que lo que su paciente tenía era un tumor cerebral incurable? El médico apreciaba mucho la inalterable energía de mi madre. Preparaba un libro de grafología y quiso insertar en él una página manuscrita de mi madre, cuya escritura era tan regular a los diecisiete como veinte años después. Nunca regresó tras su deportación. Lehotzky sobrevivió al asedio de Budapest. En 1945 mi madre se dirigió a él para conseguir un certificado que le era necesario para resolver algunas cuestiones administrativas. Tras de haberse embolsado sumas considerables observando la evolución de su paciente, judío y aparentemente rico, ese poco presentable gentil exigió una suma asombrosa por emitir el dichoso certificado. El doctor Scheiber, amigo de la familia, cirujano eminente vuelto a la práctica de la medicina general desde 1945 —y que se sentía degradado, tras haber soportado una larga persecución—, aconsejó a mi madre que no pagara el total de la inverosímil factura. Mi madre le hizo caso. Según informaciones que obtuve hace algunos años, los archivos del ilustre profesor, que habrían podido revelarme sus secretos y liberarme de incertidumbres, habían desaparecido para siempre.

Con excepción de una pitillera de oro, no conservo nada de mi padre. De cuando en cuando me acuerdo de su firma y me da por copiarla. El trazo horizontal de la «t» de «Loránt» servía de apoyo al bucle de la «E», inicial del nombre propio «Endre». La «d» imitaba el trazo ahuecado de la caligrafía llamada «gótica», y la «e» final enlazaba con un trazo paralelo la «L» inicial del apellido. Vuelvo a ver igualmente, proyectado en la pantalla de la memoria, un dietario con el balance de sus ingresos y gastos, escrito muy cuidadosamente, con una línea bien trazada que enlazaba el *total* de la página de la izquierda con la columna de la página derecha. Conservo una hoja escrita a máquina por él durante su último año de vida en la que las letras se siguen unas a otras en una total confusión y donde me cuesta trabajo encontrar una sola palabra sensata. El escrito no parece expresión de un pensamiento delirante, sino de falta de coordinación entre sus propósitos de expresión y los dedos con los que tecleaba, con la esperanza de producir una secuencia de caracteres con sentido. Me quedé con ese papel para enseñárselo al doctor Klauber. Mi padre, a quien dije haber perdido la hoja, aceptó de buen grado, con demasiada facilidad quizá, esa mentira. He conservado el documento en un bonito portafolio de seda, bordado con hilos de oro que reproducen los motivos chinos que decoraban su escritorio. El objeto sobrevivió a su muerte e incluso al asedio de Budapest. Los relieves me molestaban cuando le ponía la mano encima. Yo no sentía o no me permitía sentir la huella paterna que había dejado impresa con su sello la muerte.

La «vuelta a casa» retrasada

Interrumpo mi itinerario de 1997, que debía llevarme hasta mi casa. ¿A mi antiguo domicilio o a la casa para huéspedes de la universidad? La vecindad de las dos direcciones me inquieta, pero no las confundo; sé que debo tener coraje e internarme en la calle donde estuvo mi domicilio entre 1940 y diciembre de 1956. Me engaño a mí mismo. De momento, rodeo el palacio Károlyi y tomo la calle que arranca a su izquierda. Admiro los pequeños chalés situados a lo largo de la estrecha calle. He olvidado, seguro, que una vez fui recibido en uno de esos pequeños palacetes neorrenacentistas por Richard Schmidt júnior, el hijo del magnate que acababa de comprar Molinos Reales, la empresa de mi abuelo paterno. Siguiendo una sugerencia de mi madre («al dirigirme a usted, creo ser fiel a las intenciones de mi padre», me dictó ella) le pedí que aceptase ser mi «padrino» en la ceremonia de mi «confirmación», celebrada en la capilla de los escolapios en 1947. Me regaló un estuche de plata y una moneda de veinte francos de oro y, después, incómodo e incapaz de decir una sola palabra sobre mi padre, se dirigió a mí con palabras muy sentidas, como era norma entre los miembros de aquella alta sociedad que se resistía a desaparecer. Volví a verlo, con ocasión de una excursión a Sopron, ciudad fronteriza entre Hungría y Austria, llevando solo una mochila a la espalda, visiblemente nervioso por haber sido detectado. Quería dejar el país tan discretamente como fuera posible. Paso por delante del bello edificio que albergaba el Instituto Francés. El señor Ferenc Fejtő probablemente bromea cuando afirma que la supervivencia del Instituto Francés, la única institución cultural occidental de las llamadas «democracias populares» en la era estalinista, se debió a la señora Rákosi, que quería que le confeccionasen lencería como la de aquellas revistas parisinas que estaban a su disposición en la calle István Ferenczy. Aquella milagrosa supervivencia aún no ha revelado enteramente sus secretos, seguramente relacionados con discretos contactos establecidos entre el Este y el Oeste durante la Guerra Fría. ¡Cuántas veces entré allí con el corazón encogido porque sabía que los visitantes eran fotografiados desde una de las ventanas del palacio Károlyi! ¡Y cuántas salí de allí reconfortado, llevándome en préstamo la *Saga de los Pasquier* o la biografía de Mallarmé escrita por Henri Mondor! En pleno periodo estalinista, sugerí a las autoridades universitarias proyectar cortometrajes sin contenido político que podía proporcionarnos el Instituto Francés. Anoté por error una fecha incorrecta en una ficha, que hice pedazos inmediatamente, sin detenerme a pensar en las consecuencias del asunto. El intendente de la universidad me reprendió por mi imprudencia, porque no había valorado lo suficiente cómo los enemigos del proletariado le sacaban partido a cualquier cosa, incluso al material de oficina, para producir propaganda contrarrevolucionaria. Lo dijo sin inmutarse, sin una sonrisa, pese a que era tan poco comunista como yo mismo. Mi idea fue llevada a la práctica por János Győry, el profesor nombrado por el Partido para enseñar literatura francesa con un manual publicado en Moscú. Lo recuerdo cerrando su maletín con manos temblorosas mientras trataba sin éxito de dominar sus intensas emociones.

Aseguraba que no conocía más que un odio verdadero: el odio de clase. Antiguo cadete de la Escuela Militar, diabólico oportunista, tenía los rasgos deformados por la hipocresía, el sadismo y la tortura interior. El manual, expresión sublime de las tonterías pasadas de moda del marxismo, había sido traducido por un viejo amigo, Pityu Kleszky, antiguo oficial del Ejército húngaro que fue hecho prisionero por los soviéticos, entre los que aprendió el ruso a la perfección durante sus años de cautiverio. A su vuelta a Hungría, Pityu pidió a sus familiares que lo esperasen en la estación, porque quería afeitarse antes de bajar del vagón de ganado en el que lo habían transportado desde Siberia a Budapest. Elemento «desclasado», se le dio empleo en la Administración, en una estación meteorológica. Inveterado donjuán, sostenía que el aire contenido en las frases subidas de tono susurradas por los hombres a la oreja de las mujeres bastaría para poner en marcha cualquier molino de viento. Murió de una crisis cardiaca a los sesenta años, cuando se disponía a casarse con una joven de treinta a cuyo cuerpo acogedor dedicaba las más encendidas alabanzas. La última carta que me envió a París arrancaba, con su característica letra puntiaguda, que remitía a su formación alemana, con un: «¡Sigo vivo todavía!». Nos habíamos burlado con ganas del coautor del manual moscovita, que había recibido una prima por la calidad de sus enseñanzas, recompensa a la que yo no podía en ningún sentido aspirar, puesto que solo era un contrarrevolucionario en potencia. Después de todo, aquellas proyecciones tuvieron un inesperado final. Mientras la propaganda comunista no dejaba de elogiar los avances técnicos de la Unión Soviética, especialmente los buldóceres, todavía poco conocidos en Hungría, la película proyectada en la facultad estaba dedicada a la explotación de las riquezas del Sahara y se veían en pantalla varios cientos de excavadoras autopropulsadas que, con un fondo musical henchido de aires triunfales, ejecutaban un impresionante *ballet* en mitad del desierto. Los buldóceres franceses se quedaron inmóviles, al menos en la pantalla, y el gran desfile de ingenios mecánicos fue interrumpido por orden del Partido y las bobinas con las películas devueltas a su estantería del Instituto Francés.

Me acerco a la verja que separa el jardín del patio del palacio Károlyi; allí, desde 1940 y generalmente a la caída de la tarde, se celebraban conciertos al aire libre. El follaje de las enormes hayas proyectaba su sombra sobre los parterres y los incómodos asientos. Un estrado ocultaba las puertas tras las que se reunían los músicos, a los que a menudo pedíamos autógrafos, también a los poco conocidos. Tenía permiso para ir a esas sesiones; al principio de la guerra asistí al concierto dirigido por el viejo Lehár, con sus cabellos cortos y plateados y consagrado a sus propias obras. Aplaudí allí, en su debut, a Fricsay (del que la gente se burlaba porque su padre era *kapellmeister* en el Ejército), admiré la precisión en los gestos del joven Ferencsik, la autoridad y el genio de Failoni, italiano establecido en Hungría, del mismo nivel que Toscanini, quien lo apreciaba como a un hermano. A partir de abril de 1944, los judíos, agrupados en casas determinadas cuya lista aparecía en el *Boletín Municipal*, no podían salir de su domicilio más que entre las once de la mañana y las cinco de la tarde (el *encierro* absoluto solo se produciría a partir del 15 de octubre de ese año, cuando comenzó a obligárseles también a que mantuvieran las persianas bajadas). Les estaba prohibido frecuentar lugares públicos; pese a la tortura que me supuso, tuve que renunciar a escuchar música en los jardines del palacio Károlyi. Tras la liberación, los conciertos volvieron a celebrarse, y fue allí donde escuché con inmensa emoción *El Mesías* de Händel, dirigido por Stanford Robinson y cantado en alemán en la versión de Mozart. Hubo varios artistas franceses que actuaron también, como Pierre Sancan, Monique de la Bruchollerie, o Jeanne-Marie Darré, condecorada con la Legión de Honor, como hacía constar en los carteles: dama de manos poderosas, especialista en Liszt, Saint-Saëns, Chopin y Rajmáninov, uno de cuyos preludios, discreto y melancólico, era la joya de su repertorio. Cuando tocaba en la Academia de Música, solía dejar su espalda al descubierto, arrojando con un ademán autoritario la amplia estola que la cubría, lo que daba pie a exclamaciones de admiración entre el público, que tenía la impresión de hallarse ante una verdadera bailarina de estriptis, aunque hubiera superado ampliamente los sesenta. En torno a 1948, enfermo de celos, pobre

Don Ottavio, no pude evitar verme detrás de las rejas, espiando a Ágnes mientras se acurrucaba en brazos de su amante, Pali-Don Giovanni. Tampoco pude, en 1970, resistir la tentación de hacerme acompañar por Sylvia, mi segunda mujer, para asistir a un «Coloquio sobre la lengua materna» organizado por el gobierno comunista que, mediante ese pretexto, buscaba restablecer el diálogo con los intelectuales del exilio. Los burócratas del Partido nos llamaban «camaradas», pese a que tenían orden de tratarnos de «señor» y «señora». La trasera del receptor de radio estaba sellada. ¿Era ahí donde se camuflaban cámaras y micrófonos? El recepcionista del hotel guardaba copia de todos los mensajes telefónicos recibidos por los clientes, cuyo original depositaba en nuestro casillero. La policía no tendría la menor dificultad en saber quiénes eran nuestros contactos y relaciones. Estuvimos permanentemente rodeados de provocadores que se declaraban anticomunistas y maldecían sin temor alguno contra el régimen. Con Sylvia asistí por última vez a un concierto, dirigido por Roberto Benzi, en el patio del palacio Károlyi. ¿Habrían tenido éxito esos conciertos hoy día? ¿Podría el mismo Yehudi Menuhim provocar ese silencio lleno de devoción y de religioso recogimiento cuando, tras la *cadenza* de Kreisler, su violín se une a los otros de la orquesta? Lo dudo mucho. Los jóvenes húngaros, que ahora presumen de zapatillas Adidas, se concentran en los conciertos de los Sex Pistols y aseguran que la historia de sus padres les importa un pito. Ellos quieren sacarle todo el jugo a la vida, a sus cuerpos, aunque la «economía de mercado» les imponga sus insalvables restricciones. Estos chicos y chicas no difieren en nada de los jóvenes chinos que, en la universidad, me exigían hablar del Lacan más hermético en vez de interesarse por el curso que yo había preparado sobre *Madame Bovary*; y eso a pesar de que solo veían en el *Libro rojo* un vestigio arqueológico del régimen maoísta. Los acontecimientos de 1956 resultan hoy tan lejanos para los adolescentes magiares como los de 1968 para los estudiantes franceses, a quienes les resultaría difícil adivinar que, entre los mandarines de hoy, a punto de jubilarse la mayoría, se hallan muchos de los que se encaramaban a las barricadas del Barrio Latino bajo la atenta vigilancia del prefecto Grimaud. Los fines de semana está bien visto salir de Budapest, y los días laborables, seguir las series televisivas —Derrick, Colombo o McGyver son tan omnipresentes en el Este como en el Oeste—, o bien contemplar el desfile de políticos que tratan de explicar y justificar sus errores pasados. O que otorgan la absolución a sus víctimas, como hacen con Imre Nagy, primer ministro durante la insurrección de 1956, quien, mientras los carros de combate soviéticos se preparaban para entrar en Budapest, declaraba que la nueva Hungría neutral abandonaría el Pacto de Varsovia. Lo *amnistiaron* en 1997, tras haberlo ejecutado cuarenta años antes, prescribiendo el olvido, sí, y anulando las consecuencias penales de su revuelta legítima y desesperada contra un régimen de terror cuya existencia parece hoy irreal a esos jóvenes para quienes la historia no tiene el menor interés.

Después de haber sido recibido en el patio del palacio por un empleado municipal que enarbolaba un rastrillo, di un paseo por el jardín Károlyi. Me interné luego en la calle donde se alzaba el monumento a los difuntos, de estilo *pompier*, en el ángulo que forman la Facultad de Derecho y la iglesia de la Universidad, en la que, hasta la llegada de los comunistas al poder, se entonaba al entrar el *Veni, Sancte Spiritus*. Así fue, rodeé el jardín Károlyi... Di vueltas alrededor de mí mismo, quizá alrededor de algo esencial, sin atreverme a abordar lo que dota de fundamento a estos temas y a estas variaciones. ¿La pérdida de mis padres, quizá? ¿La muerte de mi padre sentida como una gran herida narcisista? ¿La desaparición de mi madre, llevándose a la tumba las respuestas a mis preguntas, respuestas que tan bien me vendría ahora conocer? ¿El rechazo del que todavía hoy soy víctima en Hungría? ¿La negativa a admitir que no hay «reino perdido» alguno que recuperar? Nunca he sentido amor por la tierra, esa masa negruzca que nos engullirá un día y de la que salen gruesas lombrices rosadas de lo más desagradable. ¡Y que no me vengan con que Edipo, al meterse en la cama de su madre, no busca más que unirse simbólicamente a la tierra! Él volvía a la nada, a la inexistencia, a la muerte. Yo vuelvo a la tierra a la caza de antiguos vestigios, y confusamente me escucho decir: «mi tesoro, mi padre», «mi joya más preciada, mi madre». No quisiera morirme idiota, prefiero atiborrarme de recuerdos hasta estallar, para que me arrojen luego *in questa tomba oscura*... Es año de celebraciones schubertianas, y le echo una última ojeada al emplazamiento en que se situaba el estrado de la orquesta en el jardín Károlyi. Me acuerdo de los gestos elocuentes de István Kertész dirigiendo la *Quinta sinfonía* del joven Franz, haciendo reintegrarse a las agresivas maderas a la animada melodía que brotaba de las cuerdas. Esto debió de ser al principio del periodo negro, alrededor de 1950. István Kertész murió una veintena de años después en una playa cerca de Tel Aviv, arrastrado por el oleaje, según parece. El gran Solti le rindió un emotivo homenaje.

«Tú las analizas, yo me las beneficio»,
o de la psicología experimental

Los fantasmas que poblaron mi universo de adolescente frustrado permanecen conmigo todavía. Solía imaginarme a las chicas entregándose a mí en el vestuario de una casa de baños. Probaba su «rosa encendida» y penetraba su «tulipán negro», mientras disfrutábamos de una ducha caliente que hinchaba el cuerpo cavernoso de mi lanza. Mi educación puritana —«Lávate tú por ahí delante», me decía mi madre a los cuatro años, cuando me enjabonaba en la bañera—, las enseñanzas de los curas y la ausencia del padre reprimían mis instintos y me hundían en una soledad frustrante. Me interesaba por las chicas, observaba su comportamiento y analizaba el carácter de cada una, pero mis propósitos nunca se acompañaban de gestos y mis palabras nunca propiciaban la intimidad carnal. «Tú las analizas, yo me las beneficio», solía comentar Karcsi, que tenía una novia oficial, pero que, ligón frenético, diseminaba sin vacilar su hombría a los cuatro vientos.

Lo conocí en Buda y era miembro de una extraña familia de bohemios arruinados. Tres hermanas, que rondaban la cuarentena, vivían bajo la mirada indulgente de una abuela adorable. La de más edad, Klára, tenía un pie deforme y se desplazaba con dificultad: magnánima, dicharachera y obesa, dirigía una pequeña guardería principalmente dedicada a niños anoréxicos. Ponía a las muñecas a tomar el té y se alegraba mucho cuando alguno de sus jóvenes clientes distraía un trozo de pan mojado en leche. Irén, salvajemente agredida por soldados soviéticos durante el asedio de Buda, volvió primero sus ojos a la religión. Después, se convirtió en «delegada» del Partido y renegó de su decadente familia, aunque les tuviera confiada la educación de su hija Zsuzsa, que se reveló como una notable pintora desde muy niña. Erzsi había iniciado estudios de Medicina a punto de cumplir los treinta; muy bien dotada para el piano, tocaba piezas de Bach y los primeros movimientos del concierto de Schumann sin recurrir a la partitura. Era incapaz de contener sus impulsos, y Karcsi y los estudiantes de

Medicina se aprovechaban de un cuerpo que se les entregaba generosamente, dentro de un armario o sobre un chirriante diván. Yo me restregaba contra las chicas en las «fiestas-con-sorpresa» organizadas por esa familia de genios a la deriva, tratando de ligarme a Sári Telléri la enigmática, esfinge de los pinceles y de las pinturas de cera. La perdí de vista cuando se casó con el pediatra Gerlóczy, que le sacaba algunos decenios y que atendía al hijo de su primer matrimonio.

Varios individuos de lo más pintoresco frecuentaban esta casa tan fuera de lo común. Toncsa, por ejemplo, la secretaria general de la Ópera, dotada de una inteligencia más que destacable; era dominatriz del sumiso cabecilla wagneriano que la engañaba con la violinista, una de las valquirias más trabajadas por los restantes miembros de la orquesta. El maestro cedió sin problemas a nuestra petición y comentó *Tristán*, utilizando para acompañarse el piano desafinado de la casa. Hizo como que no daba importancia a las intervenciones de la intempestiva mujer, que pretendía conocer la obra mejor que su propio amigo, al que acusaba de simplificar la compleja partitura para piano que tenía ante sus ojos. Él golpeaba las teclas con redoblada energía, adaptando la gran partitura al modesto instrumento.

Fue también en ese extravagante tugurio donde coincidí con Anna Gleimann, psicóloga, víctima entre otras del decreto estaliniano que prohibía la práctica psicoanalítica. El psicoanálisis tenía por objeto, según sus detractores, entre los que el más significado quizá fuera György Lázár, resolver los conflictos interiores de cada quien para hacer al individuo más rentable al sistema capitalista, y no tenía sitio en el universo marxista-leninista. La lucha de clases haría desaparecer los antagonismos que dificultaban la construcción del socialismo. El diván sería arrastrado por los tractores del *koljós* y aplastado por la maquinaria de la industria pesada. Se dejaba sin recursos al psicoanálisis y se incrementaba el gasto en ratones y ratas para repetir hasta el aburrimiento los experimentos de Pávlov, que constituían toda su pobre aportación teórica al problema de la actividad del sistema nervioso central. Se oponía la psicología materialista, con el fenómeno de la «secreción física» (el sonido de la famosa «campanilla» que lleva aparejada la salivación), a la psicología idealista, ignorante de las realidades terrestres y que solo se preocupaba de los traumas de la burguesía expropiada. Con un servilismo repugnante, que solamente podría compararse al de los intelectuales franceses agrupados en torno a la revista *La Pensée*, los maestros pensadores del Partido Comunista húngaro juzgaban que los escritos de Ferenczi o de Hermann no servían más que para «limpiarse el culo con ellos». La práctica terapéutica analítica fue totalmente despojada de cualquier expresión privada o institucional. Ana Gleinmann, despedida del centro donde trabajaba, se dio a la bebida. Buenos amigos le proporcionaban una pequeña suma mensual, una especie de paga de jubilación, por llamarlo así. György Lázár fue, durante un corto periodo de tiempo, secretario de Rákosi. La familia de Buda no pudo resistir la presión del régimen. Tras la nacionalización de los bienes inmuebles, fue expropiada de la casa —que había acogido en su sótano a 22 personas perseguidas durante el periodo de los cruzflechados— y consiguió, no tengo idea de mediante qué fantástica maquinación, un hermoso apartamento en una lujosa villa de la calle Lendvay. Los agentes de la AVO les hicieron una visita tres días después, amenazando con llevar a la abuela a su sede, en el n.º 60 de la avenida Andrássy, si no salían de allí en 24 horas. La familia se dispersó y perdí su pista durante medio siglo.

Una universidad mal temperada

Un estrecho pasaje une el jardín del palacio Károlyi con el bulevar del Museo, donde se encuentra la antigua Facultad de Letras. Mis años de universitario coincidieron con la etapa de formación del estado totalitario. Antes de mi admisión definitiva, tuve la inesperada visita de dos emisarios, «educadores del pueblo», que querían a toda costa conocer mi opinión sobre el renegado Tito, «perro faldero del imperialismo». Los recibí junto al piano; comprendieron, me parece, que se enfrentaban con un individuo apolítico, poco al corriente de la «traición» del mariscal. Habría querido iniciar mis estudios universitarios optando a una doble licenciatura, en Inglés y Francés. A finales de 1949 se me hizo saber que no podía ser autorizado a estudiar dos idiomas «occidentales» (categoría más relacionada con la Guerra Fría que con la lingüística) y que debía orientarme hacia una licenciatura en Húngaro, dejando de lado uno de dichos «occidentales» idiomas. El pequeño György Bodnár —considerado en la actualidad un político liberal de primera fila— era entonces secretario de las Juventudes Comunistas, insoportable y fríamente fanático, dedicado a aterrorizar a profesores y estudiantes por igual. Se desgañitaba lanzando anatemas contra los «sapos del pantano de la decadencia burguesa» entre los que yo me sentía incluido. Volví a verlo en 1973, en la ceremonia de inauguración de una placa conmemorativa en memoria de Tibor Klaniczay. «Tú no me conociste, realmente», vino a decirme, sin llegar a convencerme. No lo pasé bien en el Departamento de Húngaro de la universidad. Tuve un examen sobre Endre Ady con István Király, fiel devoto de Stalin, y lo pasé con éxito. Qué difícil me resulta hablar de la Facultad de Letras de esa época. Por entonces hacía la corte, sin éxito alguno, a Judith J., hija de un médico que tenía una simpatía confesa por los de la Cruz Flechada, pero que había atendido correctamente a mi padre en el sanatorio que dirigía, entre 1940 y 1942. En mayo de 1950, fuimos convocados Judith, yo y los demás miembros del seminario decadentista a una sesión de «crítica y autocrítica» bastante humillante. Se nos pidió hablar de nuestros progresos en el estudio del marxismo-leninismo y de nuestras relaciones con el Partido. Defendí a Judith de las acusaciones que le hicieron por ser hija de un notorio fascista —como si ella fuera responsable de las andanzas de su padre— y discurrí todo lo prudentemente que pude sobre mis propios progresos en la comprensión del marxismo-leninismo. «El camarada Loránt habla con tal circunspección que parece que pasa como de puntillas sobre el asunto», comentó Ildikó, una tipeja con la cadera dislocada, dura, despiadada, amargada y odiosa. La historia de estos extravagantes disminuidos físicos será escrita algún día. Habían descubierto en el marxismo-leninismo una solución a sus necesidades y con la teoría de la lucha de clases lograron fabricarse una prótesis imaginaria.

En el curso de aquel verano, los estudiantes de mi promoción debían pasar tres meses de servicio militar en un campo de instrucción bajo control soviético. Me alivié allí, junto a mis otros compañeros, en letrinas a cielo abierto, y juré a un buen amigo no decir nunca a su madre que las hemorroides le sangraban una barbaridad. De origen judío, los antisemitas, que suelen tener un olfato extraordinario, lo humillaban a diario, porque en una de sus cartas —que no había conseguido pasar la censura— evocaba con nostalgia el confort de su hogar burgués y decía que soñaba con ponerse su pijama, ligero y bien planchado. Otro estudiante fue arrestado y condenado en un tribunal militar porque, furioso y exasperado, había soltado un «se comporta usted como un ruso» que, aunque murmurado entre dientes, fue reportado a las autoridades por los serviles fanáticos de siempre. Su madre había sido violada por un soldado del ejército soviético. En el curso de los entrenamientos, subí, me arrastré sin soltar el fusil, superé todos los obstáculos (a menudo gracias a la ayuda de algún alma caritativa), afronté como un recluta más todos los embrollos en los que nos metían, pero siempre estaba al límite de mis fuerzas. Un sargento me dijo un día algo que aún hoy me hace sonreír: «Camarada Loránt, te voy a hacer correr hasta que te salgas del mapa». La poesía militar era «genuina a carta cabal»; de su carácter pintoresco da fe esta declaración que se le oyó gritar, tras una sesión de ejercicios, a un subteniente que acababa de asistir al nacimiento de su hija: «¡Voy a volver a metérsela en la vagina a su madre hasta que le salgan las pelotas!». Durante los recesos, yo leía *Bérénice* en una edición no mucho más grande que un paquete de cigarrillos, pero la belleza de los versos de Racine me hacía languidecer más que animarme a participar en el asalto a la fortaleza capitalista. Blancos de madera contrachapada hacían de soldados americanos. Al volver a casa, no había ni rastro de mi piano Blühtner. Pese a que nos lo habían prestado, mi madre lo vendió para hacer más espaciosa la habitación en previsión de mi eventual matrimonio. (Yo decía a quien quería escucharme que mi intención era buscarme una mujer y vivir con ella bajo el techo materno). Sospecho que la propietaria del piano, arruinada por una vida dispendiosa y disoluta, no fue más que mediocremente indemnizada por su pérdida. Sin embargo, o así lo juzgo ahora, el incidente no me afectó en exceso, y es algo que no deja de admirarme. Desde la marcha de Dódy y mi desgraciada aventura con Ágnes, mi dedicación al piano se había volatilizado. Habría tenido que dedicarle más de seis horas diarias para alcanzar un desempeño solamente mediocre, en tanto que varios de mis compañeros dominaban el teclado e improvisaban, pasando de una tonalidad a otra de forma totalmente natural. Tenían ya ese don «en sus manos», me decía yo, abatido y resignado a renunciar a mi sueño de ser director de orquesta. Mi pasión por la música permaneció intacta. Organicé veladas para escuchar discos en nuestro piso. *Borís*, *Tristán*, las pasiones de Bach siempre estuvieron en el programa. Un buen día, la portera me aconsejó poner fin a esos conciertos de discos de baquelita a 78 r. p. m., tras recibir la visita de un individuo sospechoso que la había interrogado acerca de la naturaleza de aquellas «reuniones».

Un asistente aclamado por Haály

El profesor Eckhardt, un irreprochable maestro al que incluso los comunistas más feroces no habían podido despojar de su cátedra —fue diputado electo por el Partido Conservador antes del golpe de 1948 y traductor de las

Cinco grandes odas de Claudel, publicadas en *Vigilia*, la única revista católica autorizada—, había mostrado mucho interés en mi trabajo para el diploma de estudios superiores *Mérimée y la literatura rusa* (Gógol, Pushkin, Turgénev), elaborado en una época en que ni la correspondencia del escritor ni las grandes síntesis sobre su obra eran accesibles al público lector. Para seducir con el tema de mi trabajo a los príncipes del proletariado que nos gobernaban, expuse la tesis de que Mérimée había intentado renovar sus fuentes de inspiración mostrando interés por los escritores rusos. En pleno periodo estaliniano, Alexandre Eckhardt consiguió que me contrataran como profesor ayudante de Francés.

Pero era preciso neutralizar a ese burgués con ínfulas aristocráticas que, sin duda, simpatizaba con las democracias occidentales. Además, el Partido tomó la sabia decisión de adjudicarle un colaborador, un cuadro joven de los salidos del campesinado *pobre*. El matiz es muy importante, porque esa clase, desposeída de las parcelas de tierra que le habían sido atribuidas durante la reforma agraria, estaba condenada a convertirse en aliada sumisa del Partido, rector supremo de la clase obrera. Mi colega Ottó Süpek, que había sido un chico esbelto en su juventud, se había convertido en una especie de monstruo bíblico a una edad en que su corazón no daba de sí para irrigar aquel corpachón de boyardo hinchado; en la universidad recibía a menudo la visita de su padre, un campesino bajito que nos hacía apretar las manos en torno a sus dedos destrozados. Celoso del ciudadano de Budapest que era yo desde mi infancia, presumía de las falanges paternas cubiertas de llagas en las que se habrían podido introducir monedas de veinte céntimos.

El Instituto Francés de la Facultad de Letras era un sitio relativamente al margen del Partido, que en esa época solo parecía preocupado por «desenmascarar a los enemigos de la clase obrera» y a los enseñantes que no hubiesen adquirido el dominio del francés en los campos de concentración o en las fundiciones. Fuera de mis horas de trabajo oficial, me nombraron encargado de la formación de un grupo de jóvenes seleccionados entre las clases más modestas, que solo habían recibido en el colegio rudimentos de gramática y de literatura. Si debo decir la verdad, me resultaron cercanos y simpáticos, sobre todo porque los veía esforzarse en tratar de entender lo mejor posible ciertas obras maestras de las letras francesas. Mi trabajo de apoyo era esencialmente literario; el de mi maestro Eckhardt podía parecer más árido, pero no era menos eficaz. Aquel gran lexicógrafo y serio gramático, que se abandonaba con gusto a la imitación de Scapin y de los giros dialectales que ese personaje de *commedia dell'arte* utiliza para engañar al viejo Géronte, para «mejorar el nivel» hacía leer a sus alumnos del curso —curso que el Partido le obligaba a impartir— una página de *L'Humanité* y les exigía que buscasen el significado de todos y cada uno de los términos que no conocieran. Muchas veces, la lectura de *L'Humanité* reservaba divertidas sorpresas a sus nuevos lectores húngaros. Desde que la enseñanza de la religión estaba prohibida en los establecimientos escolares y en las iglesias, los niños no podían ser iniciados en los misterios de la eucaristía ni participar en la sagrada cena. *L'Humanité*, durante la «época de hierro» de Maurice Thorez, publicaba anuncios publicitarios con exquisitos modelos de trajes de primera comunión. El Partido Comunista húngaro había pasado por alto ese detalle; entonces era muy poca la gente que leía el diario comunista francés, del que sin embargo el instituto remitía a la facultad veinticinco ejemplares… sin poner en ello mucho entusiasmo, cabe suponer, pero obligados a hacerlo por la sagrada causa de la francofonía, aunque fuera en un país ocupado por los soviéticos y empeñado en la construcción de eso que vienen denominando «el socialismo».

Un día me hicieron saber que había sido convocado en los lujosos locales del rectorado por doña Anna Haály, del servicio de personal de la universidad, sección local de la policía política conocida como «Seguridad Nacional». Muy nervioso, me dirigí hacia allí. Una mujer rubia con cierto empaque me recibió, se sentó tras un gran escritorio y me explicó que le gustaría tener una charla en profundidad con el «camarada» Loránt. Me miró con ojos de vaca hormonada. «Me han dicho, camarada, que se comporta usted de una manera particularmente severa e injusta con nuestros jóvenes cuadros provenientes de la clase obrera y del campesinado pobre». Así empezó nuestra entrevista. «Pero, querida camarada Haály, créame, eso es totalmente falso, porque dedico (fuera del horario establecido, naturalmente) una enorme cantidad de horas a esas personas, por alguna de las cuales siento además gran simpatía, vistos sus innegables progresos en la materia», respondí a aquella antigua señora de la limpieza que, obedeciendo órdenes del Partido, me imagino, había colgado la fregona y la escobilla, entregándose totalmente a la tarea de dar la batalla a los provocadores contrarrevolucionarios. «Dígame, camarada Loránt, dicen que se lo suele ver los domingos en misa… ¿Cree usted en Dios?». La carga me tomó por sorpresa. No teniendo precisamente vocación de mártir, predestinado por mi nombre a la parrilla de un san Lorenzo, imité al ilustre apóstol Pedro que, según se lee en Mateo, 26:34-75, renegó por tres veces de su rabí. Acordáos, por favor, de la conmovedora apostilla del tenor en la *Pasión* de Bach: «Er weinete bitterlich», es decir, «lloró amargamente», en relación con la traición y los remordimientos del apóstol. ¡Qué lamento maravilloso, por cierto, largo y lleno de cromatismo, apoyado en el recitado del evangelista! Esta abominable entrevista, humillante e inquisitorial, que pretendía obligarme a renunciar a mis convicciones más íntimas, no acabó del todo mal. La señora Haály, probablemente diplomada por el Partido en un curso acelerado de marxismo-leninismo, me solicitó que le recomendara alguna lectura. Pensé que se sentiría como en casa en la repugnante pensión Vauquer. Le recomendé *Papá Goriot*. La todopoderosa musaraña, investida por el Partido de autoridad para criticar o reprender a los intimidados universitarios, me aconsejó seguir visitándola durante los meses siguientes. ¿Para denunciar a mis colegas y salvar así el pellejo? «¿Va usted a misa los domingos? ¿Cree usted en Dios?». Prefiero no repetir, si os parece, las demás preguntas formuladas por esta espía cotilla, de ojos implacables, entronizada en el rectorado tras un escritorio de ministro. Sí, he pasado muchas horas en San Pedro, en Roma; sí, deambulé por San Marcos, en Venecia, admirando los mosaicos bizantinos y los suelos y pavimentos rica y sabiamente compuestos; sí, dediqué largos minutos a observar el desplazamiento de una mancha roja proyectada por las vidrieras en el suelo de la catedral de Sevilla. El barroco elocuente, musical, de las iglesias de Europa central me es muy cercano, pero me impresiona igualmente la austera grandeza de las catedrales de Tours o de Beauvois. ¿Y es solo el deseo de rebelarse contra la condición humana, el ansia de inmortalidad, lo que las ha levantado, tan frágiles y tan cercanas al cielo? Confieso el credo cuando se lo escucho a Bach (en la *Misa en si menor*) o a Beethoven (en la *Missa solemnis*), pero apenas me acuerdo de los dogmas, salvo cuando veo los frescos de Giotto o de Fra Angélico. Creo en la divina humanidad de Cristo cuando escucho las *Pasiones* de Johann Sebastian y venero en él al gran profeta cuya doctrina, dos mil años después, sigue animando la caridad en unos y la intolerancia en otros. Me siento concernido por la absolución contenida en la bendición papal *urbi et orbi*, pero solo porque —a la manera de los héroes de Dostoyevski— me tengo por un gran pecador. Y tampoco puedo reprimir las lágrimas cuando escucho recitar el *kadish* en el Memorial de las Víctimas de la Shoah, y deambulo dubitativo por los pasillos de Yad Vashem, en Jerusalén, repitiendo las palabras del crucificado; «Elí, Elí, lemá sabactani?», que traduzco a mi manera por un «Señor, Señor, ¿por qué *nos* has abandonado?». ¿Existe Dios? Y si existe, ¿cómo ha podido hacer oídos sordos al lamento de seis millones de víctimas asesinadas en los campos de exterminio? Mujeres, niños, jóvenes, ancianos, tú, yo, nosotros, los que vamos al dentista para controlar la más diminuta caries, los que comemos productos ecológicos, los que medimos la radiactividad de los residuos después de haber sido tratados en una planta en La Haya, los que administramos morfina a los moribundos y hacemos medicar a nuestros perros con corticoides y antiinflamatorios para prolongar su existencia sin que les suponga sufrimiento, no podemos evitar enfrentarnos a la muerte. ¿Acabará todo en un miserable agujero repleto de gusanos (los criminólogos pueden determinar la fecha de un asesinato por las especies presentes, que cambian y se dan el relevo de un día para otro) o en el panteón familiar? ¿Para qué sirve la tapa del ataúd de lujo sellada con tornillería de latón dorado, digna de las ruedas de un Airbus? ¿Para preservar el despojo humano toda la eternidad? ¿Vivimos bajo la protección espiritual de los seres que amamos? ¿Se desarrolla nuestra existencia en presencia de Dios, quintaesencia de nuestras facultades imaginativas? ¿Seremos simplemente unos «cuerpos conductores» atravesados por algún fluido electromagnético y por los sonidos y las imágenes de la Red? Os lo ruego, no hagáis como la señora Haály, dejadme que crea en el *Adán y Eva* de Cranach, en el *La resurrección de Lázaro* de Rembrandt, en *La crucifixión* de Tintoretto, en la histérica desesperación de la *Magdalena penitente* del viejo Tiziano, en la travesía del mar Rojo orquestada por Rossini, en la «muerte asombrosa» del *Réquiem* de Verdi. Me sentí asistido por el silencio azulado que dimanaba de la tumba de Ben-Gurión, en su rocoso desierto, al caer la noche, y me puse bajo la protección del Buda monumental de Kamakura, dorado bajo los rayos del sol poniente, que parecían transmitir sus enseñanzas a mi agitado corazón. Señora Haály, miserable chivata al servicio de un sistema podrido, ¿dónde está ahora tu victoria?

La capacidad de asociación del espíritu humano es un fenómeno extraordinario. Junto a Haály me viene a la cabeza la palabra húngara *halál* [muerte]; el alemán *heil*, el saludo hitleriano, me hace pensar en el menos germánico *heilen*, curar, cerrar las heridas y besar sus trazos, calmar a la memoria. Quedaos tranquilos los seis millones de asesinados en los campos: nosotros, los supervivientes, no dejamos de pensar en vosotros, permanecemos a la escucha. Aun sin poder imaginar siquiera la suma de vuestros sufrimientos, perpetuaremos y transmitiremos vuestra memoria por los siglos de los siglos. Que vuestras cenizas descansen en paz, que vuestros cuerpos disipados en nauseabundas humaredas den vida a la estratosfera, nos protejan de la radiación maligna y dejen pasar la saludable para la vida. Y vosotros, los que me oís implorar, ¿estaríais dispuestos a recitar conmigo este versículo del *kadish* que os traduzco: «Que aquel que es sostén de la armonía de las esferas celestiales la haga reinar entre nosotros y entre todos los hijos de Israel. Amén»?

Todo un pasado que desentrañar

Durante mi itinerario de 1997, paso por delante de la tienda, célebre en Budapest, donde se reparaban estilográficas. ¿La he intuido, quizá, tras la fachada restaurada, que ha sepultado los últimos vestigios del antiguo comercio? Fueron muchas las veces que entré allí, en compañía de mi padre primero y, a partir de 1940, solo. El delantal del patrón podía competir con las más bellas obras de los tachistas y la pared contra la que lanzaba las eyecciones de las cargas de tinta rivalizar con los paneles de Pollock. La mayoría de las estilográficas se rellenaban con un inyector de caucho, accionado por un émbolo. El caucho podía endurecerse, romperse o agujerearse, y el émbolo, funcionar caprichosamente, para desesperación del propietario. Durante el verano de 1944 fui otra vez al establecimiento que regentaba esa figura digna de Hoffmann. Al volver a casa, un adolescente me detuvo, tras ver mi estrella amarilla, amenazando con «romperme la cara» si no le daba de inmediato una cierta suma de dinero, que se correspondería aproximadamente con el equivalente a unos cincuenta francos en la moneda local. Intenté controlar su agresividad, que tampoco parecía excesivamente acusada. Me acompañó hasta mi casa. Yo atravesé la puerta y le dije al portero que diera al muchacho la suma exigida.

Heme aquí, caído en mi propia trampa. Pese a mis dudas y reticencias, estoy por fin «en mi casa». ¿Por qué me había prohibido la evocación de aquel retorno al hogar? ¿Quería encontrar el momento adecuado de una forma deliberada y no bajo el efecto de una ensoñación? ¡Poco importa! ¿Por qué no aprovechar el flujo y el reflujo de esta marea de recuerdos que vuelven tan compleja la cronología del relato, haciendo aparecer y desaparecer la misma playa arenosa?

En 1936, mis padres me habían matriculado en la escuela pública, situada a unos veinte minutos de nuestra casa, mientras que los vástagos de las familias honorables solo asistían a establecimientos privados. Integrarse, no ser diferentes, ser tan húngaros como los otros: esa era su principal obsesión. Lo que no les impedía mandarme al colegio en automóvil, aunque el chófer de mis abuelos tenía órdenes de hacerme bajar a cierta distancia del establecimiento. Aparecer por la escuela en un Wanderer, el Mercedes de la burguesía pudiente de Europa central, habría puesto al descubierto mis orígenes sociales e incluso raciales. Me acuerdo de la explosiva declaración que Paula, hija de un antiguo oficial empobrecido, hizo a sus camaradas —me encontraba con ellos, en compañía del hijo de un conocido pastelero de origen judío cuyo lujoso establecimiento se hallaba en el n.º 60 de la avenida Andrássy, que sería más adelante la sede de la tristemente célebre AVO, el KGB húngaro—: «¡Mi padre defendía a la patria mientras los vuestros bailaban en corro en paños menores!». A raíz de este incidente me privaron del Wanderer y seguí haciendo el trayecto a pie, solo, desde mi domicilio —en esos tiempos vivíamos en una casa junto al parque Municipal— hasta la escuela. El maestro, según sus propias palabras, era un antiguo profesor de secundaria. Traumatizado por la guerra de 1914-1918, se dedicaba casi exclusivamente a contarnos —so pretexto de estar dándonos lecciones de historia— los horrores de la vida en las trincheras. Sus terroríficos relatos —cabezas que estallaban, soldados enloquecidos cubiertos por salpicaduras de trozos de cerebro palpitante— literalmente me subyugaban. Siempre sentí que no tuviera tiempo suficiente para terminar sus historias. Un día, volví la cabeza para consultar el reloj que colgaba al fondo de la clase. «Loránt se aburre y solo está pendiente de la campanilla del recreo», gritó, decepcionado y furioso. El patriotismo era, en aquella época, obligatorio, calculado y sombrío.

Cercano el final del invierno de 1938, salí de mi capullo protegido con la apariencia de un perfecto «pequeño judío» que ignora que lo es; yo tenía unas patillas algunos milímetros más largas que la media nacional —aunque, de eso estaba muy satisfecho, no recordaban en nada a las guedejas de los judíos ortodoxos—, llevaba mis bombachos y las graciosas gorras que mi padre me traía de Milán. (Recientemente he recorrido sus calles, desde la Galería Vittorio Emanuele a la Escala, del Duomo al castillo de los Sforza, siguiendo sus pasos por esta ciudad a la que solía desplazarse «por negocios»). La vendedora de flores y de caramelos abría temprano su negocio. Me conocía bien y siempre me dedicaba una sonrisa. Seguía mi camino, a medias oculto tras los montones de nieve compactada por los mismos indigentes de siempre, hombres y mujeres, que llevaban las desgastadas botas forradas con paja y la cabeza medio envuelta en harapos sacados de los contenedores de basura. Sentí un impacto y la cara embadurnada de nieve, y luego escuché el insulto injurioso que me lanzó un joven repartidor: «¡Asqueroso judío de mierda!». Pero el mundo no se derrumbó a mi alrededor. Me limpié la cara y no tuve necesidad de contener las lágrimas. «Háblale —me susurró una voz interior—, desármalo con tus palabras; le sorprenderá cualquier cosa que digas». Y entablamos este curioso diálogo: «¿No podríamos escucharnos y hablar en otro tono, en el idioma que nos es común, sin recurrir a insultos?». Me miró, asombrado: por lo visto, había aplacado al perro rabioso que llevaba dentro. Me habló de su trabajo, que comenzaba al amanecer, de la miseria en que vivía su familia, de su odio a los ricos.

La niebla del olvido cubre mi memoria. Volví a verlo, no andando por la acera, sino encaramado en su triciclo de repartidor. Preguntó, bromeando: «¿Qué pasa, que no te doy miedo?». Puede ser. Después desapareció. ¿Lo echaría de menos? Pedalea, chaval; me has acompañado durante todos estos años, ya es hora de separarse después de tanto tiempo juntos... Mejor sin eufemismos: de cincuenta años, concretamente, medio siglo.

Fue en este periodo cuando subí por primera vez al tranvía, solo, sin que se enterasen mis padres. Iba retrasado y quería recuperar el tiempo perdido. Manipular la gruesa puerta que protegía la plataforma tenía cierto peligro. Algunos años más tarde, en la misma línea, asistí a una escena que me marcó para siempre. Una pareja de indigentes empapados en alcohol, ambos de unos cincuenta años, estaban sentados frente a mí. Ella, con sus dedos tensos y esqueléticos, imitaba a un grueso pene penetrando el escuálido círculo formado por el pulgar y el índice de su otra mano, y él la contemplaba con ojos llenos de ternura, cómplice del deseo de su compañera. Nunca he conocido una pareja que pusiese tanto mimo en la idea del acto carnal como aquella.

Regnum Marianum: bajo la mirada de María

La escuela de mis estudios primarios estaba en la calle Damjanich (uno de los generales húngaros ejecutados por Francisco José tras el levantamiento de Hungría contra el Imperio austriaco), muy cerca de la iglesia del Regnum Marianum, construida tras la firma del Tratado de Trianón; tenía una cúpula, pero no campanas. Solo deberían ser instaladas cuando los territorios desanexionados, principalmente en Checoslovaquia y Rumanía, volviesen al seno de la madre patria. La iglesia, dedicada a glorificar nominalmente el reinado de María, pero que glorificaba de hecho a la Hungría irredentista, fue arrasada por los comunistas; parece que su proyecto consistía en abrir allí mismo una gran avenida por la que pudieran desfilar el ejército y las masas populares bajo la adusta mirada de una gigantesca estatua en bronce de Stalin... que sería derribada de su pedestal y hecha pedazos por los insurgentes de 1956.

Era un barrio apacible. Bajando por la calle desde el edificio religioso, que daba la espalda al parque Municipal, a la derecha, en un sótano se encontraba la tienda de fotografía de la señora Rigó. Ella revelaba mis fotos de formato 6 x 9, las ampliaba cuidadosamente, no sin retocar con un pincel (esto puede que suene hoy día a cuento de hadas) mis preferidas, en un papel de tono sepia, y luego me hacía discretos reproches por no haber comprado mi equipo en su tienda. No se equivocaba: mi padre se abastecía con el señor Smura, en el centro, excorreligionario suyo, que le hacía un veinte por ciento de descuento. A la derecha, pegando a la escuela, estaba el desmadre absoluto, quiero decir, la papelería de la señora

Wellisch. Su clientela difería absolutamente de la de las dos monjas que, cincuenta metros más adelante, en la contaduría de su tienda decorada con gusto, aprobaban, entre suspiros y cabeceos benignos, los comentarios acerca de las prácticas antisemitas.

Yo sentía mucha simpatía y una viva inclinación por Erika Temesvári, una pelirroja musculosa y enérgica que tenía siempre para mí, si no una mirada dulce, al menos un ademán protector. En nuestra clase, Nándor, un energúmeno rechoncho, colérico y algo retrasado, apenas podía soportarlo. Desesperado, se mordía el puño izquierdo hasta hacerlo sangrar y me zurraba con su mano derecha. Erika emprendía mi defensa cada vez que ese gnomo me atacaba. A ella no le asustaban sus golpes desorientados, lo agarraba entre sus brazos y lo tiraba al suelo. Una vez aplastado contra el pavimento, Nándor reconocía la superioridad de su adversaria, la pequeña y temible pelirroja cubierta de pecas, y se levantaba refunfuñando pero sin quejarse.

Erika era la hija de un ginecólogo de una obesidad absolutamente impresionante. Yo conocía e ignoraba a la vez todos los arcanos de su especialidad. Una vez al año invitaba a los amigos de sus hijos a una fiesta. El gabinete de la consulta, protegido con linóleos, servía de escenario y la sala de espera acogía a los espectadores. La fiesta comenzaba con la proyección de una película de dieciséis milímetros; Laurel y Hardy, o Stan y Pan, como se los llamaba por allí, aparecían en la pantalla.

Los chavales reconocían sus propios gestos en los de estos dos personajes extravagantes, ingenuos, torpes y aturdidos, pero a los que nunca castigaba nadie. Después los payasos de un circo hacían su entrada en compañía del chófer al que rociaban generosamente con agua. Éramos felices, y el ginecólogo, que se sabía enfermo, nos contemplaba plácidamente.

En los escalones de esa iglesia sin campanas, bajo el frío invernal, di mi primer beso, concretamente a Margot Takácsy. Su cara redonda y pálida emergía desde dentro de la capucha cerrada. Me gustaban sus hermosos ojos, su piel suave, su talla discreta. Las criadas se burlaban de mí; sin embargo, hubo algo auténtico, sincero, irresistible en aquel impulso amatorio.

Algo después fui invitado a un aperitivo en el aniversario de los Takácsy, que vivían en un magnífico chalé cerca del parque. El salón estaba rodeado de una galería por la que corría la chiquillería. La fiesta terminó de la peor manera posible. Sobreexcitados, los hermanos de Margot exhibieron sus nalgas desnudas delante de los invitados, que, horrorizados, fueron abandonando el lugar. Aquel día entré, despistado o curioso, en la habitación de la madre. Flores artificiales, adornadas con banderines con la cruz gamada llenaban los floreros. Los Takácsy se habían convertido en propagandistas del régimen nazi.

La primera comunión del último de los Löwenstein

La catequesis estaba, naturalmente, integrada en el programa de las escuelas de enseñanza primaria. En la calle Damjanich, era el padre Luzsenszky el encargado de iniciar a los alumnos en los misterios de la religión oficial del Reino —ficticio— de Hungría. Del tipo de un Vautrin-Carlos Herrera, era un hombre cuadriculado, sanguíneo y colérico. ¿Qué podían entender los niños y niñas de tan corta edad del *credo quia absurdum*, de las sutilezas del dogma de la Inmaculada Concepción, de la presencia real de Cristo en la sagrada forma o del Espíritu Santo, que proviene a la vez del Padre y del Hijo? ¿A quién puede sorprender que confundieran a veces la Ascensión de Cristo con la Asunción de la Virgen? El barón Luzsenszky, que descendía de una familia de la nobleza, se dedicaba a impartirnos en dosis homeopáticas el maná místico, a abofetear a los chicos de origen modesto que no llegaban a asimilar correctamente los secretos del Dios oculto y a aplicar contundentes regletazos en la mano de los que habían olvidado alguno de los diez mandamientos. Erika no asistía a estas edificantes sesiones, ella tenía sus propias clases de Talmud, dispensadas por un individuo a quien había podido observar en alguna de sus discretas apariciones por la escuela.

Las charlas del padre Luzsenszky (sobre la Trinidad indivisa o sobre la existencia de Dios, de la que es prueba la imprevisibilidad del clima) tenían como propósito prepararnos para la primera comunión. La ceremonia tendría lugar en la capilla de una institución situada enfrente de la escuela comunal que estaba dedicada a la formación de futuras institutrices, bajo la intercesión de Margarita María Alacoque, la santa de la Visitación. Teníamos también clases especiales dedicadas a prepararnos para la confesión. ¿Qué podíamos inventarnos? Las inevitables mentiras, los pequeños hurtos, los enfados mal dominados, las insolencias mal contenidas, las blasfemias y las palabrotas. Cuando se os asegura que Dios es infinitamente bueno y que no se parece en absoluto a un elefante blanco, obligatoriamente tenderéis a imaginarlo en la forma de ese pálido paquidermo devastando una cacharrería. Toda alusión a la sexualidad era cuidadosamente evitada, y la absolución, a cambio de dos *pater* y un *ave*, era fácilmente negociable.

Cada uno de nosotros tenía una «madrina», elegida entre las futuras institutrices. La mía era una muchacha perteneciente a una familia de la burguesía rural, modesta, discreta, moderadamente cariñosa, y resultó muy bien acogida por mi madre, que quería hacer las cosas correctamente. El acontecimiento era de cierta relevancia: el primer descendiente varón de una familia israelita se dirigía a la Santa Cena; como miembro de la Iglesia católica y romana, se convertía además en un ciudadano húngaro de pleno derecho, asegurándose cierta protección contra la chusma antisemita, cada vez más agresiva. Mi madre abrazó su nueva religión con entusiasmo. ¿Qué no habría hecho por devolvernos a una vida estable y segura? Me compró un buen misal (¿o fue quizá regalo de la bella madrina?) y me encargó un traje para la ceremonia, de una blancura que no habían mancillado ni el pecado original ni las manchas de cacao, pantalón corto y una capa tradicional de la Transilvania húngara, orlada con pesados alamares difíciles de abrochar. En esa época, como decía un cronista de *Le Figaro* hace de esto más de medio siglo, la comunión «era toda una historia». Prohibición de comer o de beber desde la medianoche de la víspera; los niños ayunaban, por lo tanto, desde la siete o las ocho de la tarde, y a menudo se mareaban y desvanecían en la ceremonia del día siguiente. El cepillado de los dientes requería un cuidado muy particular, porque ¿como vas a limpiarte la boca sin tragar una gota de agua? La hostia consagrada era depositada cuidadosamente por el celebrante sobre la lengua sacada a ese efecto. El cuerpo de Cristo no debía pegarse al paladar, y era una verdadera tortura intentar despegarlo con la punta de la lengua. Había que tragárselo al primer intento. El éxtasis místico no estaba garantizado, pero sí era necesario cierto recogimiento. El tema del hijo sacrificado por su padre *por amor* a la humanidad me tuvo años preocupado. Sirvieron el esperado desayuno en el refectorio de la institución de las futuras institutrices bajo la estricta supervisión de su directora. Invitamos a mi «madrina» al aperitivo, sin que estuviera presente mi padre, me parece. La jovencita, algo envarada en su amable y su poco risueña mediocridad, no me gustaba mucho. Clasificaba a ese tipo de jóvenes en la categoría de «mujeres de su casa», asexuadas, estreñidas, desprovistas de encanto y capacidad de seducción. Las mujeres que me gustaban no tenían nada que ver con esas, condenadas a hacerse vaciar artificialmente los intestinos. Es chocante, ¿verdad? ¡La idea de la penetración anal rondándole por la cabeza al recién estrenado comulgante! En los años que siguieron, el padre Luzsenszky compensó sus frustraciones militando en una corriente política especialmente abominable. Aliado del régimen fascista en el interior de la organización eclesiástica, dejó de escuchar las voces de la misericordia y de la caridad cristiana que habrían debido guiar su acción pastoral.

Vuelvo por fin al hotel Peregrinus, a la casa de huéspedes de la universidad. Nicole, la joven recepcionista de veinte años, me recibe allí. Le paso una caja de chocolatinas de cereza que unos conocidos sin mucha imaginación me han regalado para que la lleve a mi familia en París. La chica tiene el detalle de corresponder a mi regalo con un plato de fresas. La joven revisa mi cuenta para determinar el total de la factura y decirme cuántos francos deberé cambiar en el último minuto. La hago reír cuando menciono a las «tías de arriba», como llamo a las señoras de la limpieza que trabajan en cada piso. Un día de intenso calor la vi calzada con unas botas de montar muy estrechas. Tiene un pie deforme y ha de calzar botas a medida cuyo precio representa el triple de su salario. Se ha convertido en mi hija malcriada de Budapest. Espero que sea admitida en la Facultad de Letras. Su escritura tiene una hermosa precisión; es viva, inteligente, nunca exenta de humor; la recomiendo muy vivamente —mediante un imaginario correo electrónico, claro— a «las autoridades competentes» de allá, por utilizar la misma fórmula acreditada entre los universitarios de acá.

CAPÍTULO CUARTO

Sueño o pesadilla: la realidad

En la habitación, veo la tele; un político explica su cambio de actitud a la luz de los acontecimientos de 1956 —calificados de contrarrevolucionarios y fascistas por Georges Marchais durante los últimos años de su mandato como secretario general del Partido Comunista Francés— y da por sobreentendido que él no fue ajeno a la decisión de que el ejército no interviniera en el momento en que los Brabant germanorientales cruzaban a millares la frontera austrohúngara. Se esfuerza por dejar bien limpios los retretes del burdel comunista, pero, embutido en un elegante traje azul cielo, no deja de remover esas aguas pestilentes. Me desplomo en mi cama. Antes de sumergirme en el sueño, observo las hermosas hojas de los castaños, en el patio de la iglesia ortodoxa serbia... Me encuentro en un lugar maldito, pero no veo por ninguna parte niñas fantasmagóricas. El baño está cubierto de excrementos. Una de mis colegas se ha vuelto lesbiana sin que la cosa me afecte. El amor entre mujeres no excita ni mi lujuria ni mis celos.

El sueño discurre en un medio acuático cálido, sensual, sucio y pegajoso, y me impresiona porque adivino su significación simbólica; sigo unido a Hungría, el país de mi infancia, del que por otra parte abomino, por haber sido el lugar en que padecí mis peores desdichas. El baño maloliente me hace pensar en mi refugio clandestino durante el invierno de 1944-1945, en una casa bajo protección de la Cruz Roja sueca.

En el curso de aquel invierno llevé una existencia subterránea en la calle Lónyay, a unos quince minutos a pie desde el hotel Peregrinus, porque carecía de documentos de identidad. Había hecho caso de los peligrosos consejos de gente bien informada y me encaminé hacia la alcaldía del distrito IX, donde declaré ser un refugiado de Transilvania —ocupada por las tropas soviéticas— que había extraviado sus papeles y que tampoco sabía a ciencia cierta dónde habían ido a parar sus padres. El plan no era excesivamente complicado y se vio coronado por el éxito. Un profesor gigantesco, acompañado de una mujer vulgar con muy mal genio —refugiados de los de verdad, de los que tenían auténtico pavor al salvajismo bolchevique—, vivía en la casa, puesta bajo protección de la Cruz Roja sueca. Un día, recibí la visita de Fernande, nuestra vieja gobernanta francesa. Me llevó un *brioche* y, no muy conscientes de la situación, nos pusimos a charlar usando el idioma de la bendita libertad, para escándalo del pedagogo y de su esposa. De manera muy poco convincente les expliqué que siempre había vivido en tierras transilvanas, en una comunidad a la vez magiar, rumana y francófila.

Al acercarse las tropas rusas, todos bajamos al refugio. El director del albergue, un austero dominico que recordaba al inquisidor del *Don Carlo* de Verdi, dirigía la oración de la noche y después se retiraba a un compartimento contiguo donde se aliviaba de sus necesidades en una lata de metal. Nosotros solo teníamos ese derecho cuando los bombardeos se hacían más intensos. Ayudado por el profesor, un pequeño judío fornido, de boca grande, de trazos cambiantes, un aprendiz de carpintero sin modales ni educación estaba encargado de eliminar las asombrosamente abundantes deyecciones del eclesiástico.

La puerta del refugio cedió, tras una patada vigorosa. Aparecieron dos soldados rusos... ¿Nuestros libertadores? El primero se expresaba en un correcto francés y llevaba en la mochila una copia del *Borís Godunov*, grabado a 78 r. p. m., con el legendario Chaliapin en el papel estelar. Por alguna extraña razón, trató de convencerme de que los soldados rusos no bebían. Pronto me quedó claro que se echaban al coleto cualquier cosa, lo mismo agua de colonia que alcohol de quemar. Mi conocimiento del alemán estuvo a punto de perderme. El comandante del destacamento quería instalar a sus hombres en nuestro inmueble y requisó todos nuestros colchones; no sabía hacerse entender y tuvo que agenciarse un intérprete conocedor del alemán para dirigirse a los inquilinos. Yo me puse a su servicio, pero mi familiaridad con el idioma del enemigo me convirtió en sospechoso. Me costó bastante convencerlo de que yo no era en absoluto un espía nazi, sino un ciudadano húngaro perseguido..., hasta que ellos habían hecho acto de aparición.

Un soldado ruso herido se hizo pasar por médico del refugio. Al otro día, revólver en mano, volvió para despojarnos de nuestras joyas y nuestros relojes, pero la piedad lo hizo renunciar a llevarse la alianza matrimonial de un pobre hombre que se lo suplicó. Pocos días más tarde, otros militares de aspecto menos antipático se presentaron a la caída de la noche. Ordenaron a los trogloditas en que nos habíamos convertido, hombres y mujeres, dominico incluido, que nos echásemos a dormir inmediatamente. Uno se quedó vigilando en la puerta, mientras el otro se acomodó, eligió a una mujer madura y la tomó entre sus brazos, apretándose contra ella, loco de deseo. Todos callaban, aterrados, acurrucados bajo sus mantas, ciegos y sordos a cuanto estaba sucediendo. Me eché a temblar de miedo y de indignación. El dominico puso cara de ir a ponerse a roncar, y yo mismo me dormí finalmente. Parecía que la desgraciada víctima había renunciado hacía rato a disuadir al cosaco de sus intenciones... No es que crea eso, por supuesto. Fue una violación, sin gritos, sin lágrimas ni gemidos. «No tengas miedo por mí si llega a pasarme; eso no duele», me dijo mi madre un día, en aquel periodo en el que las patrullas se llevaban a las mujeres como tributo con el pretexto de que era para que les lavaran la ropa. Aquella fue la única lección de educación sexual que recibí de labios de mi madre.

La revisión de una sola línea o el libro de recuerdos

La mayoría de las puertas de los edificios en Budapest están equipadas con un portero automático, como el de la calle Lónyay. Durante mi visita de 1997 no pude volver a ver ese inmenso edificio pensado para ricos inversores, cada uno de cuyos pisos estaba dotado de un corredor a cielo abierto, sostenido por grandes vigas de hierro incrustadas en los muros del patio interior. La palabra alemana «gang» (del verbo «gehen», ir) se había adaptado al idioma húngaro, convirtiéndose en el término para designar ese tipo de galería suspendida. El hogar bajo protección de la Cruz Roja sueca ocupaba la primera planta, pero sus clandestinos ocupantes pasaban la mayor parte del tiempo en el refugio.

Los bombardeos aliados se hicieron cada vez más frecuentes y el sonido de los cañones rusos constituía una especie de confusa base rítmica en aquel concierto belicoso, criminal, que desesperaba a los unos y ofrecía falsas esperanzas a los otros… Parecía inminente una redada y fue necesario tomar precauciones adicionales. Los chicos circuncisos aceptaron ocultarse al fondo de la bodega, detrás de una pila de carbón; los del prepucio íntegro —club restringido del que yo formaba parte— continuamos circulando libremente.

La angustia y la mala alimentación se hallaban en el origen de mis problemas de salud. Eccematoso desde antiguo, había comprobado que, cuando me rozaba la hebilla de la correa de mi reloj (¿tenía uno, por cierto?), rápidamente se me infectaba: un vesubio con el cráter lleno de pus. Un médico generalista, inquilino del edificio, aceptó examinar al intruso que era yo. Presionando cuidadosamente, hizo salir el líquido, roció la herida con Ultraseptil y utilizó sus últimos trozos de gasa para vendarme la muñeca. No tomaba muchas precauciones, la verdad; después de haber meado en la sucia nieve del patio, agarró una cazuela oxidada con todo el esmalte interno cuarteado, la llenó de un agua apenas recalentada y luego sumergió mi mano en aquel líquido infecto. Bendigo su memoria y mi incomparable suerte. Tras la liberación, cuando volví a mi antiguo domicilio, un ginecólogo-dermatólogo competente y eficaz me continuó tratando. Conforme a los usos hipocráticos corrientes, y al no disponer de antibióticos, me inyectó mi propia sangre, previamente tomada de una vena del brazo, en la parte inferior de la espalda. ¡Menudo circo me montó! No disponía de anticoagulante y, si a ello sumamos mi reticencia a someterme al tratamiento, la consecuencia fue que la sangre coaguló en más de una ocasión. Sin embargo, el payaso por antonomasia era el malencarado doctor Jelinek, calvo, muy amable y, pese a su fealdad, gran degustador de carne fresca: su esposa, una arpía voluntariosa que se peinaba hacia atrás, se marchó al Oeste en compañía de un apuesto joven, probablemente poco experto en ginecología pero muy bien dotado para las artes amatorias.

No, no voy a dejar correr mi pluma fantaseando con esos pozos de pus en los que habría podido hundirme y desaparecer. ¿Cómo «seducir a las hijas de la memoria», por decirlo con palabras de un poeta francés del siglo XVI? ¿Cómo sacar partido al pasado, cómo aceptar o rechazar los recuerdos amables u odiosos, reales o inventados, cómo reconstruirlos cuando son tan tenues, tan inciertos, tan obsesivos? ¿Cómo hacer para transcribirlos cuando me dirigen la palabra y cómo hacerlos hablar cuando obstinadamente callan?

En las termas Gellért

Recoges el albornoz inmaculadamente blanco, te calzas unas chancletas de caucho, montas en el ascensor y bajas a la piscina equipada con aparatos de propulsión a chorro. El agua es salada, y sin embargo parece dulce. Los gorros de baño de todos esos señores y los turbantes lavables de todas esas señoras no le sientan bien verdaderamente a ninguno. El decorado, a la finlandesa, es simple. El agua te hace flotar, el aire se infiltra bajo tu gorrito y en los secretos recovecos del bañador: estás siendo acunado, llevado en brazos por un suave oleaje. Aprendes nuevamente los rudimentos del medio acuático y luego usas una gruesa y mullida toalla para secarte. ¿Qué programa tenemos hoy? ¿Un baño burbujeante perfumado con algas o barro denso y caliente para remedio de los dolores artríticos? «Esto viene bien para adelgazar, ¿verdad?», pregunta una termalista corpulenta. «Sí, señora, pero a condición de ponerse a dieta», le dice otro. «¡La verdad es que todo es buenísimo aquí!»: la frase se acompaña de un suspiro contenido. Tras la sesión de barro algoterapéutico, no puede uno ducharse sin ayuda. Una cuidadora, no siempre menopáusica, te ayuda a quitarte de encima toda la benéfica arcilla con ayuda de manguerazos de agua caliente. Puede ser que sus órdenes ofendan tu pudor: «De espaldas», «Dese la vuelta», y el chorro acaricia tus órganos, pero es demasiado potente como para provocar reacciones eréctiles. Obeces con temor y respeto. «Abra las piernas». Y te dejas penetrar por el chorro de agua y por la mirada indiferente al surco de tus nalgas que lo acompaña. Te secas, te pones el inmaculado albornoz y vuelves a la galería de reposo, donde escuchas el *adagio* del *Concierto para piano en mi bemol mayor* de Mozart y contemplas el cielo azul en tu silla abatible. ¿Habrá logrado el capitalismo salvaje que sucedió al dirigismo comunista tales progresos en relación con el termalismo húngaro? Porque debo advertiros que ahora no estamos en Budapest, sino en un centro de talasoterapia de Trouville, y que siento la necesidad de irme por las ramas, de iniciar otra cosa, de improvisar, antes de abordar asuntos más serios. A última hora de la mañana bebo un vaso de whisky. Bajo el efecto de la bebida, acabo de terminar la página, pero no sin haberme echado a llorar un poco antes. «Sin embargo, tampoco te tocó ver cosas tan horribles», me comenta un amigo. Tiene razón. No obstante, doy testimonio de mi aflicción en compañía de David, el rey músico, *Super flumina Babylonis*: «Sentados junto a los ríos de Babilonia, llorábamos acordándonos de Sion».

Buscando relajarme, salgo del hotel Peregrinus y me dirijo a los célebres baños Gellért, situados en la otra orilla, en Buda. Atravieso el puente de la Libertad (*Szabadság* a partir de 1945, de Francisco José anteriormente), donde lucen hasta ahora las armas del Reino de Hungría; es verdad que al escudo, colgado a unos treinta metros del suelo, le falta la corona de san Esteban. A la entrada del inmenso recibidor, dos cajeras gruñonas atienden de mala gana a los afiliados a la Seguridad Social que exigen sus prescripciones medicinales. Continúo rechazando los placeres lujosos a ojos de los nacionales y pido una entrada para las piscinas de agua caliente, aunque me ofrecen una piscina que se ha vuelto inaccesible para los húngaros de clase media. Sin embargo, los pies desnudos de las náyades obesas y de los tritones ventrudos, que puedo ver a través del vidrio y que matan el rato en el agua azul, reclaman inevitablemente mi atención.

Me acerco, no sin cierto temor, a la entrada de los vestuarios. Los asistentes de las cabinas, discretamente veladas con una cortina, circulan por los pasillos con una indiferencia olímpica que solo una propina de gran señor logra atenuar. Oigo el inevitable «baszd meg» («que te jodan»), el juramento usual entre los peluqueros locales. La expresión conserva en la ocurrencia su sentido original («La invité a casa, ella creía que a charlar un rato, pero lo que yo pretendía era jodérmela», cuenta a su colega uno de los supervisores), no obstante puede aparecer en los más diversos contextos. Tras una semana de crucero por el Danubio, uno de los guardianes del templo Gellért declaró: «Allí teníamos hasta cerveza de barril, jódete». He notado que al pasar alguna contrariedad es aceptable decir: «¡Hay que joderse!», aunque eventualmente es igual de habitual desear ver «un pollón de caballo con queso de untar» incrustado en el trasero de la persona aborrecida. «¡Jódete a la puta de tu madre!» no tiene la consideración de atentado blasfemo contra el honor o la virtud de las matronas. El pudor y mis conocimientos, cada vez mas escasos, de las sutilezas del húngaro me impiden explorar el vasto repertorio de asociaciones construidas sobre el latín «basiare», besar, pero en el sentido de la penetración íntima, cuya traducción húngara es «baszni» (pronúnciese «bassny»). Destaco simplemente algunas variaciones semánticas de riqueza incomparable, porque el verbo puede asociarse, según el modelo sintáctico alemán, a distintos prefijos, unos con el sentido de ensamblaje («bésame el culo hasta que se me peguen las nalgas»), o bien la deconstrucción («bésame el culo hasta que se me despeguen las nalgas»). La expresión está en la raíz de innumerables blasfemias que atentan gravemente contra la virginidad de María, madre de Cristo. A decir verdad, la palabra ha acabado lejos de su contexto, como ha ocurrido en francés con «mierda» en relación con «excremento»; la frecuencia de su uso siempre chocará al visitante exapátrida que, despistado, se entrega a su pasión por las obscenidades, antes de plantearse la cuestión central: «¿Qué busco aquí?». ¡Desde luego que para nada un apéndice equino en el sitio que os estáis imaginando! Sueño con reescribir en húngaro la escena de los sepultureros de *Hamlet* con abundantes «¡que te jodan!». En Budapest el efecto sería irresistible, o acaso no produciría efecto alguno, porque los cómicos se expresarían como la mayoría de sus espectadores.

Te lo proponga o no el cancerbero de la entrada, tienes que tomar un mandil tapasexos, muy poco masónico, por cierto, que te convendrá ponerte en la cabina. Gánate la confianza del encargado sobornándolo con una propina que exceda el precio de la entrada, para que cierre bien el armarito de formica donde dejas tus cosas. Verás nalgas desnudas, muy parecidas a las tuyas, y pasado el primer efecto te acostumbrarás al vario espectáculo de los sexos al aire, diferentemente pigmentados, exhibidos por los clientes por debajo de los mandiles, bien planchados y seguramente limpios, pero que parecen pertenecer a vejestorios incontinentes. Nunca, ay, nunca me habría juntado con semejante compañía en mis años mozos. Hubiera enfermado ante la sola idea de exhibir mi virilidad de esa manera; y el espectáculo de las carnes así expuestas, yendo y viniendo de un lado a otro sin vergüenza alguna, ciertamente me habría puesto muy nervioso.

Bajo la doble cúpula, dos baños distintos y separados, aunque se entra con el mismo placer al de treinta y ocho grados que al otro, que solo está a treinta y seis. Los mandiles comienzan a flotar, a molestar, y los dejamos en el borde de la bañera. Las paredes están forradas de mosaico. En la parte superior, donde van las rejillas de aire, se divisan unas aves palmípedas, muy populares como motivo ornamental en todo el país. En las bancas subacuáticas la visión es menos idílica. En un rincón, un efebo de pelo descolorido se recupera de sus trabajos nocturnos. En medio, dos jubilados medio sordos hablan a gritos para hacerse oír. Un hombre de mediana edad, ojeroso, se pone en pie en la zona central, donde una especie de Neptuno vierte las aguas termales sobre sus hombros machacados por la artritis crónica. Me quedo sentado, ensordecido por el ruido, en medio del calor, y sobre todo divertido ante el espectáculo que tengo delante. El espacio que separa las dos bañeras sirve de paseo a los señores que desfilan por allí. A algunos no les vendría mal un sujetador; y a algunos otros, un sujetanalgas. Unos corsés dotarían de cierta dignidad a esos viejos de carnes flojas y los bragueros herniarios acabarían por ser proscritos. Los penes, generalmente discretos y de dimensiones razonables, parecen tranquilos; los testículos, la mayor parte de los cuales lucen bien proporcionados, se balancean como campanas. Probablemente sean los órganos genitales los que más tardíamente se marchitan, y a eso puede deberse el que todos esos individuos de la tercera edad los exhiban sin vergüenza alguna. Un superviviente de los campos, que se inclina delante de mí para recoger un trozo de jabón del suelo y al que solo le llego a ver los cojones entre las flácidas nalgas, es la visión más memorable del día, y me perseguirá incluso a mi regreso, cuando vuelva a pasar por Trouville.

Me cambio de lado, perverso como lo soy, porque quiero memorizar la escena, que continúa en el patio donde se localizan las duchas, impúdicamente abiertas. Los señores se lavan el cráneo, pasto de la calvicie, se enjabonan, se frotan, se manipulan los genitales, se estiran la verga hasta dejársela en condiciones, levantan las piernas para aclararse mejor el bosque sombrío de pelos de entre las nalgas. Aparecen unos extranjeros, padres de familia acompañados por sus hijos, todos embutidos en sus trajes de baño; ¿qué harán visitando a las almas fellinianas de este infierno, tras haber dejado atrás el universo embarrado del *Satiricón*, a estos húngaros tratando de recuperar el bienestar en el líquido amniótico de las bañeras de san Gellért? ¿Confesaré que hasta intenté pasar por la experiencia de la ducha? Fui enjabonado, lavado, enjuagado, pero al darme cuenta de que algo en mí comenzaba a aumentar de tamaño, me di a la huida.

Estamos alrededor de 1942. En aquella época, mi padre estaba afectado de una profunda melancolía por culpa de su tumor cerebral, pero todavía era capaz de conducir su coche, un pequeño Fiat Topolino, algo más grande que el Fiat 500 de la posguerra, desaparecido hacía poco del mercado. Le habían confiscado su anterior vehículo, un Aprilia, cuya carrocería anticipaba la del futuro Wolkswagen. Fue un robo planificado por el Estado y también debe quedar para la historia: desde la entrada de Hungría en la guerra, como aliada de los alemanes frente a los rusos, los automóviles de los judíos fueron «incorporados» al parque móvil del Ejército, naturalmente sin contrapartida alguna. Aunque, ¿qué importancia tenía eso? A los pocos días de haber llevado nuestro querido Aprilia al cuartel, mi padre y yo nos dirigimos al concesionario de la Fiat para comprar el Topolino. Vi a mi padre firmar los documentos necesarios sin manifestar pesar o preocupación, y salimos de allí riéndonos del Ejército, pero sin pronunciar una sola palabra hostil contra el régimen. Los reflejos de mi padre tampoco estaban en su mejor momento, y mientras atravesábamos el puente de la Libertad en dirección a las termas Gellért, chocó con la trasera de un coche aparcado delante de nosotros, pero el incidente no tuvo repercusiones. En la cabina que había alquilado, se desnudó y luego se dirigió a la piscina al aire libre; me quedé solo, mi pene erecto me ponía difícil salir enfundado en mi bañador. ¿Qué hacer? Tenía muchas ganas de ir con él. Para solventar esta situación, que siempre me descomponía, no tuve mejor idea que ponerme a rezar. Milagrosamente, mis rezos surtieron efecto y finalmente salí de la cabina. Cada hora, unos cilindros perforados protegidos por una malla metálica producían olas artificiales para deleite de los húngaros hambrientos de mar. Sin embargo, desde la aparición en Budapest de la archiduquesa Augusta, una auténtica Habsburgo, dejó de respetarse el horario de las mareas. Los baños se vaciaban de sus habituales ocupantes, ancianos del régimen la mayoría, y la vieja dama se dejaba masajear por el oleaje a la vista del público, que se instalaba en las gradas. Yo era solo un adolescente: tenía necesidad de un padre que me llevara al burdel, o que al menos me dirigiese con mano firme, amistosa y cómplice hacia el descubrimiento de la sensualidad. Esta fue la única vez que lo vi en el papel. Estaba ya muy enfermo y, por pudor, abrí y volví a cerrar nerviosamente la puerta de la cabina. «Pasa, no te dé vergüenza», me dijo. Tenía unos voluminosos testículos. La historia que cuento no tiene nada de extraordinario. La lectura de escritos autobiográficos me lo confirma. Las «malas costumbres», a la vez deliciosas y pecaminosas, están hechas, con sus pequeños fracasos incluidos, de penosos incidentes parecidos a los que cuento. De hecho, lo que mi caso parece revelar no es más que eso: normalidad.

Dorottya y Antal

En una de las calles de las traseras de los baños Gellért vivían los Rudnyánszky. Dorottya Leopold, la Dódy de mi infancia, era una prima hermana de mi madre de unos setenta y siete años. Murió a los noventa y cuatro, en junio de 2015, fiel a la imagen que siempre tuve de ella, bella, digna, reflexiva, sin quejarse nunca de sus achaques, siempre preocupada por los demás y por los problemas del mundo. Lo que no impedía que de cuando en cuando suspirase: «Es todo tan diferente hoy día...». En relación con el mundo de anteguerra, me figuro. Cuando redacté la primera versión de este libro, su marido, Antal Titusz, de origen transilvano, estaba a punto de cumplir los noventa.

Me acuerdo de una visita que hice a su familia, en la calle Núremberg, donde tenían un bonito chalé situado en las inmediaciones del parque Municipal. Yo debía de tener entre cuatro y seis años. Me quedé fascinado con el transistor de tapa transparente, que dejaba ver una impresionante cantidad de lámparas catódicas, y con una pianola cuyas teclas funcionaban gracias a un programa inscrito en una tira de cartón perforada accionada mediante una manivela. Recuerdo vagamente una paráfrasis de Liszt, tocada por manos invisibles y espectrales, como esas de las que se habla en la admirable *Spirite* de Gautier. Fue el 19 de marzo de 1944, dos meses después de la muerte de mi padre, en aquella casa de la calle Núremberg donde estábamos invitados a comer, cuando tuvimos noticia de la entrada de las tropas alemanas en Hungría. ¿Valoramos en ese momento la decisiva importancia de esa noticia? Tras las humillaciones que las autoridades habían hecho pasar a mi padre durante su breve estancia entre los locos del hospital militar, mi madre era particularmente consciente de la inminencia de nuevas medidas antisemitas. A la mañana siguiente se encontraba entre las mujeres judías que se apelotonaban esperando la apertura de las oficinas del Banco de Comercio para retirar las joyas de la caja de seguridad de la familia. Logró salvar algunos anillos y pulseras, que entregó de inmediato a amistades confiables. Por un decreto promulgado poco después, todo objeto de metal precioso en manos de judíos tenía que ser depositado en el Banco Nacional.

¿En qué condiciones habían pasado Dódy y su madre, la tía Margit, los meses fatídicos que precedieron a la llegada de los rusos? Personas de buena voluntad las habían escondido. ¿Por caridad o por algo de dinero? No lo sé. A duras penas me lo explico, pero nunca he tenido sentimientos de solidaridad familiar. ¿Era efecto de los acontecimientos, de la viudez de mi madre, de la ocupación alemana, de llevar la estrella amarilla, del puro miedo a perder la vida? ¿Quería desembarazarme de los lazos de parentesco únicamente como afirmación de autonomía adolescente? ¿Me aburría el mundo de los adultos?

Tía Margit y Dódy, naturalmente, «lo perdieron todo, como todo el mundo». Pero, como otros descendientes de grandes familias, pudieron recuperar algunos restos de su antigua fortuna e iniciar una nueva vida. Mi madre, Dódy y tía Margit, esas nobles damas que habían conocido tiempos mejores, arruinadas pero ricas en recuerdos felices, hicieron frente a las dificultades de su nueva existencia con un coraje inusitado, sobre todo porque no estaban preparadas para aquello. Gracias a su conocimiento de varias lenguas extranjeras, Dódy se empleó como secretaria multilingüe en una empresa de importación-exportación. Tuvo en ella una larga y brillante trayectoria, solo interrumpida durante un periodo de dos años.

Del «destierro interior»

El gobierno comunista del siniestro Rákosi, «el mejor alumno húngaro de Stalin», según la propaganda diseñada por él mismo, el «revolucionario inflexible» que propinó «un golpe mortal a la socialdemocracia», como dijo Georges Cogniot, su mayor adulador en Francia, decidió hacia 1952 organizar el desplazamiento —la deportación, de hecho— al interior del país de aquellos miembros de la alta burguesía considerados hostiles al régimen. Las viviendas y los bienes de esos «enemigos de la clase obrera» fueron inevitablemente confiscados.

Y así, los supervivientes de la Shoah, si habían pertenecido a las clases altas de la anteguerra, se encontraron también entre los perseguidos de los años cincuenta. Tía Margit y Dódy estuvieron entre ellos, y más de una vez mi madre las fue a visitar, no sin pasar mucho miedo, a alguna lejana provincia. Según confesión de nuestra heroica prima, solo la carencia de retrete y la obligación de usar las letrinas instaladas en el fondo del patio enturbiaban su buen humor. Nunca se me ocurrió subir al tren e ir a visitarlas. ¿Tenía miedo de quedar señalado ante la policía? ¿O acaso su suerte me era indiferente?

La amenaza de ser echados de nuestro domicilio y de tener que abandonar todo lo que habíamos podido salvar de la tormenta pesaba igualmente sobre nosotros. ¿Fue nuestra anciana criada, que vivía en casa en régimen de subarriendo, quien me advirtió de que mi madre planeaba envenenarse si llegábamos a ser expropiados y desterrados? Me tomé la advertencia muy en serio, porque era consciente de la inmensa desesperación de esa mujer frágil y desorientada, viuda con treinta siete años y que, en los meses que siguieron a la liberación, se esforzaba en reconducir su vida y la nuestra. Mientras ella dormía, yo revisaba a fondo los armarios de su gabinete. Nunca encontré veneno. Por contra, sí que encontré, en una redecilla bordada, una maravillosa carta suya dirigida a mi padre que desbordaba alegría de vivir, entusiasmo, gratitud por el amor descubierto en común. Han pasado más de cincuenta años y sería incapaz de reproducir una sola palabra de aquel mensaje sublime. Pero mi recuerdo lo asocia a la melodía fluida, continua, que parece florecer en su propio recogimiento, deslumbrante y audaz en sus modulaciones, de las *Cuatro últimas canciones* de Richard Strauss. Es uno de los más hermosos testimonios de amor que haya leído en toda mi vida. En la época de esas amenazas de «traslado», estaba ya casado y a punto de abandonar el domicilio familiar, es decir, de abandonar a mi madre a su suerte. ¿Oís esa cacofonía que perturba el desarrollo de la melodía ininterrumpida de Richard Strauss? Los riesgos de la situación política no pueden alegarse como circunstancias atenuantes. ¿Cómo podría hacerme perdonar ese abominable intento de huida?

A partir de 1945, tuvimos que desalojar tres de las cinco habitaciones de nuestro piso. Nuestros primeros inquilinos fueron los belicosos empleados de la embajada turca, en espera de su repatriación a Estambul. Los pelos diseminados por el baño, que las criadas de la embajadora olvidaban limpiar, y las colillas de los cigarrillos que los chóferes de Su Excelencia arrojaban al suelo de la cocina entristecían a mi madre, que lloraba angustiada. Después, vino a instalarse entre nosotros un coronel del Ejército Popular en posesión de un vale de alojamiento emitido por la Alcaldía. Mató a tiros a varios gatos de la vecindad que montaban la escandalera en el patio del liceo de enfrente, y recibía a mujeres en casa, porque su esposa se había quedado en el pueblo. Los gemidos que oía en la habitación de al lado de la mía —la antigua habitación de mi madre— me sacaban de quicio, me excitaban y me horrorizaban, todo a la vez, sobre todo cuando estaba presente mi profesora de francés, una solterona inteligente y exquisita que ponía cara de no enterarse de nada. Cuando los comunistas tomaron el poder, en 1948, el coronel fue enviado de regreso a sus pagos y se convirtió de nuevo en el hortelano que había sido siempre. Le tocó el turno entonces a la familia Antos, que se incautó de tres habitaciones, tras la conversión en cocina de la que ocupé de niño. Durante los años de la guerra, Zoltán Antos, un viejo ingeniero, había fabricado cañas de pesca que vendía en una tienda de instrumentos musicales, en pleno corazón de Budapest; ese comercio le había proporcionado cierta reputación. Vuelto del campo de trabajo reservado a los judíos, se había integrado en cuerpo y alma en el movimiento comunista. Su hermano, secretario de Estado de Finanzas, aceptaba sin pestañear que los productos húngaros exportados a la URSS fuesen pagados en rublos no convertibles y que los productos soviéticos comprados por Hungría lo fuesen en dólares. Gracias a este alto funcionario al servicio del sistema soviético, Zoltán fue nombrado director de Pesca en el Ministerio de Agricultura. La señora Antos, buena amiga de mi madre, comunista del tipo «idealista», soñaba con un congelador colectivo en el sótano y con el bienestar general del país, y sufría con buen temple los accesos de cólera de su marido. Tengo idea de que la influencia conjunta de los dos Antos nos salvó del destierro.

Solo en 1953, cuando el antiguo responsable de Interior, Imre Nagy, fue nombrado presidente del Consejo, se devolvió la libertad a los húngaros que vegetaban en remotos villorios de la *puszta*. Al conocer la noticia, al padre de uno de mis compañeros —un superviviente de la Shoah que, en 1945, había puesto en marcha una fábrica de listones en Budapest, de la que había sido despojado en 1951 para ser después deportado a una granja miserable de los alrededores de Kecskemét— le embargó una alegría tan grande que fue víctima de una crisis cardiaca y murió.

Dódy y su madre, una vez más, reconstruyeron su hogar en Budapest. Antal —a quien, en aquella época, todavía se le podía llamar Tony—, su amigo fiel, responsable de los ciclos de conferencias de la Facultad de Agronomía, se casó con Dódy, su joven amiga desde hacía más de veinte años. Tras el fallecimiento de la tía Margit, una vieja dama horrorizada por todo lo que los sucesivos regímenes le habían obligado a soportar, la pareja se instaló en un pisito situado en las traseras del establecimiento termal Gellért. Me acuerdo de su *staatsvisite*, la prácticamente obligatoria visita a la familia de los recién casados. Tony, un hombre guapo y delgado, activo y de considerable estatura, y Dódy, cuyo matrimonio siempre se nos había antojado improbable, vinieron a casa a presentar sus respetos a mi madre.

Durante mi visita, en mayo de 1997, Dódy había preparado un auténtico aperitivo al estilo de los de Europa central, con canapés dignos de los mejores abastecedores de París y un irresistible pastel de crema. Apareció de pronto el tío Antal Titusz, un individuo corpulento, cardíaco, minado por la edad y por la enfermedad que, a decir verdad, me intimidaba un poco. El anciano, orgulloso de sus diplomas de honor, de plata y oro, no quería abandonar este mundo sin conseguir el «diploma de rubíes». Hacía tiempo ya que había comprado la urna destinada a sus cenizas, en el lateral de una iglesia de Buda. Actualmente, se dedica a redactar su esquela, que modifica a diario con nuevas aportaciones. Tiene igualmente pensado el discurso que el cura dirá sobre su tumba. Dos amigos suyos eclesiásticos se le han adelantado en la carrera al seno de Abraham, y no tiene ninguna confianza en el tercero que le queda, a quien considera absolutamente idiota. Pero el tío Antal Titusz tiene ya preparado el discurso que le hará pronunciar durante su incineración.

Evocamos la época inmediatamente posterior a 1945 que nos encontró cruelmente desorientados. «Tu madre tenía simpatías por el Partido Comunista», me soltó el tío Antal Titusz para abrir boca. Su incomprensión en relación con mi madre me hirió profundamente. Mi madre fue en su juventud una entusiasta rebelde contra su propia casta. Y por eso buscó un antídoto contra la soledad en la compañía de gente humilde. En verano de 1945, se inscribió en una comunidad vacacional totalmente colectivizada, organizada por la Alcaldía. Las condiciones de vida debían de ser bastante rudimentarias.

Muy pronto se dio cuenta del carácter irreversible de lo ocurrido en Hungría; nacida en una familia propietaria de miles de hectáreas, viuda de un promotor inmobiliario, en su ingenuidad decidió afiliarse al Partido Comunista para asegurar su propia supervivencia y para intentar facilitar nuestra inserción en el nuevo orden. Declaró al inscribirse que su padre tenía varias decenas de hectáreas de terreno. «¡Es una cantidad nada despreciable!», le comentó la secretaria de la célula local del Partido, que llamaba a las mujeres salidas de la burguesía y que se inscribían en el Partido por oportunismo «damas camaleón», probablemente porque había oído hablar de *La dama de las camelias*. Estoy seguro de que mi madre cantaba de buena fe *La internacional*, con los ojos brillantes y las mejillas encendidas. Meses después, le llegaría la hora de la más completa decepción. Se dio por enterada entonces de que su propiedad en Czikola había sido vendida en 1934. Tuvo que estar presente en la sesión ejecutoria, minuciosamente reglada según el modelo soviético: requerimiento del secretario, balbuceos de la persona acusada de declarar en falso, entrega en la mesa de los jueces del carné de miembro del Partido y vía crucis hasta la salida del local de reunión. Sin embargo, no creo que mi madre quedase traumatizada por aquellos acontecimientos. Ni el propio Partido podía contener su caudal de entrega generosa e irreflexiva. Inscrita en el curso nocturno de una escuela para bibliotecarios, seguía con entusiasmo las clases de un profesor sobre el *Cantar de Roldán*. Nos contó con lágrimas en los ojos que, bajo el efecto del recitado del maestro, la clase entera se habría levantado contra los sarracenos para acudir en auxilio de Roldán y Olivier. Al mismo tiempo, sospecho, que sentía una nostalgia infinita por el Czikola de su infancia. Contrató a un fotógrafo profesional (¿lo acompañaría?) para conservar imágenes de la mansión familiar, pomposamente denominada «castillo», el punto de partida de las carretas que permitían visitar los estanques artificiales destinados a la piscicultura, el pontón desde donde, buena nadadora, se arrojaba a las aguas del río que atravesaba los campos, en fin, todos los deliciosos rincones de esa gran heredad, como la cabaña de paja junto a la huerta. Eché una ojeada rápida a esas fotos, intuyendo la felicidad de los momentos que eternizaban, primero en Budapest, para luego darles un repaso más cuidadoso en París. Antes de su salida para Francia, ella las había salvado del gran remate final. La mujer de mi tío materno, Bősze, pudo conservar un pequeño porcentaje de las dos o tres mil hectáreas que habían pertenecido a su marido, del que había sido secretaria.

Este abogado de corazón puro e inflexible, que durante la guerra se negaba a comprar mantequilla para sus hijos pequeños en el mercado negro, progresista a su manera, apegado a la tierra y al campesinado, pasó auténtica hambre en los trabajos forzados. Durante una alerta aérea se introdujo buscando protección en una fábrica de pan de los alrededores y allí una bomba rusa acabó con su vida. ¡Qué curioso personaje fue! Convertido al protestantismo (¿desde cuándo?), hizo donación de una considerable suma para la construcción de una iglesia en Pusztaszabolcs, que fue bendecida por el obispo calvinista de la diócesis de Dunamellék, László Ravsz.

En los años cincuenta, me invitó a Czikola. Dormí en una de las habitaciones de aquella propiedad nobiliaria devastada. Hacía mucho calor y durante mis vagabundeos pillé la fiebre del heno. El viejo intendente de mis padres me echó en cara que me hubiese aliviado tan abundantemente allí, porque el papel higiénico había atascado las tuberías. ¿Conté a mi madre esta decepcionante aventura? ¿Sintió tristeza ante mi relato de urbanita alérgico, inmaduro, eccematoso, que aseguraba detestar aquellas tierras negras?

El tío Antal Titusz, resoplando a causa de sus dolencias, de su avanzada edad y de su maldad innata, se retira. ¿Cómo he podido decirle que he venido aquí bajo el efecto de mi whisky de mediodía? Me quedo a solas con Dódy, su mujer. Hablamos del pasado, pero no llegamos a tocar los temas que en verdad nos acongojan.

Siempre estuvo cerca de mi madre, pero no conserva correspondencia ninguna, en parte por no poner en riesgo sus secretos y en parte por evitar definitivamente todo eso, que pertenece al pasado. «Del pasado, solo los recuerdos hermosos», dice. Es verdad que me remitió dos páginas dactilografiadas acerca de los miembros de su familia y algunas hermosas fotos en delicados tonos sepia de sus vacaciones en Czikola junto a mi madre. Las veo alegres, sonrientes, llenas de energía. Dódy conocía bien a mis padres, pero guarda silencio acerca de la enfermedad de mi padre y también en relación con la situación de mi madre durante los largos años de espera en que se estuvo preparando para unirse a nosotros en Francia. Dódy vive ahora entregada a su familia, tejiendo gorros para sus bisnietas. Le presenté a mis tres hijas y conversó en francés con cada una de ellas. Pasó sus últimas semanas en el hospital. La llamé en una ocasión: «Estoy algo mejor», pero no quería hablar de sí misma, y sí saber de la familia parisina. Me fue imposible verla, porque murió tres días antes de mi llegada.

Vuelvo a mi visita de 1997. La reflexiva Dódy, enferma del corazón también, espera tranquilamente la muerte de su marido, al que cuida y atiende de manera ejemplar. Siempre le he tenido cariño y he admirado su paciencia estoica, pero nada puede hacerse. Antes de regresar a Francia volveré para abrazarla otra vez y dar un último adiós a mi poco tolerante tío Antal Titusz.

CAPÍTULO QUINTO

El chalé de la infancia

Aquí estoy, en la calle Aréna, al borde del parque Municipal, delante de la casa donde viví desde mi nacimiento hasta 1940. Sé que ahora se llama calle György Dózsa, pero en este libro la llamaré con el nombre por el que era conocida en mis años jóvenes. ¡Cuántas veces, en el curso del último decenio, he recorrido nuestro piso de la segunda planta! Por un curioso efecto regresivo, me veo a la edad de dos o tres años, al caer la tarde, arrodillado en mi cama de hierro con barras esmaltadas, vuelto contra la pared —que está vacía, sin rastro de crucifijos o de imágenes piadosas—, recitando en alemán: «Müde bin ich, geh' zur Ruh' / Schliesse beide Äuglein zu...» («tengo sueño, me voy a acostar / y mis ojitos debo cerrar...»). Los siguientes versos de esta oración de pacotilla me ponían bajo la protección de los angelitos. Era el acto de fe típico de una familia recién convertida pero inmersa en la cultura alemana heredada de sus ancestros, que recitaba la *shemá* en hebreo y cuya lengua familiar debió haber sido el yidis. Por múltiples razones —incultura religiosa, prevenciones en relación con Cristo, un personaje enigmático en torno al que cristalizaba todo el antisemitismo imperante, dado que fueron los judíos «los que mataron a nuestro Jesús»—, no nos atrevíamos a invocar más que a esos querubines alados, que eran a la vez juguetes e imágenes venerables y que no tenían nada que ver con el Gólgota, el terrorífico monte de la calavera. En el recibidor podía verse un grabado que representaba a la ninfa Calisto mientras era reprendida por Artemisa por haber quebrantado su voto de castidad. La ninfa se ocultaba tras un velo desplegado por sus criados. La jovencita entrada en carnes me hizo intuir tempranamente los secretos de la sexualidad y el misterio del parto. Me imaginaba que estaba a punto de dar a luz. Durante mucho tiempo no pude aceptar la idea de que el bebé, para llegar al aire libre, tenía que recorrer el conducto de la vagina. Tenía la idea de que los músculos y tejidos femeninos se distendían y permitían salir al recién nacido sin que la parturienta sufriera dolor. Me negaba a admitir que se produjeran contracciones y probablemente hasta el hecho mismo de que naciésemos «entre heces y orines», algo que llenaba de vulgaridad un acontecimiento excepcional. Pasábamos de la antecámara («vorzimmer», en alemán, cuya traducción literal al húngaro es «előszoba») al comedor, donde la amplísima mesa estaba rodeada de sillas cubiertas con terciopelo verde fijado al respaldo con anchos clavos de latón. Allí me sentía muy feliz, salvo cuando mis padres me obligaban a probar la calabaza cortada en tiras y cocida en una salsa agria, con eneldo, que me daba ganas de vomitar. Mi tren eléctrico, mi primera cámara de fotos —regalos de mi padre— volvían a aparecer en la mesa a cada nuevo cumpleaños. En torno a 1940, mi padre perdió la paciencia y se volvió mucho más severo con la educación de ese muchacho «difícil», caprichoso y comediante en que me había convertido yo; me venía a buscar y me administraba un cierto número de golpes con el cinturón, dependiendo de la gravedad de mi delito. ¿Es esto un sueño? Abro la puerta del salón y me hundo en los sillones con mis primos, estrambóticamente vestidos y que montan una algarabía que me saca de quicio. La familia se reunía allí con ocasión de las fiestas de Navidad. Una campanilla de tintineo argentino anunciaba la llegada del querubín, *engelein*, y se abría la puerta. Venían luego las partidas de *bridge*, que se prolongaban hasta bien avanzada la noche. Yo me daba cuenta a la mañana siguiente por el olor a tabaco, dado que la habitación de los niños se encontraba al fondo del piso, separada del salón por el dormitorio de mis padres y por el armario ropero, donde se hallaban empaquetadas y marcadas por mi madre nuestras ropas de verano, de invierno y de entretiempo.

En verano, fundas de tonos claros cubrían los sillones; las alfombras, lavadas, enrolladas y protegidas contra la polilla por bolitas de alcanfor, dejaban a la vista los elegantes suelos, relucientes de cera. El salón fue transformado en un palco casero en la época del

Congreso Eucarístico, en 1938. El balcón de la fachada principal daba a la plaza de los Héroes; colocaron allí una réplica del baldaquino de Bernini más grande que el original, bajo la que estaría ubicado el altar principal. A raíz del acontecimiento, mi madre había comprado un juego de té adornado con una orla amarillo pálido, el color del Vaticano, representado en aquellos tiempos por el austero cardenal Pacelli, futuro Pío XII, que daba mucho más miedo a su jardinero, siempre arrodillado en su presencia, que al Estado Mayor alemán. Un sacerdote, encaramado en la parte superior del monumento, que albergaba las estatuas de aquellos jefes tribales que hicieron irrupción por primera vez en la cuenca de los Cárpatos, organizaba con gestos exageradamente entusiastas los cánticos de la multitud, a la que trataba de dirigir con su propia voz amplificada por grandes altavoces. El cardenal Della Torre, ilustre fascista, uno de los más encarnizados enemigos de los republicanos españoles, arengaba a los fieles describiendo los peligros del bolchevismo. Las señoras, con sus vestidos primaverales, contemplaban el espectáculo con deleite, sin llegar a darse cuenta de que esas reuniones en la plaza de los Héroes parecían pensadas con el propósito de preparar a los peregrinos más para la guerra que para el amor a la humanidad. Mi madre nos llamó a mi hermana y a mí, al objeto de que posásemos en el salón para un artista judío huido de no sé dónde, que nos hizo un retrato al pastel con gran profesionalidad y mucha paciencia.

Entre los clientes de mi padre había un tal señor Helmke, un alemán elegante al que mi hermana y yo teníamos que saludar ceremoniosamente cuando pasábamos al salón. El tapón de la botella de Martini, de la que solía servirse un vaso, estaba cubierto por una bola plateada. En 1940, Helmke apareció con uniforme de las SS, lo que nos produjo un enorme disgusto. De una educación exquisita, se tomó con mi padre su vaso de vermut. Como señal de aprecio y de reconocimiento, nos envió luego una espléndida edición, encuadernada en cuero azul, de *Mein Kampf*. Nunca volvimos a verlo, pero guardamos religiosamente el siniestro libro en nuestra biblioteca.

Exit Helmke en 1940, *exeunt* los alemanes en 1945. Los rusos organizaron el régimen de ocupación y sus acólitos húngaros crearon brigadas cuya misión consistía en detectar libros antisoviéticos en las bibliotecas particulares. El *Mein Kampf* permanecía discretamente oculto en la segunda fila de la biblioteca, y los importunos visitantes que se introdujeron en nuestra casa un día a última hora de la tarde, cuando el suministro eléctrico no había sido todavía restablecido, no lo descubrieron. Como tampoco descubrieron el diario de Merezhkovski, *En el reino del Anticristo*, publicado alrededor de 1920, que describía la vida de los refugiados que habían abandonado San Petersburgo tras ser tomado por los comunistas en 1917: en sus campamentos en Siberia, las señoras utilizaban los hervidores de té para su higiene íntima, detalle que, naturalmente, sirvió para excitar mi concupiscencia. ¿Resultaba más fácil desembarazarse de ese libro que del *Mein Kampf* compacto, pesado, protegido por su cubierta de cuero de calidad excepcional? ¿Habéis intentado quemar un libro? No es fácil, puedo asegurarlo. Arrojamos el libro a las llamas, que lo rodearon respetuosamente pero que no llegaron a hacer presa en él en ningún momento. El juicio de Dios, aquel auto de fe que habíamos organizado, no sirvió de nada. Arrojar esa basura al Danubio desde un puente habría sido lo más adecuado, pero nos daba miedo hacerlo. Finalmente, tiramos el libro a un remolque de escombros que había dejado por allí una brigada de trabajadores en la reconstrucción de la capital. Tal reconstrucción, como ponen de manifiesto las fachadas todavía llenas de grietas, nunca terminó.

Mi madre dirigía un establecimiento típico de la alta burguesía. En aquellos tiempos era necesario remendar la ropa o confeccionar vestidos de un día para otro, limpiar las alfombras y, a la llegada del verano, limpiar con miga de pan los papeles pintados. Profesores de lenguas extranjeras frecuentaban la casa, pero la atmósfera tenía allí poco de intelectual. Sin embargo, esa apertura lingüística me permitió descubrir a los literatos europeos sobre los que enseño hoy en día y gozar de una especie de cosmopolitismo cultural que fue mi acicate hasta el final de mi carrera —o tal vez debería decir «hasta el final de mi vida»—. Mi madre tuvo que darse cuenta de que la educación hasta ese momento impartida al niño de cinco o seis años que era yo, y al que todavía vestía su niñera, podía resultar castradora a medio plazo, de que era preciso darme una mayor independencia, más autonomía, tan necesaria para moverme con fortuna en el mundo «despiadado» de la escuela comunal. Pidió a su zapatero colocar la parte superior de un zapato de cordones adherida a una placa de madera. Gracias a este «mecanismo» algo surrealista, su primogénito se ejercitaba en introducir cordones estrechos y cordones gruesos por los agujeros que parecían burlarse de su falta de pericia. Y, ¡oh, sorpresa! —oh, vergüenza inconfesable—, tras la primera lección de gimnasia, se me pudo ver a la salida con el pie izquierdo en el zapato derecho y con el derecho en el zapato izquierdo, aunque, eso sí, con los cordones perfectamente anudados.

Me resulta difícil dejarme arrastrar a la evocación de ese universo de sobreprotección donde pasé algunos momentos deliciosos. El jueves era el día libre de Teta, mi niñera. A lo largo de la tarde, mi madre se instalaba en mi habitación, junto a mi mesa. Dibujábamos y recortábamos animales en un papel brillante de varios colores, preparábamos la «hierba» para el conejo de Pascua que ocuparía su correspondiente madriguera, sin hacer alusión alguna a las campanadas que «llegaban» de Roma. A la noche instalábamos mi proyector, bastante rudimentario, a decir verdad. Delante de un foco de luz, con una mano tenía que desenrollar el rollo de papel encerado, de unos doce centímetros de anchura, y con la otra enrollarlo en torno a un cilindro de madera. Sobre la pantalla aparecían los personajes de Disney, en sus versiones de 1936. ¿Qué otra cosa hago ahora que retomar el juego de mi infancia? Enrollar y desenrollar los recuerdos y dar cuenta de las figuras que aparecían en aquellas sesiones de proyección. Trabajo por mi cuenta, en favor de los jóvenes de hoy día, que no tienen conocimiento alguno de ciertas prácticas prehistóricas. Y me aplico las palabras de Hamlet a Horacio: «Haz una descripción justa de mí y de mi causa a todos los que se muestren indecisos…».

Poco tiempo antes de la venta del chalé y de nuestro desembarco en un piso del centro de la ciudad, muy cercano al hotel Peregrinus, atravesé un periodo de crisis. Me desesperaban mis conflictos con el personal de la casa, el noviazgo de mi niñera con un policía de barrio, los castigos corporales —cierto que indoloros y simbólicos, pero al tiempo horriblemente humillantes— a que me sometía mi padre (¿cuáles serían sus preocupaciones, sus problemas conyugales, su estado de salud?). Agarré un trozo pequeño de papel y escribí: «¡Maldito seas para siempre!» y lo pegué bajo la puerta que separaba el piso del pasillo que llevaba a la cocina. La maldición infantil estará allí todavía, salvo que hayan extraído el panel en el que dejé pegados mi odio y mi desolación. Ha sido un alivio contarlo, porque el episodio me atormentaba tanto que me impedía decir que mi casa natal en la calle

Aréna —de hecho, nací en el sanatorio del Parque, donde se mitigaban con éter los alaridos de las parturientas ricas— se me ha antojado ahora mucho más pequeña de como la recordaba. El espacio del recuerdo admite dimensiones extrañas y sus medidas exceden la escala de lo real. ¡Y, sin embargo, he visto esta mansión en el curso de mis visitas precedentes más de una vez! Me rindo a la evidencia: la fachada no tiene más que veinte metros de anchura y las habitaciones debieron ser pequeñas y estar llenas de muebles. Mi mente no ha efectuado nunca ese indispensable reajuste que impone la confrontación entre realidad y recuerdo; incluso hoy día se me hace necesario tener las fotografías ante los ojos para poder *ver* lo que *hay* y mandar al diablo mis fantasías. Pero se resisten, son como esas versiones de las sinfonías de Mozart o de Beethoven que descubrí escuchándolas a 78 revoluciones por minuto: la versión monofónica se me quedó grabada entonces y para siempre. Sé, no obstante, que desde 1946 las puertas del jardín que daba a la calle habían desaparecido; y sé que, para facilitar el desplazamiento de las multitudes en los desfiles hacia la estatua de Stalin, los todopoderosos funcionarios del Partido habían arrasado con esos elementos del paisaje de mi infancia. Sin embargo, veo y sigo viendo a Mihály, el *valet* de mis abuelos, pasear a Peggy, una perra inglesa negra de irreprochable pedigrí, por delante de la casa, entre la nieve, junto a los parterres de flores protegidas del frío por fardos de paja.

A la búsqueda de los orígenes perdidos

Mi abuelo paterno, Béla Löwenstein, comerciante de granos en Szombathely, en el noroeste de Hungría, magiarizó su apellido, transformándolo en «Loránt» en 1918. Ingeniero mecánico de formación, se casó con Vilma Strauss. (Dispongo del contrato matrimonial, que daba cuenta de la rica dote de la esposa y que convertía al marido en agente oficial de los Molinos Reales, empresa propiedad de las familias Hedrich y Strauss, convertida luego en sociedad accionarial). Parece probable que adquiriese más adelante la mayoría de las acciones y que acabase siendo director general, cargo que desempeñó hasta su retiro en 1940, el año de nuestra quiebra familiar. Hizo contratar como directivo a su hijo, que había tenido que interrumpir sus estudios superiores. Mi padre, para renovar las actividades de los Molinos, tuvo la original idea de incorporar a la molienda tradicional el descascarillado de arroz importado del norte de Italia. Con ocasión de las fiestas de Navidad, mis padres tenían la costumbre de regalar a sus empleados y a sus conocidos grandes cantidades de ese grano almidonado. Al comienzo de la enfermedad de mi padre, que coincidió con la época de mayor penuria alimentaria, nadie podía creerse que no tuviésemos acceso al granero de los Molinos. Mi madre se sentía obligada a comprar el arroz en el mercado negro para no decepcionar a cuantos dependían habitualmente de su generosidad.

El presidente y director general Löwenstein obtuvo permiso para magiarizar su patronímico poco antes de nacer yo, convirtiéndolo en ese «Loránt» al que, a mi llegada a Francia, me apresuré a quitarle el acento, para darle un aire más «autóctono». La familia disfrutaba de una gran parcela al pie de su chalé, en la calle Aréna. Además de la criada y la cocinera, disponían también de un *valet* que servía con mucha ceremonia las comidas, siempre perfectamente enguantado. Józsi, el chófer, vivía allí mismo, es decir, en el sótano del chalé —sin parecido alguno con la «cueva» sórdida a la que se refiere el sórdido Anouilh—, donde se encontraban también la cocina, el cuarto de lavado y plancha, las habitaciones de las criadas y las calderas. Mi abuela era una mujer de mundo de nuevo cuño, una parlanchina incomparable que se pasaba las mañanas al teléfono mientras la manicura se ocupaba de sus uñas; o cuando el empleado de la joyería reparaba su collar de perlas, rito anual que tenía lugar en su presencia, naturalmente, porque la confianza que depositaba como cliente habitual en los empleados de las grandes casas también tenía sus límites. Se informaba de mis flirteos cuando, a la edad de diez años, me llevaban a la pista de patinaje del parque Municipal. Mi abuelo, un gran burgués endemoniadamente autoritario, al decir de sus hijos, pero que parecía un hombre simple y sencillo —solía lustrarse él mismo los zapatos—, siempre estaba riñéndola por hacer preguntas tontas.

Tengo la impresión de que los Löwenstein habían hecho un negocio excelente casando a su hijo Endre con Sarolta Hirsch y anexionándose su dote, compuesta por varios miles de hectáreas de tierras cultivadas por los campesinos más pobres de toda Hungría, por valiosas joyas y por muchos otros bienes muebles. Después de la *anschluss* de 1938 —los judíos de Budapest se hicieron los sordos al escándalo de las tropas nazis, alemanas y austriacas que atravesaban al cadencioso paso de la oca el Hofburg vienés—, en lugar de llevarse su fortuna a Suiza, y probablemente a instancias de mi padre, se lanzaron a una enloquecida empresa de construcción de pisos de alquiler, cuyo rendimiento solía ser bastante elevado en esa época. Cuando al presidente general de Molinos Reales le llegó la hora del retiro, los abuelos vendieron la villa de la calle Aréna a un comerciante de madera que quería dejar su aldea, en la Hungría norteña. Para verificar la transacción en las condiciones más favorables, fue necesario reformar el piso de la planta baja, y en particular ponerle una cocina, para desesperación de mi abuela. La desaparición del montacargas (que era accionado mediante un cordaje de navío, una especie de gigantesco cordón umbilical, tan desproporcionado como inmanejable) representó para ella algo así como el colapso del universo. No se equivocaba, en realidad. En 1940, arregló lujosamente su nuevo piso, contratando y despidiendo a una multitud de decoradores, «como si los abuelos tuviesen toda la eternidad por delante»:

ese fue el único comentario ligeramente desatento con ellos que le escuché a mi madre en toda mi vida. Las figuras de porcelana de Meissen recuperaron su sitio en la vitrina de marquetería de maderas preciosas —entre ellas había una damita que se contorsionaba y que, bajo su amplia falda, agitada por un aro móvil, permitía ver una diminuta pulga en una de sus nalgas desnudas— y mi abuela recompuso su guardarropa (término tomado del francés y naturalizado luego como alemán). Me gustaría hablaros de su gabinete, donde podía pasarse horas enteras al teléfono. Y del inmenso escritorio de mi abuelo, que fue llevado al fondo del piso. Y del que, por cierto, de vez en cuando, se sacaban de uno de los cajones, que estaba blindado, algunas joyas familiares para vendérselas al señor Steiner.

Los abuelos llevaban un tren de vida evidentemente por encima de sus posibilidades. Su hijo menor, ingeniero en el sector textil, tuvo que dejar su empleo como consecuencia de sus orígenes judíos, y no hizo nada por encontrar otro. Jugador empedernido, perdía fortunas a las cartas y vivía de las pagas de su padre, que lo trataba como a un adolescente y le proporcionaba una suma fija de dinero al mes. Pero, de repente, el destino se volvió contra ese Príamo burgués: mi abuela falleció, víctima de un cáncer estomacal mal diagnosticado, y su hijo mayor, de un tumor cerebral. El hijo menor, por último, nunca regresó de Austria, pese a que aparecía en las listas de supervivientes. En Jerusalén, en el Memorial de las Víctimas de la Shoah, examiné los ficheros de los deportados y no conseguí encontrar su nombre. El viejo presidente general, al que antiguos correligionarios caritativos habían mantenido durante su estancia entre ellos —los de la Cruz Flechada reagruparon a los judíos que no habían querido ocultarse en el antiguo gueto de Pest, bloqueando todas sus salidas—, no sabía que estaba mintiendo cuando decía a sus protectores que su hija los recompensaría con creces. (¿Por qué motivo no recompensaríamos a esta familia de acogida? ¿Tan indigentes éramos entonces? Es algo que, incluso hoy, me entristece). Cuando Pest fue liberada por las tropas soviéticas, el abuelo, al que una demencia precoz había devuelto a la infancia, aterrizó entre nosotros, exiliado en el habitáculo para la criada que estaba detrás de nuestra única habitación. El incontinente abuelo, al que yo me negaba, por timidez mezclada con algo de repugnancia, a colocarle la dentadura, deliraba, diciendo entre alaridos cosas como: «Quiero morir sumergido en mi propia mierda y ya os mandaré una carta desde allá arriba». Su hija, la mujer de mi primo, que había conseguido salvarnos pero que a él lo había abandonado a su suerte, le respondió una vez en tono desabrido: «Eso no va a hacer que te mueras antes». El antiguo comerciante de grano, convertido en director general de Molinos Reales, murió en un hospital improvisado de la Cruz Roja, después de haber ingerido el plato preferido de los pobres, fideos con semillas de amapola y azúcar. Las figuras de Meissen habían desaparecido, las maderas preciosas de la vitrina de marquetería servían a esas alturas como alimento de la estufa que calentaba la habitación donde su nuera hacía el amor con un futbolista muy prometedor. El enorme escritorio, pese a sus dimensiones y pesada consistencia, había volado. ¿Era aquello lo que se denomina en la literatura «la ruina» o solamente una especie de incendio generalizado? Y ¿la desaparición de aquellos vestigios implicaba acaso su retorno a la nada, a la inexistencia, tras años de insolente opulencia, de vida mundana, de fanfarronería burguesa brillante y pasajera?

¡Qué difícil resulta modificar las impresiones de la infancia! Nunca he dejado de asombrarme ante la visión del pequeño inmueble, por el que he vuelto a pasar en 1970, y después en 1988 y 1989. Siempre lo miro sin acabar de creérmelo. Escruto los espacios a través de los estrechos vidrios de la puerta de entrada. Una escalera, ordinaria en todos los sentidos, ha sustituido a los anchos escalones que rivalizaban en pompa y dignidad con los del palacio de un aristócrata austriaco. ¿Qué ha pasado aquí? ¿Me estaré volviendo loco? Recuerdo una escalera principal y otra de servicio. ¿Habría sustituido la última a la primera? ¿Habrán redistribuido el espacio interior? Es poco verosímil. ¿Quién se habría tomado esos trabajos y embarcado en tales dispendios para redistribuir el chalé? ¿Debo rendirme a la evidencia? ¿Cómo hacer soportable la revelación del carácter fantástico de aquellas ilusiones infantiles? He soñado con esta escalera durante años y años, la he subido sin llegar a la segunda planta, en la que estaba nuestro piso, como si me hallase en uno de esos espacios de pesadilla dibujados por Escher, y la he bajado a saltos, sobrevolando los escalones a menudo. Me paro siempre en la primera planta, palabra de chiquillo, donde veo los sospechosos rastros dejados por Boriska, la hija adulta, anormal y jorobada de los inquilinos, que había defecado *(horribile dictu)* en el rellano. Sus padres, todo lo avergonzados que la época exigía, la hacían llevar una existencia de reclusa. Me acuerdo de que una vez me sonrió.

De hecho, volví a ver ese lugar, pese a haber jurado no volver a hacerlo nunca. En 1945, participé en la manifestación del primer Primero de Mayo en libertad; sin haber sido reclutado, me metí entre los del servicio de orden y allí, empujados y desbordados por la presión de la multitud, fuimos arrastrados, quedando el chalé a nuestras espaldas. Renegar de mis años de infancia fue algo a lo que me entregué con pasión durante varios decenios. Marika y yo, casados a los veintidós años, habíamos querido romper nuestra soledad encerrándonos en nuestra vida de pareja precozmente formada. Agobiados por nuestras necesidades alimenticias —ella dibujada mapas, yo escribía artículos de opinión y crítica y revisaba ediciones de obras francesas—, traumatizados por haber soportado los regímenes totalitarios de antes y de después de la guerra, nunca nos permitimos sentir nostalgia por los esplendores del pasado. Ella, me acuerdo, rompió a llorar a la vista de los primeros Mini Morris vieneses alterando la calma de las calles desiertas de Budapest. Poco después, llegados a Francia en enero de 1957 e instalados en la residencia universitaria d'Antony durante el mes de marzo, buscábamos desesperadamente romper cualquier lazo con nuestro aborrecido pasado; apenas si echábamos una ojeada a las fotografías que cada cierto tiempo nos enviaba mi madre. ¡Que no tenga ahora en mis manos esas fotos que en su mayor parte hice yo mismo! ¿Cómo explicar nuestra reacción? ¿Por miedo a quedar atrapados en mitad de todo aquello de lo que veníamos huyendo? No solo el régimen de la estrella roja nos rodeaba con todos sus peligros, sino que el exilio iba a reactivar algunos de los reservados a la estrella amarilla.

Fue en París, en un libro dedicado a la arquitectura *art nouveau* de los años veinte, cuando volví a ver por vez primera, reproducida en blanco y negro, una fotografía de nuestro chalé en Budapest. La fachada me pareció gris, plana, uniforme. En ese mes de mayo de 1997 me encontraba realmente ante mi casa natal, que contemplé emocionado, asombrado, pero nada nervioso, con los ojos de un niño.

Permanezco tan confundido por la visión del pasado que apenas puedo juzgar su realidad. Esparzo sobre mi escritorio las fotografías que tomé allí. Son testimonio de todos los intentos baldíos del fotógrafo, que hubiese deseado trepar por los muros y penetrar en la mansión sin encomendarse a Dios ni al diablo, cuando intentaba, trémulo e impaciente, captar imágenes del piso de su infancia. Siempre tuve en aprecio la labor del arquitecto, el voluminoso cilindro central que soporta el balcón de la segunda planta, la falta de simetría entre los dos lados de la fachada, el friso que la unifica, el zócalo de flores estilizadas que adorna el balcón y la barandilla de hierro forjado llena de bucles. ¿Habrán restaurado la fachada? El sol que la ilumina, los juegos de luz y sombra, destacan la dinámica de los volúmenes arquitectónicos de esta edificación burguesa, cuyo imaginativo frontis, nada ostentoso por lo demás, hablaba a las claras de la boyante economía de sus habitantes. Rodeo el inmueble y vengo a dar en una especie de terreno baldío, lleno de escombros y de herramientas de labor. Aquí se hallaba el jardín de los dueños, con paseos cuidadosamente cubiertos de grava, una «sinfonía en blanco», tal y como permanece en mis nebulosos recuerdos, compuesta de rosales, de arbustos floridos y de bancos lacados. La mirada asciende hacia *mi* habitación, una veranda cubierta reformada para acoger al exiliado de la *nursery* que era yo con mis seis o siete años. La moral decretaba que hermana y hermano debían obligadamente dormir separados, más cuando las inclinaciones del hermano comenzaban a apuntar al momento en la que la niñera suiza se ajustaba los senos antes de disimularlos bajo su camisón. Mi nueva habitación, con suelos de linóleo, me parecía fría y poco acogedora. Se hizo una abertura en el muro que la separaba la *nursery*, para mi tranquilidad, naturalmente. No quedé muy satisfecho en el nuevo cuarto, pasablemente amueblado pero que, sin embargo, contaba con un escritorio y una silla de estilo moderno, cuyos armazones estaban hechos de tubos niquelados. Unos estantes, que yo adornaba con acuerdo a la estación y a las fiestas —en Navidad, el misterio; en Pascua, los pollitos amarillos—, estaban colgados sobre mi cama. Jugar con mi tren eléctrico y revelar fotos a partir de negativos que exponía al sol eran actividades que me llenaban de gozo. En materia sexual, no hay mucho que decir. Mi pene erecto me sorprendía a veces, y me gustaba excitarme, pero nunca tuve una idea clara de cómo satisfacer mis pulsiones. Era una chico dócil y decidido, pero no tenía ni una vaga noción de los secretos de alcoba, aunque algo supiera de cuestiones sexuales. Mis camaradas conocían mi pudor y mi nula disposición a intercambiar obscenidades. Durante unas vacaciones, un individuo pequeño, aunque bastante bocazas, quiso provocarme y humillarme mediante estas palabras, que parecía considerar muy ofensivas: «¡Los cojones de tu padre!». La palabra que designa a los testículos, «valaga», es de una acusada vulgaridad en húngaro, y seguramente hacía poco que me era familiar. Para sorpresa mía (y no digo nada de la del otro) me oí responderle: «Puestos en el cucurucho de un helado, para que se los chupes a gusto». Semejante barbaridad parece que lo dejó mudo. Una vez, al atardecer, en una callejuela del parque Municipal, mi niñera y yo nos encontramos con dos chicas humildes, quizá criadas, que se dedicaban a vaciar los orinales de sus perezosos, impúdicos e incontinentes patrones. La una sollozaba y se quejaba: «Y el caso es que me hizo el amor...». Yo sabía perfectamente de qué se trataba. Pero nunca hubiera podido representarme a mis padres en esa tesitura. Solo al cabo de muchísimos años me atreví a pensar en el placer de mi madre.

La escritura de los recuerdos: el tiempo abolido

Mi madre y yo salimos del piso de la calle Aréna. Le doy la mano, porque el dulce calorcillo de la suya me tranquiliza, y nos dirigimos a la terminal de la línea n.º 1. Por el camino, en una esquina de la calle Benczur, una vagabunda de edad indefinida separa las piernas sobre la acequia de canalización y se pone a orinar. «Tú no has visto nada», me dice mi madre. En efecto, el código no escrito de la buena educación implícitamente exigía —y esas eran su fuerza y su virtud— ignorar muchas situaciones por el estilo. Su otra función era, obviamente, reprimir las pulsiones «indecentes». Pero la idea exagerada de la higiene que me habían inculcado alimentaba mis complejos a la vista de mi cuerpo y de sus secreciones. La miseria rondaba en la periferia del mundo burgués, sin explicación sociológica alguna. Lo popular me producía rechazo, y mucho me temo que todavía me lo produce hoy.

Proseguimos con nuestro paseo. Teníamos varios recados que hacer en el centro. La cocinera era la encargada de comprar los ingredientes habituales en la preparación de los platos previstos en el menú semanal. El tendero y el carnicero se encontraban en una calle adyacente que, naturalmente, yo no visité nunca. Mi madre sabía que, en el autobús que transportaba a la «gente bien» de los chalés de la periferia al centro, mi sitio preferido era el banco situado tras el vidrio que protegía al conductor. Las palancas de cambios de cobre, especialmente la del «gas» conectada al acelerador, fascinaban al caballerito conductor que era yo. (Para tenerme contento, Jószi, el chófer de mis abuelos, que era un manitas muy ingenioso, «experto en miles de astucias», como decimos en húngaro, había instalado en el vehículo un pequeño volante y también pedales para que los usara yo). El autobús atravesaba la actual zona peatonal de la plaza Vörösmarty. Los automóviles particulares eran raros, y se alineaban sin peligro en las calles con doble sentido. Mi madre llevaba su «lista de encargos»: comprar manzanas Calville o Jonathan donde el señor Braun, cuya tienda desapareció para siempre; un frasco de agua de colonia y talco para mi hermana donde los señores Molnár y Moser —la perfumería, muy apreciada por su ambiente acogedor, fue cerrada en la primavera de 1944, a pesar de haber sido «abastecedores de la Casa Imperial y Real», y hoy funciona en sus locales un supermercado ostentoso, donde se exhiben en estantes luminosos los tarros de Nivea, Orlane y Elsève—; caramelos Dolly en Stümmer, cuyo nombre no dice nada a los clientes del señor Hemingway, el inglés hoy propietario de la única cadena de tiendas de dulces y bombones. Paquetes impecablemente envueltos, con un adorno de madera trabado en el nudo de la cinta... En mayo de 1997, escapo de la sombra de mi madre, mi pequeña Moulouka (muerta a los sesenta y siete años, cuando le llegó la hora; hoy, una niña de apenas cinco años, en la relación de mis fantasmas), para pasarme por el Reducto, la sala de conciertos que seguía en ruinas mucho tiempo después de acabada la guerra y que más tarde fue reconstruida a la antigua: ese complejo neoclásico sirve hoy en día de marco a las «noches fellinianas» de la alta sociedad mafiosa. Un mediodía dominical de 1942 o 1943, tras una alerta aérea, me dirigí a oír, al palacio del Reducto, la *Missa solemnis* de Beethoven, dirigida por Bárdos. El director de los coros y talentoso compositor se dirigió al público para recordarle hasta qué punto la imploración final «Dona nobis pacem», planeando sobre un fondo de música de batalla en el que puntualmente aparecían las trompetas napoleónicas, estaba de actualidad en ese momento.

Estoy de vuelta, Moulouka, vuelvo a tomarte en brazos, mi novia infantil. Regresamos a casa en el metro. Un mediodía tú volviste tras una larga sesión con el dentista. Es verdad, te habían anestesiado, pero tu mejilla estaba hinchada y tenías cara de dolor. ¿Cómo es que mi padre no te acompañó? ¿Dónde estaba entonces?

La marcha de Teta o el fin del mundo

La venta del chalé de la calle Aréna a un comerciante de madera que no sobrevivió a las persecuciones y nuestro traslado al centro de Budapest, al *Belváros*, pusieron fin a una infancia feliz, a pesar de los problemas. Oscuramente intuí la llegada de la tormenta que destruiría ese modo de vida sólidamente codificado desde antiguo. El matrimonio de Teta le vino bien a la familia, puesto que no estaba previsto que la niñera nos acompañase a nuestro nuevo domicilio en la calle György Fejér, donde cada centímetro cuadrado debía ser «funcional». Me resultó muy doloroso separarme de ella: recta y cariñosa a la vez, exigente cuando debía serlo, su autoridad se limitaba al mundo de la *nursery*. Me cambió los pañales, me aseó, me vistió y me transmitió su rudimentario alemán. Su novio, Imre, policía de barrio, hizo un excelente negocio casándose con ella. Mis padres les aportaron buena parte del ajuar: sábanas, cazuelas, productos de limpieza y cubiertos, que estuvieron expuestos a la entrada de nuestro piso.

Imre había enviado un hermoso ramo de rosas que yo deshice rápidamente —puede que el gesto resultase algo teatral, aunque debo señalar que puse mucho cuidado en que las espinas no llegaran ni a rozarme—, colocando las rosas en la amplia cornisa de mi habitación. Teta e Imre se instalaron en una portería a estrenar a la entrada de los edificios de la Feria Internacional. Teta volvió con nosotros para quejarse: «Er ist so brutal...» («Es muy bruto...»). A la tierna edad de diez años adiviné —o quizá lo sabía ya— que se trataba de algo relacionado con su vida conyugal. En Hungría, si una mujer se entrega rápidamente, hace muy bien. Iba a visitarlos de cuando en cuando. Una vez llegué con la bragueta abierta, para vergüenza mía e irrisión de Imre, que se había vuelto más y más hosco, amargado, molesto y agresivo. No sé bien cómo, a los pocos meses nos enteramos de que Teta le había dejado creer que mis padres llenarían su despensa de harina, de arroz, de azúcar y de manteca por los siglos de los siglos. Se trataba de un ingenuo chantaje en el que mi familia no se dejó enredar.

No tuvimos noticias de la pareja tras instalarnos en la calle György Fejér, y había una buena razón para que no las tuviéramos: Imre había debido de volver por sus fueros de fascista y prohibió a Teta ponerse en contacto con sus antiguos amos, miembros característicos de la raza maldita, que lo eran sobre todo para la gentuza de entre la que solían sacar a los policías de barrio. Pero ¿cómo pudo ser que Teta se olvidase completamente de nosotros durante los fatídicos meses de 1944 en que los niños a los que había visto nacer, a los que había acunado, bañado, secado, aplicado ungüentos y espolvoreado con talco, eran obligados a llevar la estrella amarilla y a vivir expuestos al espíritu vengativo de muchos? Esta indiferencia aparente o real nos llenó de tristeza y me hizo mucho daño. Había sido mi segunda madre, la que me alimentaba y protegía. Adolescente, me sentí abandonado por mi hada campesina austriaca, que había roto su varita mágica para bendecir nuestra condena que, como los veredictos de los jueces de la Hungría medieval, era una condena, sin apelación posible, a muerte. En 1945, una voz anónima al teléfono pidió a mi madre un certificado de trabajo para la «pobrecilla», dado que había estado a nuestro servicio entre 1930 y 1940. Aprobé la decisión de mi madre de remitirle el documento en cuestión sin añadirle una sola palabra ni efectuar pago alguno. Dos años más tarde, desde la plataforma de un tranvía, me pareció reconocer a nuestra Teta en la persona de una miserable mendiga sentada delante del hospicio. Todavía me atormenta el recuerdo de aquella mujer envuelta en harapos desplomándose a la entrada de una puerta a la que se accedía por tres escalones. En ese periodo de la posguerra, el fracaso y el resentimiento, la falta de ternura y de caridad, se instalaron entre nosotros, sólidas como rocas.

El descanso

Me alejo del n.º 100 de la calle Aréna. Con la ayuda del *zoom* de la cámara, trato por última vez de atrapar sus heteróclitos volúmenes. La especie de torreta de la segunda planta llama mi atención. ¿Fue desde ese observatorio desde donde pude ver la huelga obrera de 1934, una de las primeras de su clase? ¿O es un recuerdo imaginario, nacido de la lectura de libros de historia? Todavía me parece sentir la misma náusea que se apoderó de mí la vez que un obrero aplastó con un gigantesco martillo el dedo de su compañero mientras este sostenía la rueda del carruaje que estaban reparando. Me dirijo hacia el metro, construido a finales del siglo XIX —extendido hoy día más allá del parque Municipal y de las termas Széchenyi, hasta la periferia capitalina—, y bajo en la plaza Déak, en el centro. Mi mirada se detiene en el actual Elisabeth Park Hotel. No me olvido de que en ese emplazamiento se hallaba en la entreguerra la Sociedad de Seguros Adria. En una elegante pensión, propiedad de la familia Tötösy —miembros de la nobleza de Hungría occidental—, pasamos los últimos meses de 1940, esperando nuestro traslado definitivo al piso de la calle György Fejér, no lejos del hotel Peregrinus. Durante mucho tiempo no me había fijado en esta opulenta propiedad, conocida como «palacio Wertheimer», transformado en 1945 en sede de la policía nacional que pasó rápidamente a depender de los servicios secretos, la AVO, el KGB húngaro. Hoy, mi mirada hace caer las placas de travertino que uniformemente cubren esta antigua fortaleza palaciega. Aparece debajo una grandiosa construcción haussmanniana, adornada con atlantes, con entablamentos y cornisas, frontones y columnas, típico todo del estilo Francisco José y de la increíble riqueza de las sociedades de seguros de la época. Fui muy desgraciado en esa célebre pensión, en la que condes y barones «de las dos religiones y de otras» habían compartido domicilio en otra época. Nuestra señorita de compañía, una belga rubia y aparentemente fría —pero cálida y sensible al deseo de los solteros con los que bailaba canciones lentas en el vasto salón de la casa—, no me fue de mucha ayuda. Mi habitación daba al pasillo que conducía a uno de los patios interiores, y las cortinas no protegían absolutamente nada mi intimidad. Sin la debida preparación, me vi conducido al colegio de los escolapios, donde el director imponía una férrea disciplina en medio de una atmósfera de chivateo y represión, aparte de pasarse el rato contando chistes odiosamente antisemitas. Sabía, desde luego, que había tres judíos en clase. Algunos de mis compañeros me perseguían y zaherían con motes racistas. Un día, a la salida de las clases de la mañana, el cura barrigudo y sádico al que mi madre había ido a ver para pedirle que me protegiera me paró y me dijo: «¿Cómo quieres que te defienda contra esos ataques si te empeñas en comportarte como un judío?». Esas fueron sus palabras, tan poco consoladoras como nada edificantes.

Veía poco a mis padres. Mi padre estaba siempre muy ocupado con la construcción del edificio. ¿Estaba enfermo ya en esa época? La infección de las amígdalas —operadas a los cuarenta años, dado que el intento de extracción del pus por aspiración mecánica se había revelado enteramente ineficaz—, sus fastidiosos problemas genitourinarios, ¿eran acaso síntomas o avisos de su enfermedad? Husmeando un día por la casa descubrí una jeringa con agua, oculta en el armario del baño. ¿Para qué servía? ¿Para lavarse la uretra?

    Tenía la impresión de haber perdido a la vez mi orientación y mis raíces. La escuela comunal me había preparado deficientemente para los estudios de secundaria y para la rigurosa disciplina que los escolapios imponían en el colegio. Sin embargo, mi padre había removido los cielos y la tierra creados por Yavé para hacer que me admitieran entre el cinco por ciento de alumnos de origen judío previsto por la ley. Me había presentado al párroco de una iglesia del centro que lindaba con la casa convento de los escolapios. El digno personaje nos recibió muy amablemente en la sacristía y se manifestó encantado por la estatua de la Virgen —adquirida en una tienda de objetos religiosos, en la calle Kígyó— que ofrecimos humildemente a la parroquia. Prometió recomendarme a su amigo..., el superior de la orden vecina. Luché contra mi desesperación, pero eso no me hizo menos afectado; me las apañé para que mi madre me encontrase sollozando en la cama, con una navaja abierta junto al pecho. Permaneció en calma, muy poco impresionada por mi comedia. Segura de sí misma, había completado su tarea. Y en efecto, desde el día mismo de nuestra entrada al nuevo piso, las toallas estaban en sus cajones; las sábanas, apiladas; los paños de cocina, ordenados. Hasta el último clavo estaba en su sitio, la cafetera colgaba de la pared de la cocina y el viejo aparador de la avenida Aréna había sido adaptado para poder empotrarlo en su lugar de siempre, en el comedor. Sobre el escritorio de mi padre, que rara vez utilizaba, dejó una bolsa bordada con un secante en su interior. Unas lámparas de hierro forjado o de latón, sencillas y modernas a la vez —«moderna» era la palabra preferida del decorador—, provistas de una docena de bujías, reemplazaron a las antiguas, que tenían largos brazos de madera, sólidos y dorados. Mi hermana tenía una bonita habitación con un balcón: yo fui alojado en una habitación oscura que daba a un desagradable pasillo, distante una decena de metros de la ventana de enfrente. Mis padres tenían su dormitorio aparte, como estaba decidido desde que se elaboraron los planos de la vivienda.

Las fotos también se ponen de luto

Casi todas las fotografías tomadas en mi visita de 1997 son en color. Curiosamente, solo las dedicadas a la casa de la calle György Fejér están en blanco y negro, como si esas últimas imágenes, tomadas por la cámara en una película olvidada dentro del aparato, estuvieran de luto, fueran expresión del estado depresivo que atravesaba aquel muchacho de diez años, confuso por la enfermedad del padre, que se dirigía tanteando hacia la adolescencia. Trato de fotografiar esa casa maldita. Situada en una esquina entre la calle György Fejér y la calle Szerb, no puedo distinguir más que una línea de casas casi idénticas. Me aposto en la acera de enfrente; a causa de la estrechez de la calle, que me sorprende nuevamente, me resulta difícil encuadrar los cuatro pisos y los ocho balcones laterales en el visor de la máquina. Me digo que el corazón tiene dimensiones que la razón no alcanza a distinguir. La puerta de entrada está cerrada; ignoro los nombres que figuran junto a los timbres del portero automático. Miro a través de los barrotes y del vidrio de la puerta. Observo los escalones que bajan hasta el nivel de la calle. El revestimiento de los muros, una especie de mortero engomado, solidificado y pintado una vez que el cepillo del acabado lo había dejado suficientemente rugoso, no ha cambiado nada. Permanezco ajeno, en todos los sentidos del término, a esta mansión. Especie de Fort Knox inexpugnable, no tiene nada que decirme y me quedo parado delante de la puerta, cerrada a cal y canto.

De vuelta en Trouville, liberado de la prohibición de recordar que me impuse en aquel sitio, penetré, armado con mi pluma, en un edificio contiguo de la misma calle, también promovido por mi padre. ¿Cuáles fueron los motivos que lo llevaron a invertir tan absurdamente en piedra y ladrillo? ¿Buscaba consolidar de forma definitiva el monto conjunto de la dote de mi madre y de la fortuna de sus padres? ¿Se había convertido en una obsesión su deseo de tener ingresos fijos? Como constructor, encontró un campo de actividad a su medida, muy bien considerado y con trabajo en abundancia. Esta repentina pasión monomaníaca debía de corresponderse con alguna intemperancia secreta de su carácter, absolutamente de otra naturaleza. ¿Quería acaso contribuir al embellecimiento de la capital, a la ampliación del centro, o su único deseo era dejarnos un buen patrimonio como herencia? Se ocupó personalmente de la compra de terrenos, de las discusiones con arquitectos y gremios, en una época en que los materiales de cierta calidad empezaban a ser difíciles de conseguir. Me acuerdo de nuestra primera visita al maquetista que nos enseñó la fachada del n.º 10 de la calle György Fejér. Me contó que un padre de familia se había suicidado tras ser expropiado. Suceso circunstancial o daño colateral, esa muerte fue rápidamente sepultada en nuestras conciencias.

La figura de mi padre aparecía siempre animada de una vivacidad febril que nunca llegué a descifrar del todo. Desde muy antiguo, algunas de sus pasiones me producían perplejidad. Era aficionado a las reparaciones caseras, y la compra de una llave inglesa perfeccionada o de un destornillador último modelo lo llenaban de entusiasmo. Me acuerdo aún de la caja de latón coloreado, que había contenido frutas confitadas y que usaba como depósito de herramientas. Tras haber dejado pasar la oportunidad de ser ingeniero, se volvió inventor. Concibió una especie de dispensador de arena bajo el guardabarros de los tractores para facilitarles maniobrar en superficies heladas. El invento, digno de un premio Lépine, fue registrado cumpliendo con todas las formalidades. En torno a 1942, se matriculó en un curso de soldadura al que asistió regularmente, durante unas cuantas semanas, en un garaje de las afueras. Me inició en la técnica de la soldadura autógena. ¿No se juntan las gotas de estaño fundido igual que mis recuerdos dispersos en este rapsódico relato? Hoy en día, analizo las señales que aquel adolescente trató de captar, de observar, de adivinar durante los cuatro años que precedieron a la muerte de su padre. ¿Se trató de una muerte natural? ¿De un suicidio? Si se le había diagnosticado un tumor cerebral, ¿no serían peligrosos los electrochoques sin anestesia y la insulinoterapia para luchar contra una depresión que se agravaba día a día? ¿Qué reveló el examen radiológico, que requería una previa insuflación de gas en la cavidad craneana? «Vaya usted a saber», me dijo un día en tono escéptico un eminente psiquiatra, apuntando a la falta de sentido de interrogarse al respecto. Estaba en lo cierto: me moriré y continuaré sin saber nada acerca de aquel secreto, algo de lo que mi madre siempre se negó a hablar. ¿Qué era lo que realmente sabía? ¿Había algún secreto? ¿No se dedicaban en realidad los médicos a probar y tantear, sumidos en la más completa ignorancia? Al comienzo de la enfermedad, mi madre empezó a llevar un diario con el fin de dar cuenta a su marido, algún día, de los trabajos ejecutados, de los tratos con abogados, de la venta de las joyas familiares y de la gestión de los bienes patrimoniales. Sin otra experiencia que la de una mujer de su casa y esposa fiel, sufriendo pacientemente los desvaríos del marido, se enfrentó de repente y sin preparación alguna al mundo de los negocios. Tuvo que admitir que debía renunciar —primero provisionalmente y luego de manera definitiva— a escuchar una sola palabra sensata de labios de aquel ser al que admiraba hasta la veneración, donjuán constructor de casas, jugador de tenis derrotado con el cerebro cubierto de grietas. No es que sus proyectos pecasen de demenciales. Apenas hablaba, gimoteaba, se iba debilitando, se bebía su vaso de tokay antes de la siesta. La evolución fue lenta, casi imperceptible. Todavía manejaba el automóvil, pero hubo de abandonar toda actividad profesional. Por otra parte, los Molinos Reales habían perdido su condición de pacífica actividad industrial para convertirse en fábricas militares. Fue despedido de un día para otro y el nuevo director al servicio del Ejército aprovechó para humillar al enfermo cuando fue a buscar sus cosas a su antiguo despacho.

¿Cuál fue mi actitud con respecto a él? ¿Compasiva? ¿Hostil acaso? ¿Vindicativa? ¿Indiferente? Lo aguantaba, trataba de protegerlo, pero nos íbamos alejando cada vez más el uno del otro. ¿Habré vivido esos años de pesadilla sin casi darme cuenta? ¿Sin desear su desaparición? Ahora sé que esas preguntas sin respuesta constituyen el corazón de mi relato. Compartimos buenos momentos, es cierto, mi padre y yo, especialmente en la Academia de Música donde me descubrió las nueve sinfonías de Beethoven. Me recuerdo esperando, desde el principio de la ejecución de la *Novena*, la entrada del coro, que él me había anunciado.

Yo asistía asiduamente al curso de iniciación musical de Dódy. Cada sesión era una fiesta para la que me aseaba y adecentaba cuidadosamente, cambiándome incluso de ropa interior. Ensayaba en casa con la flauta dulce, y no sabría explicar hasta qué punto me hallaba sorprendido, herido por las odiosas burlas que venían de la casa de enfrente mientras trataba de memorizar este o aquel pasaje. «Ya está dando la brasa el jodido judío de la flautita». Era un retén de miembros de la Cruz Flechada, los nazis húngaros, que esperaban a octubre de 1944 para hacerse con el poder.

«Los de ahí enfrente» se entremeterían peligrosamente en nuestra vida cuando nuestra casa fuese decorada con la estrella amarilla. La estrella, sobre el porche, estuvo allí varias semanas, y durante ese tiempo viví a su sombra. También llevé algunos meses la insignia. En el microcosmos húngaro estábamos localizados, señalados, «estrellados» desde siempre, y no había en todo el sur de Hungría zona liberada alguna para acoger a su vuelta a *Les Enfants du paradis*. A partir de 1945 no volví a pensar en ese trozo de tela con la estrella de David bordada. Aquel año, los judíos lloraron a sus muertos o contaron con detalle las circunstancias milagrosas de su supervivencia, sus empeños por recuperar los bienes que habían confiado a gentiles, así como los relatos de los gentiles acerca de los abusos cometidos por las tropas soviéticas, por kirguises, por mongoles o por otros indígenas de las estepas de Asia central, que se vengaban de las pérdidas sufridas ante las tropas alemanas machacando a la población. ¡Para algo estaban en territorio conquistado, en Hungría, aliada fiel de Hitler!

Tengo ante los ojos la foto en blanco y negro de la puerta de entrada al n.º 10 de la calle György Fejér. Es al escribir estas líneas cuando visualizo la estrella amarilla con las dimensiones reglamentarias, dibujada sobre un cartón y pegada en la hoja fija del portal. ¿Quién la retiró? No lo sé. Uno de los primeros decretos del gobierno provisional formado en Debrecen, compuesto sobre todo de comunistas recién llegados de Moscú, pero también de sus futuras presas —socialdemócratas, representantes del Partido de los Pequeños Propietarios campesinos—, fue la derogación de la legislación antisemita. Leí ese texto en no sé qué periódico, en 1945. Era lógico que sucediera así. Pero los esfuerzos de los constitucionalistas húngaros por mantener una continuidad jurídica entre la dictadura comunista de antes de la caída del Muro de Berlín y el nuevo orden político que vino a sucederla me parecen una completa abominación.

El regreso a casa o el desarrollo de un adolescente

El portal de entrada al n.º 10 de la calle György Fejér está abierto ahora para mí. Lo franqueo —llevo mi cabás y tengo unos diez años—, subo los pocos peldaños de la entrada elevada —porque dejar espacio para un refugio antiaéreo era obligado en la época—, entro en el ascensor, presiono el pulsador con el pulgar, llamo a la puerta de la segunda planta, sigo el corredor de la izquierda y entro en mi habitación. Pero ¡qué difícil es mirar a través del espejo empañado que vela el pasado, a la manera de un personaje de Cocteau! Trato de analizar las causas de mi tristeza y postración y no se me ocurre otra cosa a qué referirlas que no sean los problemas de desarrollo de la adolescencia temprana. El nuevo piso me inspiraba terrores infantiles. Mis padres volvían por la noche y yo me consumía pensando que los ladrones habían entrado en casa. Me ocultaba bajo las mantas seguro de que nunca me descubrirían. Me sumergía en la lectura de *Corazón*, de Edmondo de Amicis, una serie de relatos que tenían por tema los actos heroicos ejecutados por menores de edad y que era muy popular en la Europa central. Me acuerdo del joven Ferruccio, que protege con su cuerpo a la abuela cuando el vagabundo Vito Mozzoni trata de asesinarla. Herido en la espalda, muere. ¿Tenía miedo yo por mi propia madre? ¿Estaría tentado de identificar al desalmado Mozzoni con mi padre, o habría adivinado su enfermedad latente, que representaba una grave amenaza para todos nosotros? No me acuerdo más que del efecto hipnótico, paralizante, terrorífico, con que mi lectura de De Amicis me mantuvo en suspenso, casi totalmente abolida mi percepción de la realidad. También asocio a ese libro el recuerdo de una película americana que debí de ver antes de la guerra. La acción se desarrollaba en un escenario teatral: un traidor de sonrisa sardónica colocaba sobre una sierra circular a un muchacho atado a un tronco. Yo era ese muchacho y proyectaba en él toda mi obsesión de vivir *dividido*. Entre mis padres, quizá. Mi madre ocupaba la cama de la calle Aréna, y además había hecho fabricar un gran sofá destinado a mi padre. Las sábanas y las mantas se guardaban en un cajón, bajo los colchones, y el ritual diario de «hacer la cama» indicaba la cercanía de la noche. Una mañana me encontré con mi padre en el vestidor; me reprendió por decir a mi madre que no podía evitar besarla. Un segundo después, y lleno de cólera, me dio una bofetada con todas sus fuerzas. Encajé el golpe porque me pareció adivinar que detrás había una noche de confesiones y disputas con mi madre. Ella no se puso abiertamente de mi parte, pero me di cuenta de que estaba dolida por el incidente.

Yo debía de tener problemas de memoria y concentración, puesto que fui un alumno mediocre, incapaz de resolver un problema de álgebra, de memorizar las cinco declinaciones latinas o de resumir de forma coherente un texto en húngaro. El bilingüismo germano-magiar, que marcó con su sello mis cuatro primeros años, perturbaba la forma de hablar y de escribir del preadolescente nacido-judío-pero-que-iba-a-colegio-de-curas. Nunca llegué a comprender mi propia posición en el seno de mi familia en crisis, ni a entender mi estado, y tampoco a analizar y reconstruir la estructura interna de los relatos elaborados por otros. Tartamudeaba. Las vocales al principio de una palabra bloqueaban mi laringe y hacían que se me pegase la lengua al paladar. El sistema de chivateo organizado por el profesor responsable del curso me produjo auténtico pavor. Un día, me quedé mirando un tren eléctrico en un escaparate. Fascinado por el movimiento de la locomotora que arrastraba los vagones en miniatura, cautivado por la desaparición del convoy en los túneles y por su reaparición atravesando un viaducto, hablé con uno de mis compañeros, al que, por la comisión de alguna falta venial, el padre escolapio nos había prohibido dirigir la palabra. Me denunciaron y tuve que humillarme y pedir perdón, como si estuviera un poco alelado: «La verdad es que me olvidé, padre...». Pero la libido insatisfecha del religioso, su carácter colérico y una constitución sanguínea de gran comedor lo habían convertido en un sádico; con sus dedos medio e índice, huesudos y curvos, pellizcaba las mejillas, tiraba de las orejas y del pelo (de preferencia de las nacientes patillas, las partes más sensibles de a cada lado del rostro) y vaciaba en el suelo el contenido de las carteras de los alumnos por motivos banales. Maníaco de la limpieza, nos inculcó el temor a las omnipresentes bacterias, incitándonos a lavarnos las manos tan a menudo como nos fuera posible; nos inspeccionaba las orejas y, con la ayuda de una regla flexible, nos golpeaba sin piedad en las uñas entumecidas. Durante semanas enteras tuve que abrir las puertas sirviéndome de los codos. Sus chistes antisemitas estaban absolutamente desprovistos de caridad cristiana y alimentaban el odio racial que apuntaba entre la mayoría de sus alumnos. Sus comentarios siempre me dejaban asombrado. «¿A que no sabéis cómo se castiga al perro desobediente en mi Transilvania natal? Se le corta un trozo de cola con un hacha, se le unta con páprika y se le deja echar a correr, loco de dolor...». Así era este ser perverso, chulo y megalómano, que murió en una silla de ruedas, con las piernas amputadas. ¿No da la impresión de que todavía le tenga cariño? Puede que sea así. Es posible.

Mis aptitudes para la gimnasia eran totalmente inexistentes y mis bíceps destacaban por su nula consistencia. Entre los años 1940 y 1942, el profesor de Educación Física me parecía insufrible: nos hacía correr al ritmo de su claqueta como a los presos en el patio de la cárcel. Tras la guerra, comprendí que era una persona sensible, desilusionada, indulgente y bondadosa. Un soplo en el corazón —tratado con seis semanas de reposo— fue el mejor pretexto para escaquearme de trepar por una cuerda con los muslos apretados en torno de manera indecente; de todas formas, era incapaz de manejarme con ningún aparato, de saltar el potro o de suspenderme de las anillas que estaban situadas en el pórtico. Fui, naturalmente, excluido del grupo de jóvenes que, a partir de 1943 y una vez a la semana, debían participar en ejercicios paramilitares. Ese día, los escolares judíos fueron agrupados en un establecimiento auxiliar del centro: los católicos —lo mismo los bautizados al nacer que los conversos— llevaban un brazalete blanco, mientras que los israelitas que habían permanecido fieles a su religión ancestral debían llevar uno de tela amarilla. Agrupados en formación militar, desfilamos hasta un terreno de ejercicios cercano al parque Municipal, donde nos esperaba un teniente del Ejército. Este militar, con alma de gran señor, nos recibió con fingida severidad. Hizo alinearse a aquella tropa intimidada y nos animó a jugar a la pídola para, tras unas dos horas de ejercicio, mandarnos a casa. Quizá quedase algo de verdadera compasión en aquel oficial de carrera, al contrario de lo que pasaba con los escolapios, mis profesores. Me volví un poco místico, busqué refugio en una religión sentimental, y cada tarde imploraba arrodillado la misericordia divina. Fetichista, buscaba protegerme contra la mala suerte llevando en el bolsillo un crucifijo de hilo de plata trenzada que había comprado en la Feria Internacional y que conservé durante muchos años.

 Mi ortografía era deplorable. Mi padre me hacía copiar cinco líneas de texto húngaro cada día. Detestaba esa tarea, la evitaba cuanto me era posible, y, al final de las vacaciones, «extravié» el cuaderno de ejercicios. Acabó por imponerme a Ákos, el amigo de su secretaria Isa, amante suya, probablemente. Durante su enfermedad, ella venía a verlo de cuando en cuando con el pretexto de que tenía que firmar documentos. Ákos era una bella persona, alto, delgado, de formidable aspecto. Tenía decidido vengarse de mí por su situación de novio consentidor, obligado a aceptar el derecho de pernada del señor en el declive de su poder, precio a pagar por una buena dote para su futuro matrimonio. Ákos seguía los preceptos de los pedagogos sádicos de la vieja escuela: me hizo copiar centenares de veces las declinaciones y conjugaciones latinas, los refranes húngaros, los proverbios sapienciales y los propósitos de buena conducta. Mi madre, impotente, escuchaba mis quejas y mis injurias contra el vengativo maestrillo, inhumano aunque bastante inteligente. No tenía mucho mérito reventar la burbuja de mis mentiras. Pese a todos mis esfuerzos, la memoria me traicionaba; un profesor de Geografía, astuto y malintencionado, consiguió confundirme en cada una de sus lecciones durante tres semanas seguidas; yo traté de fingir que me había puesto los tres ceros en el curso de una sola sesión. Podía engañar a mi madre, pero no a Ákos. Por su parte, él multiplicaba sus maldades y mi exasperación crecía de un día para otro. «¡Ni por todo el oro del mundo me casaría contigo!», le solté un día. No dijo ni pío. Mi intuición había hecho su trabajo y se expresaba a través de ese comentario cuidadosamente elegido, insolente y dañino. Una vez casado con su Isa, que con seguridad siguió siendo fiel a mi padre, Ákos desapareció de mi vida.

Durante el curso escolar, mi madre hacía pasar por casa a damas de compañía de orígenes muy diversos para consolidar nuestros conocimientos de lenguas extranjeras, o eso decía pretender. En realidad, la pobre desgraciada no tenía un solo minuto para nosotros.

Tountoulou

Había contratado a Tountoulou, una dama de compañía austriaca perfectamente educada en las costumbres de la buena sociedad vienesa, casada con Hans, que alguna vez había sido un chico guapo y seductor, aunque bastante tacaño, procedente de una familia judía de no inferior nivel que la de su esposa. La pareja se había refugiado en Budapest en 1938, después de la *anschluss*. La inconsciencia, la falta de imaginación y la imprevisión de los judíos de Europa central durante los años que precedieron al Holocausto me siguen pareciendo hoy en día increíbles.

Estos burgueses vieneses, que educaban sabiamente a sus hijos haciéndoles escuchar un acto de *Tristán* una vez al año al menos, eran, sin embargo, gente bastante despreocupada, también. Nuestra ama de llaves nos contó cómo subían al tren, compraban los billetes, los hacían pedazos, fingían tomarse en serio las advertencias del revisor, volvían a comprarlos, los tiraban, los pagaban de nuevo y así hasta el final del viaje. Era algo absurdo y escandaloso, pero les hacía reír, sobre todo cuando el revisor, rebajado a personaje de opereta, entraba en el juego. Tountoulou nos cuidó, nos organizó y nos entretuvo en alemán, naturalmente. Trató de enseñarme el idioma sin mucho éxito, la verdad. Quiso iniciarme en la lectura de la canonesa Hroswitha de Gandersheim, pero carecía de talento pedagógico. Para resarcirse, y como era una gran lectora de novelas policíacas, solía contarnos a mi hermana y a mí los argumentos de esas novelas con admirable precisión. Fumaba mucho, y tenía una pitillera donde guardaba una boquilla Symphonia para filtrar la nicotina. Me gustaban mucho su firmeza y su inteligencia irónica y exigente. Su marido no hacía en realidad gran cosa. Traficaba en el mercado negro y nos conseguía huevos frescos, que llevaba en una bolsa de papel mientras se desplazaba sobre la plataforma del tranvía. En una ocasión, distraído, llevaba colgando la carga de la empuñadura de marfil tallado de su bastón. Con las bruscas sacudidas del vehículo, los huevos transportados en secreto —puesto que normalmente se distribuían mediante la cartilla de racionamiento— se rompieron y comenzaron a gotear; ese incidente en Budapest le hacía reír tanto como la farsa de los billetes de tren hechos pedazos en Viena.

Me acogieron entre ellos y me dieron la bienvenida sin ceremonia y con apariencia de desconsuelo el día mismo o al siguiente de la muerte de mi padre. Agotado, me desplomé en su sofá. Y guardo un muy buen recuerdo de aquel sueño profundo. No volví a verlos tras la ocupación alemana de Budapest. Formaban una pareja «aria a medias», según acreditada definición. Jurídicamente,

Tountoulou protegía a Hans, dispensado de llevar la estrella amarilla. Pasaron las últimas semanas del asedio de Budapest en el refugio del n.º 13 del bulevar Saint-Étienne, en las inmediaciones de la «Nueva Ciudad Leopoldo», barrio que se consideraba propio de «judíos advenedizos», donde mi padre construyó uno de sus inmuebles. A lo largo del invierno de 1944-1945, Hans contrajo cáncer de pulmón. Sus accesos de tos sacaban de quicio a los ocupantes del refugio. Tras la liberación —dominado por su pasión de estraperlista—, entró en contacto con traficantes clandestinos de divisas perseguidos por la policía del régimen comunista. Su estado se agravó hasta tal punto que Tountoulou, convertida en su enfermera y cuidadora exclusiva, me prohibió volver a verlo. Murió miserablemente. Un día, Tountoulou tuvo con mi madre una misteriosa conversación. Me enteré de su contenido muchos años después. Eva, una de sus alumnas de quince años, había quedado encinta por obra de un simpático joven al que yo debía conocer. Ella *tenía* que abortar, algo que estaba estrictamente prohibido y severamente castigado. Tountoulou suplicó a mi madre que le financiase la operación con un napoleón, que correspondía a los honorarios reclamados por la practicante. Pese a estar casi en la indigencia, mi madre hizo lo que le pedía.

Fue en esta época cuando descubrí una carta de amor ingenua y conmovedora dirigida a mi madre por el librero-editor que la había contratado. Era un tipo gordo, bondadoso y sincero, atado a una esposa intratable que había sido profesora de mi madre en la época en que frecuentaba un colegio de Budapest. «Creo que ha llegado el momento de que me des una satisfacción»: este era, en realidad, el asunto principal de la misiva. Con el complejo de Edipo propio de un buen hijo, fui tentado por los demonios del temor y de los celos, sin saber a qué santo encomendarme. Me precipité a casa de Tountoulou, que me escuchó atentamente y me preguntó en tono tranquilo algo que todavía hoy resuena en mis oídos: «¿Preferirías que tu madre se acostase con un portero?». Yo debía de estar bastante desconcertado, pero tuve que tranquilizarme, porque no recuerdo nada del resto de la conversación. Los focos no acaban de iluminar la escena. Sin embargo, se proyectan una vez más sobre Tountoulou.

Tountoulou se quedó sola, viviendo en condiciones muy difíciles. Después de 1948, permanecer en Budapest no tenía sentido ni justificación. Se marchó a Viena a ver a su hermano. ¿Cómo se vería acogida en aquella ciudad ocupada por los aliados, dividida en sectores y donde la presencia rusa tanto se hacía notar? No lo sé. Volvió a Budapest desilusionada de su país, descorazonada, abatida. Deberíamos de habernos dado cuenta de su depresión. Sabedores de su vida miserable, apenas le prestamos ayuda. Primero vendió los trajes de Hans; después, sus objetos personales; luego, toda su ropa, hasta las hormas de los zapatos, que ya no servían para nada.

Sí, todavía me invitó a almorzar una vez; en aquella habitación, comiendo el pollo en que se había gastado sus últimos forintos, tuve un extraño presentimiento que no supe interpretar... Tountoulou se quitó la vida sobre la tumba de su marido; después de haberse tragado los barbitúricos, se tumbó trabajosamente a un lado. Eva nos dio la noticia, y su madre se ocupó del entierro.

Fernande

No sé exactamente en qué circunstancias contrató mi madre a Fernande, mejor dispuesta que Tountoulou y que se ofrecía a acompañarnos también durante las vacaciones en los alrededores de Budapest o junto al lago Bálaton. Según su propio relato, Fernande había sido la gobernanta de un príncipe ruso, poco antes de ser este atrapado por los bolcheviques. Creo que la había contratado en París y que se la había llevado a Rusia consigo. Rondaba la cincuentena cuando la conocimos. Me recordaba a ciertas figuras de Toulouse-Lautrec. Rápidamente me di cuenta de que no dominaba la ortografía francesa. Según mi hermana, que se había quedado estupefacta al escuchar que en París se comía pan con chocolate, hacía pipí en el lavabo, lo que resultó ser cierto, aunque nadie se lo creyera. Fernande, que nos apreciaba sinceramente, vivía en casa de una familia de la extrema derecha, pero nos llevaba trenzas de *brioche*, elaboradas en el horno de su familia de acogida, en la época en que nuestra casa ostentaba la estrella amarilla.

Tras la liberación, volvió a instalarse en nuestra casa; enferma, hinchada a causa de la uremia, devoraba en secreto los botes de mermelada religiosamente conservados en el aparador. Nosotros tratamos de cuidarla, preocupados lo mismo por su porvenir que por el nuestro. Felizmente, la familia de extrema derecha de marras, que se había marchado a Alemania por miedo a las represalias contra los antiguos colaboracionistas, volvió a Budapest y volvió a acoger a Fernande. La vi de nuevo en 1957 o 1958 en París, en la biblioteca de la Alianza Francesa; llevaba el mismo peinado a capas, coronado por el tocado de siempre. Con una increíble torpeza, mantuve una actitud de reserva al encontrármela, enredado como lo estaba en mis propios problemas materiales. ¿O tenía más bien la impresión de que esa mensajera surgida del pasado me sumergiría en la evocación de tiempos tan dolorosos como tristes? Yo necesitaba romper con Hungría, convertirme en francés, perder mi acento (fui a ver al señor Simon, de la famosa Academia Simon, en el bulevar des Invalides, quien, satisfecho ante mi lectura de un pasaje particularmente difícil de las *Memorias* de Saint-Simon, me dijo sin embargo que no me hiciera ilusiones a ese respecto), iniciar, en fin, una nueva vida. El recuerdo de Fernande todavía me emociona hoy; me gustaría besar su rostro cuadrado, flácido y tan escandalosamente maquillado como el de una vieja buscona.

Vuelvo a encontrarme en casa

En verano, mi madre nos mandaba lo más lejos posible de casa. Preocupado por la enfermedad de mi padre, la idea de su eventual fallecimiento no se me pasaba, sin embargo, por la cabeza. Me aburría la mayor parte del tiempo. Vegetaba entre dos salidas al cine y aquel periodo tuvo su apogeo con los temidos cuidados dentales. Nuestros padres venían a buscarnos a la estación. A la vuelta de una estancia en el Bálaton, mi padre conducía a mucha velocidad; tuve miedo y me quejé en voz alta. Una palabra de mi madre me hizo callar. Ella sabía que podía contar con mi complicidad y con mi compresión en relación con mi padre, disminuido, debilitado y taciturno. Iba a irrumpir en la madurez en medio de aquellas depresivas circunstancias. Mi incultura literaria se compensaba con mi gusto por la música, única pasión que me exaltaba y llenaba de gozo.

A partir de los diez o doce años, leía todos los días el diario de las ocho de la tarde, *8 órai Ujság*. Me acuerdo de un artículo aparecido en 1942 o 1943, dedicado a un neurocirujano sueco de visita en Budapest, el profesor Olivecrona de Estocolmo —del que habla Frigyes Karinthy en su *Viaje alrededor de mi cráneo*—. A cambio de una importante remuneración, debía operar al hijo de una gran familia judía afectado por un tumor cerebral; al mismo tiempo, y esta vez gratuitamente, practicaría la misma operación al hijo de una familia protestante sin recursos, perteneciente a la pequeña nobleza transilvana. Ninguno de los dos enfermos sobrevivió. El diario dio la noticia de la inhumación del joven israelita. Sus padres lo hicieron enterrar junto a su acordeón. No creo que la idea de una posible operación a mi padre se me pasara por la cabeza. Su muerte me sigue pareciendo misteriosa; «vaya usted a saber» la verdadera causa de su fallecimiento, sin documento, testimonio o traza de diagnóstico alguno. A mí me pareció brutal, inesperada, espantosa... Un golpe dolorosísimo, un escándalo y no el fin lógico de un proceso de degradación. Nuestra pena, nuestro estupor y el inevitable alivio que los siguió, todos esos contradictorios sentimientos fueron, por decirlo así, barridos por los acontecimientos, por la invasión del país por los alemanes y por la promulgación de los primeros decretos antisemitas. Y hablo de «decretos» dado que el Parlamento no volvió a reunirse hasta el fin de la era de Horthy.

¡Qué hermosa eres, Hungría, tierra espléndida donde la rubia sirena juega en el río Tisza!

En el invierno de 1942, a causa de la enfermedad de mi padre, el ambiente en casa no era muy festivo. Mi madre nos mandó a mí y a mi hermana al circo, para que dejásemos un rato aquel ambiente de tensión. Yo frecuentaba regularmente el establecimiento, distante unos cien metros de la calle Aréna, desde, como poco, mis cuatro años. Se llamó sucesivamente Beketow, Fényes y luego Fővárosi Nagycirkusz. Asistí allí a representaciones de grandes músicos payasos: del suizo Grock, del catalán Charlie Rivel y de sus compañías. Entre dos números de acrobacia, Zoli, el payaso enano, entretenía a los niños con los otros payasos de la *troupe*. Me enteré, mientras escribía estas líneas, de que Zoltán Horváth, Zoli, dio sus últimas volteretas en esta tierra en Auschwitz. ¿Por ser judío? ¿Por ser enano? Pero que no se me malinterprete: hago comentarios sobre aquellas visitas al circo pertrechado con mis conocimientos históricos de hoy, recién adquiridos, como quien dice.

Fueron siempre trapecistas húngaros los que dieron vistosidad al espectáculo. Una hermosa acróbata, suspendida por los pies de una barra horizontal, desplegaba una bandera húngara y la hacía flotar allá arriba, en lo alto, por encima de las cabezas de los espectadores, mientras la orquesta ejecutaba el himno de los patriotas, dedicado a la Hungría de antes del Tratado de Trianón. «Qué hermosa eres, Hungría, tierra espléndida». La trapecista de sonrisa postiza parecía desafiar las leyes de la gravedad, libre, aparentemente dichosa, sin red protectora, una reina en la cúpula del circo.

Tengo la sospecha de que, aquel mismo mediodía, el 2.º Ejército húngaro, con más de 325 000 hombres, avanzaba a marchas forzadas hacia el frente de Vorónezh, que se desplegaba a lo largo de varios cientos de kilómetros, con el objetivo de asistir a las tropas alemanas que asediaban Stalingrado. El mando del 2.º Ejército fue otorgado al general Gusztáv Jány. Su padre, que se apellidaba Hautzinger, tomó su nuevo patronímico del apelativo infantil de su propia madre, demostrando así su amor a toda prueba a la Hungría nacionalista. Tras la ofensiva del Ejército Rojo en enero de 1943, más de la mitad de los efectivos húngaros fue aniquilada en las curvas del Don.

140 000 hombres muertos: militares de carrera la mitad, la otra mitad voluntarios y auxiliares judíos, dedicados estos últimos a trabajos de colocación de minas anticarro. Los alemanes, rodeados por los rusos, se retiraron, abandonando aquella trampa mortal, mientras el valiente general Jány, el héroe de la lucha antibolchevique, obligó a su ejército a permanecer en el lugar. En la orden del día del 23 de enero de 1943, hizo a sus propias tropas responsables de la derrota. Según algunas fuentes, las hizo diezmar. Algunos fragmentos de ese texto delirante merecen ser reproducidos aquí:

> El Ejército húngaro ha quedado deshonrado, porque con la rara excepción de unos pocos hombres verdaderamente fieles a sus juramentos y deberes, no ha podido cumplir con lo que la patria le demandaba.
>
> La superior fuerza enemiga nos hubiera hecho abandonar nuestras posiciones aun habiendo cumplido la tropa con su deber. Eso no es motivo de vergüenza. Es, simplemente, un desastre. Pero el deshonor es producto

de la huida cobarde, descorazonada, desalmada, de la que somos acusados lo mismo por el ejército alemán que por la patria. Y no les falta razón en acusarnos.

Que se haga saber a la tropa que nadie puede abandonar su puesto, ni por enfermedad, ni por sufrir heridas, ni por congelación. Todo el mundo, sano o enfermo, debe permanecer en su sitio, en el destino donde sea reubicado, hasta curar o morir.

El orden y la más férrea disciplina deben ser inmediatamente restablecidos, con mano dura, incluso con aplicación de la pena capital, si se considerase necesario. No ha de haber excepción alguna, ni entre la clase de tropa ni entre la oficialidad. Quien no obedezca esta orden no merece que se alargue su miserable existencia ni nuestra vergüenza.

Es necesario entender que habrá fuertes recortes en los suministros. La prioridad en los suministros la tienen los que lucharon en el frente. Los que, habiendo abandonado su destino, permanecen en la retaguardia, pueden dar gracias a Dios si reciben lo bastante para no morir de hambre. Las posiciones que abandonamos han sido ocupadas por el ejército alemán: ellos merecen ser nuestra principal prioridad. En nuestro caso, hasta que no lleguemos a ser de verdadera utilidad en la lucha, no nos merecemos nada.

Desde el primer momento debe incidirse en el refuerzo, o bien en el establecimiento de la más férrea disciplina. En primer lugar, en cuanto a la apariencia exterior. No se tolerará que nadie vaya calzado con trapos, ni ropa civil alguna, ni ropa en la que no pueda distinguirse con claridad el rango, con excepción de los chalecos y los guantes reglamentarios. En segundo lugar, en lo que se refiere al comportamiento. Todos los superiores deben exigir el saludo, forzándolo llegado el caso, y que se los trate con el respeto debido. Doy autorización para que se emplee cualquier método a ese respecto. Hasta que no logremos una completa disciplina, cualquier obstáculo en esa dirección ha de ser eliminado sin demora.

Las compañías de trabajo forzado, hasta que sean transferidas al ejército alemán, deben ser utilizadas como fuerza auxiliar local, en beneficio de las unidades combatientes. También los hombres con sabañones deben ser utilizados en estos menesteres. Igualmente, se los destinará a la retirada de la nieve de los caminos y a su limpieza.

Los partes de los últimos días subrayan que las compañías de trabajadores judíos marchan reticentes, pero en orden, mientras que la así llamada «tropa regular» exhibe un nivel de dispersión animal que hace recordar el de las piaras de los cerdos.

Mando, por último, que esta orden sea repetida, en sus puntos más sustanciales, todos los días.

Sabemos hoy que los trabajadores judíos compartieron el destino del derrotado ejército húngaro y que, abandonados, sufrieron grandes pérdidas durante la retirada. En algunos hospitales de campaña, los trabajadores judíos con tifus fueron instalados en cabañas con el techo de paja. En abril de 1943, alrededor de Pascua, algunos efectivos del disuelto ejército rociaron gasolina alrededor del hospital, incendiaron los techos de paja y ametrallaron a los que querían huir. La investigación, tras la revelación de estos crímenes, concluyó que el incendio fue causado por trabajadores judíos que fumaban cigarrillos, y que el guardia se vio obligado a matar a los fugitivos para que sus ropas incendiadas no propagasen el fuego.

Tras haber dejado atrás 140 000 cadáveres, Jány volvió a Hungría en un tren puesto a su disposición, el primero de mayo de 1943. Fue recibido por el presidente del Consejo de Ministros de Kállay. En 1944, abandonó Hungría, junto a sus amigos los alemanes, y acabó en la zona de ocupación americana. Seguro de haber cumplido con su deber y de haber servido con lealtad al régimen del regente Horthy y del país entero, regresó a Hungría, donde fue condenado a morir en la horca en 1947. En 1993, se intentó blanquear su expediente de guerra, apelando a que la orden que hemos citado jamás tuvo ejecución efectiva. Su rehabilitación está en proceso.

Epílogo

Durante las horas fecundas del amanecer, avanzo en mi tarea de rememoración. Ya no me siento extranjero en el inmueble n.º 10 de la calle György Fejér, ni me sorprendo tampoco al sostener la foto en blanco y negro, testimonio a la vez de una visita reciente y de un pasado remoto. Aquí me encuentro en casa y repaso mi atormentada existencia durante los años 1944 y 1945. Franqueo sin cuidado la puerta de entrada y subo los escalones. Día a día, vuelvo a ser el adolescente que fui hace más de medio siglo.

CAPÍTULO SEXTO

La muerte de mi padre

El 11 de enero de 1944 me encontraba en medio de la calle Szerb, pasando por delante de la librería del señor Püski, que, tras haberse dedicado a editar libros de autores populistas, había pasado entonces a publicar los de los fascistas. Giré a la izquierda y me metí en la calle György Fejér. Delante de la puerta del n.º 10, protegida por barras pintadas de verde —aunque faltas de color en mis fotos—, soy el adolescente que vuelve del colegio.

Subo al primer piso para dirigirme a la casa de mis abuelos, donde la familia tiene la costumbre de reunirse antes del desayuno. Tras la muerte de mi abuela, mi abuelo vivía solo, atendido por Pötye, su nuera, la esposa aria de su hijo menor, que se ocupaba de cuidarlo y a la que regaló los bolsos de piel de cocodrilo de su esposa. Entre sus fantasmales amigos se contaban un barón arruinado y su mujer, que recordaban a personajes de novelita romántica. Él se ocupaba de adiestrar a mi tío en sus ruinosas habilidades de jugador.

La puerta de entrada, idéntica a todas las otras del edificio, era totalmente de madera (¿existía en esa época el tablero contrachapado?), con tres ranuras enmarcadas con bordes niquelados. En el interior había un vidrio cubierto con una cortinilla plisada que protegía el hogar burgués de las miradas indiscretas. No se permitía entrar al cartero: nos metía las cartas certificadas por una de las ranuras y dejaba el correo común a un lado de la puerta.

Llamo…

Me abre Mitzi: «Frédy, cariño, ha ocurrido una terrible desgracia, sube a tu casa». Mitzi no era un personaje de novela de Zweig; en todo caso, recordaba más bien a alguno de Schnitzler. Criada de mis abuelos, un día se hizo notar en una conversación de sobremesa al precisar con notable exactitud la fecha de la batalla de Mohács, en la que los húngaros fueron derrotados por los turcos en el siglo XVI. Aquello fue lo nunca visto, porque el personal guardaba un estricto silencio mientras servía la mesa y los señores comían.

La idea de la muerte de mi padre no se me había pasado por la cabeza nunca. Trataba de controlar la tristeza que me producía ver a aquel hombre activo, deportivo y emprendedor degradarse de un día para otro, vegetar, convertirse en una especie de alga, solo consciente de su propio anonadamiento. La enfermedad no había dejado de avanzar y las terapias para sacarlo de su letargo se volvieron cada vez más violentas.

Fue la enfermera contratada en las últimas semanas de su enfermedad —¿temían todos que mi padre tratara de suicidarse?— la que me abrió, muy nerviosa, la puerta y me condujo hacia mi habitación, donde nunca había acabado de sentirme a gusto. Encontré allí a mi madre, al doctor Klauber, a mi abuelo y a mi hermana de diez años. Mi madre me dijo: «Papá ha muerto». «¿Y de qué vamos a vivir nosotros?». Esa fue la única pregunta que se me ocurrió —aunque ahora me deje estupefacto— tras conocer el deceso de mi padre, al que en otro tiempo admiré por su fuerza física y a quien luego llegué a despreciar por su debilidad, que hubiera debido tolerar, comprender y perdonar. ¿Fue acaso producto de la impresión esa valoración mía de la imagen tradicional del padre, ocupado en mantener a su familia mediante su trabajo, o solo un cliché de normalidad? El humillante trato otorgado al director de los Molinos Reales, despedido sin contemplaciones en apariencia por su enfermedad, pero seguramente debido a sus orígenes judíos, tuvo que afectarme bastante, ahora me doy cuenta. Mi madre no pareció dar mucha importancia al asunto. Con asombrosa presencia de ánimo y con su dignidad habitual me dijo: «Lo esencial es respetar su memoria y seguir el ejemplo que nos ha dejado». ¡Pobre viudita de treinta y siete años, que ahora podrías ser mi hija! Doy testimonio de tu valor, a pesar de que solo el final de la larga pesadilla que habías vivido pudo haberte dictado esa asombrosa sentencia. Permanecí en calma, sin necesidad alguna de utilizar el calmante que el doctor Klauber me había recetado discretamente. «¿No se puede hacer nada por salvarlo?», le pregunté. Emocionado, el doctor me aseguró que el caso era desesperado y que probablemente se tratase de un tumor cerebral. ¿O fui yo acaso el que le sugirió el diagnóstico a raíz de mis preguntas? La enfermera, que había pasado la noche entera en la habitación del enfermo, se lamentó: «Ayer por la noche todavía estaba consciente». ¿A qué hora se produjo el fallecimiento? ¿Quién fue el primero en darse cuenta? Yo volví hacia la una y media. ¿Cuándo lo había examinado el médico?

La hipótesis del suicidio nunca se me había pasado por la cabeza, hasta el día que György Ferdinándy me envió su libro, escrito en húngaro, *Cementerio de mamuts. Magiares en el trópico*. Fue en 1982. Tras haber publicado algunas colecciones de relatos en Francia, Ferdinándy había seguido su itinerario de exiliado hasta Puerto Rico, donde se dedicó a la enseñanza del francés. Al jubilarse atravesó por una grave crisis, según confesión propia; llevaba muy a disgusto la sensación de ser un escritor emigrado que había perdido absolutamente el contacto con su lengua materna y su país natal. Decidió hacerse «sociógrafo», y se dedicaba a recolectar las confidencias de gentes a la deriva que se habían cruzado en algún momento con él. En esas circunstancias se topó con tía Juliska, una anciana que fue cocinera en las mejores casas burguesas de Budapest y que había terminado por irse a vivir con su hija, radicada en Puerto Rico. En el trópico, esta mujer de clase baja que había sobrevivido a las mayores catástrofes de la Europa central durante toda su juventud y hasta en su ancianidad, rastrillaba el suelo alrededor de las palmeras, regaba los inmensos helechos de un verde odioso que poblaban el jardín de su hija y aprovechaba el frescor ilusorio producido por el ventilador de hélice para contar su vida. Esto contaba la tía Juliska: «Me contrataron para trabajar en la calle Aréna, n.º 100, junto al Ramoneur —un restaurante popular de tercera categoría—; el padre de la familia era propietario de unos molinos, tenía ya niñera y criada, y quería que me ocupase de la cocina. El señor Loránt —me esfuerzo en respetar el estilo y el fraseo de la tía Juliska— era un hombre rico». Conoció entonces a su marido, que, según se rumoreaba, vivía en concubinato con otra mujer más joven. Tras ese aparte, retoma el relato que más directamente me concierne: «Permanecí casi un año y medio al servicio del gran propietario. Era gente muy distinguida, hablaban francés y poseían muchas tierras, aportadas al matrimonio por la esposa. Ella era, por sorprendente que parezca, de una enorme sencillez. Educada en Suiza, había aprendido a programar las actividades domésticas y las comidas. Sus platos fríos eran auténticas maravillas».

La cocinera nos conocía bien. «Se trajeron una niñera alemana de Kaflenberg cuando vino al mundo el primogénito, Frédy. Era un chico hermoso, gordo, muy vivo, pero aprendió a hablar muy tardíamente. ¿Cuándo? No podría asegurarlo. De todas las maneras, los judíos siempre han tenido problemas para pronunciar la letra erre. Después llegó el nazismo y el pobre señor Loránt se suicidó, tras ser promulgadas las leyes antisemitas. Me despidieron. Solo la criada de Nyék y la niñera alemana permanecieron a su servicio».

El tiempo se contrae y se espesa, los sucesos se confunden en la memoria de esta cocinera húngara solitaria, abrumada por la vejez, mal atendida por su hija y presa de la nostalgia del exiliado en el lejano Puerto Rico. Es cierto que estuvo a nuestro servicio unos quince meses, entre 1930 y 1931. Me reconozco perfectamente en ese «Frédy», diminutivo de Alfréd, el nombre propio de mi abuelo materno: nacido el 13 de junio de 1930, fui un niño rollizo y alegre, a la vista de las fotos del álbum que mi madre salvó milagrosamente. La niñera, Teta, se casó en 1940. Es verdad que las primeras leyes antisemitas entraron en vigor ese año y que las autoridades húngaras elaboraron una lista con los judíos que debían ser deportados a campos de trabajo, pero la fase de la «solución final» no llegó hasta 1944, el año de la entrada de las tropas alemanas en Hungría. Una amigdalitis aguda y, sobre todo, una misteriosa infección del aparato genitourinario fueron, en 1940, los primeros síntomas de la depresión que mi padre atravesó después. Su estado se agravaba poco a poco. Me acuerdo de una especie de sepultureros que arrastraban el inmenso generador utilizado para producir la corriente para los electrochoques. «Le tiembla todo, hasta la más pequeña de sus articulaciones...», dijo un día suspirando la enfermera que lo asistía en esas sesiones de tortura. ¿Llegó a reservar sus últimas fuerzas para rebelarse contra la tiranía médica y contra su terrible debilidad? ¿Recuperó lo suficiente la lucidez como para darse cuenta del carácter ineluctable de su enfermedad y la energía necesaria para acabar con su vida recurriendo a la ingestión de un tubo de barbitúricos? Por lo que llegué a oír entonces, creía estar solo en el piso y había llamado a su última amante para despedirse de ella. Aunque, según Pali, su mejor amigo, emigrado a Viena en 1956, no hubiera tenido fuerzas suficientes para atentar contra su vida.

Me escucho diciéndole a mi hermana: «¿No vas a llorar?». Nadie, por otra parte, se dejó llevar por la angustia. Mi abuelo entró en la cámara mortuoria de su hijo y mi tío Gyuri me preguntó si no quería ver a mi padre. Me negué a entrar en esa habitación sombría: tenía miedo de la muerte y del muerto. Gyuri me obligó educadamente a acompañarlo a la oficina de las pompas fúnebres, que, según la costumbre, estaba tapizada de terciopelo negro. La visita no tenía otra finalidad que negociar las condiciones y el precio del enterramiento, y fue bastante rápida. Mientras Gyuri leía *Magyar Nemzet* («nación húngara») —un periódico que consiguió conservar cierta independencia respecto de los sucesivos regímenes políticos—, pude ver la doble esquela dedicada a la muerte de mi padre: una, pagada por la familia; la otra, por la dirección de Molinos Reales, de donde lo habían echado a la calle. Gyuri se dio cuenta de que yo dejé de mirar el periódico, como si la lectura de esas líneas me estuviera prohibida. Ante mi temor a enfrentarme con la realidad, me entregó el periódico. «Léelo, es algo que te concierne».

Mi angustia acabó de cristalizar en el entierro. Conocedora de mi temperamento nervioso y tratando de controlar la sensibilidad de mi hermana, mi madre buscó mantenernos alejados. Mi hermana fue acogida por la familia del doctor Hamburger, el cirujano del sanatorio del Parque. (Édith acaba de confiarme, casi medio siglo después, que se ponía celosa de su amiga Klárika, la hija del doctor, cuando trepaba al regazo de su padre). Por mi parte, fui alojado en casa de los mejores amigos de mis padres, Pali y Médy, en su lujosa mansión de una de las colinas situadas frente al Castillo de Buda. Pali quería ocuparse de mí, pero ni siquiera supo quitarme de la cabeza mis obsesiones. Mientras ampliábamos fotografías en su laboratorio, me preguntó por los motivos de mi abatimiento, intentando averiguar exactamente de qué tenía miedo. Estaba obsesionado con la idea de la bajada del féretro al fondo de la tumba y por los gestos, que me parecían indecentes, de los sepultureros, que llevaban enrolladas en las piernas las correas destinadas a amortiguar el choque del féretro con el fondo. Siempre he sido —y lo sigo siendo— un incansable fabricante de fantasías. Tenía la impresión (¿o se trata solo de imaginaciones surgidas con posterioridad?) de que aquellos enterradores con las piernas abiertas estaban defecando en la tumba, meando encima del muerto, mientras exhibían aparatosas erecciones y eructaban sin pudor alguno. La tierra hervía de gusanos dispuestos a devorar a muertos y vivos. Me amenazaban las serpientes y estaba paralizado, incapaz de emprender la huida. Pali trató de calmarme, sin pretender convencerme de lo absurdo de mis miedos.

Una vez en casa, me tranquilicé. Los restos de mi padre —realmente ausente en tanto que padre durante esos últimos años— ya no estaban allí. Nos dispusimos a irnos. Mi madre vestía de luto. Fue entonces cuando escuché los consejos poco acertados pero llenos de tacto de nuestra Teréz: «¿No te habrás olvidado del pañuelo? Allá abajo sopla un viento muy fuerte…». El taxi nos llevó muy, muy rápido hacia el cementerio Kerepesi, donde nos esperaba un coche fúnebre de lujo, una carroza con los cristales esmerilados arrastrada por dos caballos con aparejos negros, al viejo estilo. El maestro de ceremonias nos invitó a seguir con los cantos fúnebres hasta la tumba. (Me acuerdo de la tragicómica persecución que se produjo, entre la Salpêtrière y el cementerio de Bagneux, durante el entierro de mi madre, en 1975. El coche fúnebre, una furgoneta Renault, corría que se las pelaba para desembarazarse cuanto antes de su carga. Solo a la entrada del cementerio el chófer, una especie de Lucky Luke vestido de negro, adoptó una velocidad más acorde a las circunstancias). El féretro con mi padre fue descolgado hasta el fondo del foso, aunque no tengo claro haber estado tan cerca como para verlo, mientras que cuatro chantres contratados al efecto salmodiaban circunspectos el réquiem. No entendí ni una palabra del discurso fúnebre, ni vi pasar a ningún religioso a bendecir el féretro y reconfortar a la viuda y a los miembros de la familia. Los enterradores, ansiosos por terminar con su trabajo, llenaron rápidamente el hoyo enorme, contratado a perpetuidad, y luego me ocupé, a indicación de mi madre, de entregarles una desproporcionada propina. La tumba —el montículo era obligado y formaba parte del paisaje común a todos los cementerios de Europa central— fue rápidamente erigida y cubierta con numerosas coronas de flores, para general satisfacción de la concurrencia.

Mi hermana no fue al entierro. Los días siguientes los dedicamos a recibir visitas de condolencia. Al cabo de una semana, reemprendí mis estudios en el liceo, llevando, según se estilaba entonces, un brazalete negro en el abrigo. Con el pretexto de la tristeza y el luto, procuré sustraerme a mis obligaciones, dejé de hacer los deberes y no contestaba cuando me preguntaban en clase. ¿Me aproveché de la situación? Estoy convencido de que así fue y de que era muy consciente de todo. Mi madre tuvo que responder numerosas cartas de pésame y yo la ayudé escribiendo en los sobres el nombre de los destinatarios. Las normas de cortesía estaban perfectamente codificadas en aquella sociedad burguesa, y el título debía preceder siempre al nombre del destinatario, destacando así tanto su profesión como su rango social. En relación con Károly Herzka, un primo lejano, dudé entre «muy estimado» y «muy honorable», y pedí consejo a mi madre. Inexplicablemente, perdió su paciencia habitual y se indignó con una violencia que resultaba bastante rara en ella: «¿Cómo va a ser Károly Herzka muy honorable si es un simple peletero?». El reproche me dolió profundamente y me puse a llorar por primera vez desde el fallecimiento de mi padre. «¡Qué bronca tan inmerecida e injusta!», me repetí durante horas, sentado junto al escritorio de mi padre, siempre impecablemente ordenado. Sin embargo, sabía que no podía culparla de nada.

¿En qué momento me confió mi madre que nada más producirse la muerte de mi padre se pasó varias horas junto a su lecho y que «le había contado todo»? Por el tono de su confidencia, supuse que debía de haberle hablado de su amor, de todo lo que habían hecho él por ella y ella por él, de lo bueno y de lo malo. Ese expediente, ese proceso incoado contra el ser querido, cuidado y detestado a la vez, ese monólogo de despedida, esa lamentación silenciosa tejida con los recuerdos y angustias de su vida en pareja, todavía me inquieta. Me la imagino sentada junto a los despojos de su marido, sin dejarse vencer por los sollozos, por los «¿por qué me has hecho esto?» balbucientes e inútiles, sino, al contrario, tranquila, digna y apacible. Debió de ser su postrera rendición de cuentas, tras la que cualquier palabra carecía ya de sentido.

Rápidamente, su vida conyugal, la enfermedad y la muerte de mi padre se convirtieron en temas tabú entre nosotros. Sin embargo, apenas un año después de su llegada a Francia, nos pidió que le proyectásemos una película de 16 mm salvada de la debacle en la que aparecía toda la familia reunida en un marco idílico, en Abbazia, la actual Opatija, en Croacia. A mi hermana y a mí la petición no nos hizo mucha gracia: teníamos miedo por ella, y también por nosotros, ante esa confrontación con un pasado tan tristemente hecho pedazos. La proyección transcurrió sin el menor problema, para satisfacción de mi madre, pero sin comentario alguno por su parte. Antes de su marcha a Francia, mandó cubrir la tumba de mi padre con una sólida losa de granito. Como si hubiera querido enterrar a la vez los años vividos en Hungría y sellarlos para siempre con esa piedra gris que me pareció de dimensiones excesivas en mi primera visita, hace ya algunos años. En 1989, sentí que era mi obligación filial limpiar de broza y hierbajos la sepultura, situada en la zona «histórica» del cementerio Kerepesi, justo al lado de las de los jefes del movimiento obrero húngaro. ¡Qué ironías de la historia! Los restos del director de los Molinos Reales reposan en la vecindad de aquellos que, creyendo luchar por el porvenir radiante del proletariado, fueron los primeros en ser sacrificados, asesinados, colgados o fusilados en nombre del interés superior del comunismo estaliniano.

Cojo su pitillera de oro, que ha atravesado milagrosamente las turbulencias de la historia: la guerra, las persecuciones, la liberación, el mercadeo liquidatorio de nuestros objetos preciosos. Oprimo el botón negro que mueve el resorte. La cubierta fina, rígida, pulida en su interior como si fuera de hielo, se abre con elegante lentitud. Está vacía, desesperadamente vacía: es demasiado pequeña para los cigarrillos de ahora. Fue concebida para los Khédive o los Turmac de boquilla dorada que se fumaba de cuando en cuando. Vuelvo a cerrarla, acaricio la cubierta, mi pulgar resbala por las estrías que la decoran. ¿Podría obtener con ella sus huellas digitales? ¿Me revelarían algo sobre su carácter o sobre los sinuosos pliegues de su cerebro enfermo? ¿Qué diría de esto un radiestesista? ¿Podría un individuo así mostrarse sensible a los efluvios que dimanan del objeto?

A este hombre, mi padre, ¡cuánto lo he llegado a echar en falta! Murió a los cuarenta y cuatro años, teniendo yo apenas catorce. Hoy sería centenario, o podría ser el hijo que yo hubiera debido tener a los veinticinco años. Lo detesto por haberme pegado con su cinturón de cuero por no sé qué barbaridad, pero no puedo culparlo de sus infidelidades a mi madre, que lo adulaba, lo cuidaba y le hacía respetar las suyas. Le doy la mano y con qué placer nos dirigimos al cine Royal Apolló para volver a ver *Beau Geste*, una película inglesa o americana sobre la Legión Extranjera con la que me he encontrado en todas las cinematecas del mundo. Es verdad que tenía en poca estima a Mozart (al que consideraba «primitivo») y que prefería a Gounod, la risa imbécil de Mefisto y la falsa redención de Margarita. Sin embargo, las nueve sinfonías de Beethoven, que oímos juntos en la Academia de Música, han quedado grabadas para siempre en mi memoria. A él le debo mi entusiasmo por la música, que sigue siendo mi mayor pasión, algo enturbiada por la melancolía que me produjo no haber podido ser director de orquesta. Siempre digo que sigue siendo «mi rey», como el que canta Henri Michaux y que, aunque mi gusto por ese texto pueda parecer inapropiado, solo es producto de no sé bien qué inclinación hamletiana:

En la noche vigilo a mi rey, me levanto
y poco a poco le retuerzo el cuello.
Recupera sus fuerzas, vuelvo a arrojarme encima
y nuevamente le retuerzo el cuello.
Lo sacudo y sacudo como a un viejo ciruelo
y la corona tiembla en su cabeza.
Sin embargo, es mi rey, yo lo sé y él lo sabe
y es muy cierto que estoy a su servicio.

CAPÍTULO SÉPTIMO

A la sombra de la estrella amarilla

Tuvimos la inmensa suerte de quedarnos en nuestra propia casa, engalanada con la estrella amarilla desde tres meses antes de la muerte de mi padre. Imaginad el aturdimiento de esas otras familias que debían dejar sus hogares, partir solo con lo estrictamente necesario e instalarse en casa ajena como parientes pobres venidos de muy lejos. Mi madre, mi hermana, mi abuelo —completamente ido desde la muerte de su primogénito— y yo nos refugiamos en nuestro salón. Rózsika, una intelectual arruinada, viuda o divorciada, desocupada y gran fumadora, se instaló en la habitación de mi padre con su hijo Sanyi y su madre, una minúscula anciana marchita que no paraba de quejarse y de alborotar a los suyos. Vivían gracias al hermano de Rózsika, un tipo ingenioso que durante la guerra trabajó para la UFA, la compañía alemana que produjo *Las aventuras del barón Münchhausen*, una película casi vanguardista, en color, que no logró hacernos olvidar los abominables engendros propagandísticos salidos de esos estudios. Pista (su nombre me viene a la cabeza en el momento mismo en que escribo esto) era devoto de las «diseuses» («dizőz» es el término húngaro que se utiliza por «cantantes») de cabaré, y siempre aparecía el domingo con una bandeja de pastelillos adquiridos en Gerbeaud. La madre se deshacía en elogios por el hijo, al tiempo que acusaba a su hija de insensibilidad e ingratitud. Rózsika se ponía unos trapos usados, a la bohemia, y se pasaba el día entero parloteando con el cigarrillo entre los labios. A mí me atraía, claro, porque estaba en plena revuelta contra mi madre y también contra el orden y la decencia que imperaban en nuestro hogar. Puedo constatar con asombro que nunca llegué a entender del todo la personalidad de la convincente joven viuda. Sé que en el mes de abril de 1944 hizo frente a la invasión de su piso por los extraños sin una queja, igual que asumió la carga de la vida en común con su suegro. Encarnaba el tipo de esos seres disciplinados a los que la «buena educación» impedía exteriorizar semejante tormento íntimo. No recuerdo que en ningún caso relajase los músculos del rostro ni que se permitiese la menor alteración en sus gestos, siempre rectos y firmes. Ni recuerdo un solo instante en que, presa de la angustia o la desesperación, su mirada abandonase ese otro universo al que la dirigía y al que no tenían acceso los demás. Nunca supe adivinar sus estados de ánimo, ni vi jamás una lágrima en sus ojos. Esta opacidad de los recuerdos, esta incapacidad mía de *decir cómo era* mi madre en 1944, de penetrar sus pensamientos e imaginar sus emociones, me parecen hoy, en cualquier caso, menos deprimentes que darme cuenta, como me ocurrió a principios de 1945, de su profunda depresión.

En la habitación de mi madre vivía Richard, un sastre para hombres, antiguo propietario de un gran taller, que sufría una grave afección cardiaca y era atendido por su devota esposa, una gran dama de escasa estatura, gordita y antipática. Recibían puntualmente la visita del cardiólogo, un conocido profesor de trato amable y tranquilo, y también lo bastante temerario como para entrar al domicilio de unos réprobos. Apenas si tuvimos ocasión de saludarlo, porque el sastre y su mujer pretendían reservárselo para ellos solos, evitando que el resto de la humanidad estuviera al corriente de sus visitas. Su otro visitante era el padre Nándor, que, contrario a la idea de convertir y bautizar a los judíos a hurtadillas, les daba lecciones de catecismo y los preparaba espiritualmente para el bautismo. De orígenes modestos, muy modestos en realidad, era un campesino bajito, rescatado de la miseria y de las tinieblas de la ignorancia por los curas del seminario; idealista y dueño de una energía que se alimentaba de la abstinencia, el clérigo no me tenía mucho aprecio. Contaba de buena gana cómo zurraba de lo lindo a su hermano pequeño. Se jactaba de haberme hecho comprender que unos buenos correazos me harían avanzar con paso firme por el camino de la perfección. Me hacía leer el breviario, pero consideraba pobres mis conocimientos de latín. Era un cura valiente, desde luego, porque no era fácil en aquellos tiempos embutirse la sotana y atravesar la puerta de nuestro infortunado hogar. Desde lo alto del balcón del cuarto piso, el hijo de los Klein, primogénito consentido de su madre, la antigua propietaria de Modas Jozsa, escupía sobre el visitante. Al muchacho se le hacía intolerable la visión de esa sotana negra entrando en una casa engalanada con una estrella amarilla… Su gesto suscitó el rechazo de todos nuestros bien pensantes israelitas. Había sobrevivido milagrosamente a la Shoah. Era varios años mayor que yo, y al llegar la liberación se echó una amiga. Se vanagloriaba de haberle regalado un anillo de oro con un pequeño diamante engastado. Lo que era mucho menos gravoso que irse de putas, como solía asegurar juiciosamente. Así era Peter Klein, el rebelde hedonista y cínico. Que Dios le haya perdonado sus pecados y lo acoja en el seno de Abraham.

Mis profesores del liceo, los piadosos escolapios, se habían olvidado completamente de nosotros —era, sin duda, lo más cómodo—, y mis compañeros de clase, miembros de la pequeña burguesía colaboracionista que tenía mucho que perder con la llegada de los rusos, se despreocuparon también de mi persona. Sin necesariamente abominar de mí, se avergonzaban de mi compañía, aunque sus reacciones e incluso su falta de compasión no me sorprendieron demasiado. Mi antigua habitación, cuya ventana estaba situada enfrente justo de la de la sección local de los de la Cruz Flechada, fue ocupada por Annie y Vali, dos tejedoras profesionales especializadas en la confección de chaquetas de punto. Vivían en compañía de su madre, la tía Wilhelmina, una adorable ancianita que solo hablaba alemán.

Annie y Vali eran viudas jóvenes. Frigyes Steinhardt, el marido de la primera, murió de muerte natural al comienzo de la guerra. Alex Kocsis fue corredor de seguros durante los años cuarenta y se movía entre las abundantes amistades de su esposa, Vali. Llamado al «servicio de trabajo», sucumbió cavando trincheras para detener el avance de los carros de combate rusos en las zonas del este, expuesto a tiros y bombardeos. Mi madre y sus amigas eran solidarias las unas con las otras. Organizaron unas «meriendas de tricotaje» alrededor de Annie y Vali. Las señoras se pusieron a la obra: confeccionaban mangas, traseras y delanteras de jerséis y chaquetas de punto, y dejaban en manos de Annie y Vali —«Annie-Vali», las inseparables— el ensamblado, el repaso final y el doblado adecuado para cada prenda. Las meriendas tenían lugar cada quince días en casa de alguna de las participantes, que se turnaban como anfitrionas, aunque eran las invitadas las que aportaban una bandeja con doscientos gramos de pastelillos para no resultar una carga a la maltrecha economía de la dueña de la casa. Las reuniones tenían algo de simbólico: esas mujeres, enfrentadas a tremendos problemas existenciales, bobinaban el ovillo de sus vidas, trenzaban el tejido de esperanza que iban hilando y pasaban la aguja con un gesto que se había vuelto mecánico, falto de ilusión, tejiendo del derecho y del revés y soñando seguramente con los pocos días de sol y los muchos de duelo que componían sus vidas.

Al producirse la invasión alemana, Annie había escondido sus joyas en un agujero excavado junto a la tumba de su marido. Vali no tenía nada que esconder. Siguieron tejiendo y viviendo muy modestamente. Sin embargo, a ojos del adolescente enclaustrado que era yo, poseían un maravilloso tesoro: ¡una colección de discos! Sus discos de 78 r. p. m. de baquelita me ayudaron a descubrir algunas obras maestras interpretadas por los mejores solistas de entreguerras: El *Concierto para violín* de Beethoven por Szigeti (¿o por el mismo Kreisler, quiza?... No lo recuerdo exactamente), el de Chaikovski por Huberman (descubrí hace unos diez años que el conservatorio de Tel Aviv lleva su nombre), el *Concierto para violonchelo* de Dvořák por Casals y otros muchos clásicos interpretados por grandes músicos. Edwin Fischer, Walter Gieseking, Weingarten, Mengelberg, Toscanini y demás nos pacificaban, nos encantaban, valga la vulgaridad, durante la noche de pesadilla que estábamos viviendo. Escuchados una y otra vez, han quedado tan grabados en mi memoria que, ahora, muy lejos de todo aquello, instintivamente he tratado de dar la vuelta al disco colocado en el plato de nuestro gramófono, cuyo brazo estaba provisto de un cabezal con membrana que hacía que la aguja de acero vibrase.

Annie y Vali supieron evitar las redadas de última hora. A partir de 1945, Annie vivió en el inmueble ante el cual pasaba yo, indiferente, en mayo de 1997. Se había rodeado de un cierto número de «ayudantes» que tricotaban para ella, porque las chaquetas de punto se habían vuelto a poner de moda. Volvimos a escuchar los discos, sin recuperar la atmósfera cálida y entusiasta con que los habíamos escuchado años antes. Vali tuvo que devolver el piso que compartía con Annie en el n.º 10 de la avenida Rákóczi. El régimen comunista hacía todo lo posible para acabar con los trabajadores autónomos. El humor de Annie se volvió más y más sombrío, y las dos hermanas dejaron de tratarse. Vali, que era una fantasiosa y no le hacía ascos a tomarse un par de vasitos de ron de cuando en cuando, consiguió trabajo como vendedora de *bretzels* en el vestíbulo de la Ópera. No llevaba la bandeja colgada del cuello ni voceaba la mercancía: dignísima, permanecía tras el mostrador, donde sus clientes la tenían por una dama de la alta burguesía de antaño. Asistía a las representaciones y, al llegar los entreactos, salía siempre a tiempo de la sala para reintegrarse a sus funciones de vendedora. Era un modo de vida muy apropiado para ella.

Mi madre quedó en buenos términos con las dos hermanas hasta que abandonó Hungría para reunirse con nosotros en París. Las tenía al corriente de los menores acontecimientos de su nueva vida. Aunque empobrecida y angustiada, llegó a vivir ciertos momentos de auténtica felicidad, y eso sin duda suscitaría la envidia y la animosidad de Annie y Vali, que nunca fueron de este mundo.

El régimen experimentó una cierta liberalización con el gobierno de Kádár y también Annie y Vali se permitieron soñar con un viaje a París, capital de la moda en aquella época. Como una tigresa que protegiese a su cachorro, mi madre, su amiga, las informó con todo detalle del muy escaso tiempo libre que me dejaban mis asuntos como para poder ocuparme de ellas. «André —les dijo— prepara su tesis doctoral y se halla enormemente atareado». Annie y Vali se pusieron rojas de furia. ¿Cómo era posible que mi madre, su amiga íntima en tiempos mejores, se atreviera a hablarles de «André» refiriéndose a «Frédy», como me llamaban ellas desde que nací? Se enteraron de que la envidiada parisina estaba convaleciente de una angina de pecho y no supieron reaccionar. Aun estando al corriente de sus sucesivos infartos, no nos hicieron llegar ni una palabra de consuelo. A su muerte, aquellas Parcas tejedoras me enviaron unas líneas expresándome sus condolencias. Traté de hacer entender a las esclerotizadas damas, que tanta alegría, valor y generosidad derrocharon en los años más duros, que sus palabras llegaban demasiado tarde. ¿Soy malintencionado? Diría que no. Pero me habría gustado que esas compañeras de alojamiento de 1944 no hubieran desarrollado unos tan poco piadosos sentimientos hacia aquel ser, tan querido antaño, que ahora se debatía contra la enfermedad. ¡Qué triste que una amistad de varias décadas no pudiera sobreponerse a la amargura que trae consigo la vejez!

No tengo la impresión de que, tras los muros de la casa, nos hallásemos siempre en estado de postración. Los niños compartían sus juegos; las madres hacían la compra, durante las horas de salida autorizadas a los habitantes de las mansiones con estrella, y ocupaban por turnos la cocina para lavar los cacharros respetando un calendario establecido de antemano. Fregaban y sacaban brillo a los suelos. Por mi parte, me levantaba tarde, me echaba la siesta, holgazaneaba, me aburría. Tuve un ataque de apendicitis y temí que me operasen en el superpoblado hospital israelita. Unas compresas heladas calmaron la inflamación. Yo me dedicaba a dar órdenes a mi hermana a base de aullidos, nos tirábamos de los pelos y solo soltábamos cuando el dolor se volvía insoportable. Mi abuelo no toleraba nuestras disputas y juraba que se iría de casa si seguíamos así. Luego hacía como que se iba y volvía al poco rato. ¿Recibía el abuelo visitas? ¿Iba a ver a sus amigos? ¿Los tenía? ¿A qué se dedicaba todo el día? No me acuerdo de nada. ¿Venían nuestros conocidos a casa para consolar a mi madre? Tampoco lo recuerdo. Yo me dedicaba a circular por la casa, visitando a unos y a otros, y de repente me veo con mi crucifijo preferido, una especie de fetiche, rezando arrodillado en las escaleras. Me movían a hacerlo los presentimientos y el miedo, era una especie de desafío a todos aquellos que pudieran sorprenderme. Una criada me vio y yo me di cuenta. Habría querido hacerla desaparecer. ¿Soy lo suficientemente explícito? Quiero decir que llegué a desear que no sobreviviese a esos complicados tiempos. La volví a ver tras la guerra, sana y salva, y constaté con satisfacción que mi magia mortífera no había surtido ningún efecto. Creo que no conservábamos la línea telefónica: no recuerdo oír el sonido de llamada alguna.

En este mes de julio de 1997, son las horas matinales que dedico a escribir las que dan sentido a mi jornada. Escribo de nueve a doce, y aunque retomo el cuaderno una vez pasado el mediodía, no sirve de nada. ¿Estará eso relacionado con mi tensión, con mi tasa de glucemia? Me siento desolado cuando en ese pequeño periodo de tiempo que dedico a la escritura no llego a convocar al pasado. A veces mi pluma parece lastrada por no sé qué pesos y no es capaz de reconquistar ese pequeño cuadro blanco velado por el olvido. Sin embargo, me *veo* yendo con mi madre el domingo a la iglesia, a donde me dirijo tratando de ocultar mi estrella amarilla, lo que no deja de ser una «divina locura». Nunca salgo del barrio salvo para ir al palacio Gerbeaud, a casa de Dódy, que me invita a un helado mientras escuchamos juntos las más deliciosas grabaciones. Vuelvo a casa, a esa casa que ahora se me aparece como una inmensa jaula con paredes de vidrio. Noto que al fondo se adivina la presencia de ciertos seres que hablan, que lloran, que cantan, que primero ríen y después se muestran abatidos, que se entregan a sus tareas cotidianas, que leen los periódicos; y también *veo* niños que corren y chocan contra los transparentes muros; y me *veo* encerrado con ellos, sin llegar a entender sus palabras: no sé lo que piensan ni lo que sienten. Pongo mi estetoscopio en el muro de vidrio y, como los grupos de rescate a la búsqueda de los supervivientes de una avalancha, no oigo apenas nada. No debería sorprenderme: la mayoría de ellos están muertos, pero continúan viviendo, sin poder hablar, en el acuario de mi vaporosa memoria.

Hoy, esta casa que contemplé con algo de indiferencia durante mi última visita —como si no hubiese vivido entre sus muros terribles acontecimientos— me revela sus secretos en relación con el periodo que dio comienzo en agosto de 1944. El regente Horthy deseaba abandonar su alianza con el Eje y dispensar a los judíos «que lo mereciesen» de llevar la estrella amarilla. Sugerí a mi madre, bastante escéptica a este respecto, que presentase nuestra solicitud de exención a través del general Lakatos, recién nombrado primer ministro, aprovechando la mediación de Fernande, que había sido dama de compañía de su esposa. Me encargaron redactar el escrito con la demanda; hice alusión en él a la contribución de mi padre a la mejora de las relaciones comerciales entre Hungría e Italia y a que había sido nombrado caballero por el rey Víctor Manuel II por ese motivo. Según Fernande, la esposa de Lakatos pareció receptiva a nuestra petición. Fue por entonces cuando el abuelo de nuestro Mathieu Kassovitz, célebre caricaturista, publicó una viñeta en *El Correo de Pest* en la que representaba a una pareja en un coche que circulaba a toda velocidad: «Agárrate,

Malvina —le decía el hombre a su mujer—, que vienen curvas». Se comenzó a respirar, a recuperar la esperanza, sin perder de vista la gravedad de la situación, con los alemanes ocupando la mayor parte del territorio y desesperadamente dispuestos a dar la batalla a los rusos, aun a costa de transformar el país en un inmenso campo de devastación y ruinas. La catástrofe vino a producirse tras declarar el regente su intención de romper con Hitler y negociar con los anglosajones antes que rendirse a los rusos. Las memorias de Aladár Szegedy-Maszák parecen indicar que tentativas anteriores, bastante deslavazadas, se habían producido ya en 1942. Los mandos del Ejército soñaban con una Hungría preservada a la vez de la invasión alemana y de la apisonadora rusa que conservase, además, los territorios reconquistados tras el segundo arbitraje de Viena. Los de la Cruz Flechada, que intentaban tomar el poder desde la entrada de los alemanes en marzo de 1944, perpetraron en esa época su golpe de estado. El jefe, Szálasi, se hizo proclamar «guía supremo», es decir, *führer* de la nación. Arrestaron a Horthy y se lo llevaron a Alemania, y el general Lakatos sufrió la misma suerte. La fase de la «solución final» se inició con la detención de los judíos de Budapest: se los «reagrupó» —así denominaron las autoridades, con total hipocresía, la operación que tenía por objeto separarlos del resto de la población— en el antiguo gueto de la capital. Nos ordenaron bajar las pesadas persianas de madera, cuyos listones estaban unidos por gruesas cuchillas, y no salir para nada de la casa. En ese momento empecé a sentir una angustia nueva, especial e insospechada: el temor por nuestra propia existencia. Nos parecía fuera de lugar salir de casa. ¿Adónde hubiéramos ido? Sin embargo, yo seguí obstinándome en repetir que tenía que haber alguna solución para nuestros problemas y que había que dar con ella costase lo que costase. Finalmente, en representación de todos los habitantes del edificio, nos dirigimos al señor Illés.

Illés o el mito de la legalidad en el espíritu de los perseguidos

Era este un personaje bastante misterioso que pidió una cita a mi madre poco después de la muerte de mi padre, en febrero de 1944. Escuchimizado, con gafas, nunca miraba a su interlocutor a la cara y tenía el aire de un oficiante presto a declamar el ofertorio. De hecho, era candidato a alquilar uno de los pisos de la planta cuarta. Se hacía pasar por secretario en la legación italiana y utilizaba términos de la lengua de Dante y el Duce, pero lo que más frecuentemente emitía eran latinajos, que dejaban a la vista su formación de antiguo seminarista rebotado. Quería por todos los medios vencer la resistencia o, más bien, la reticencia de mi madre y trataba de dejar claro que lo sabía *todo* sobre nosotros. Su mujer, una inocente pueblerina, vivía esclavizada por el marido, cuyas actividades secretas ignoraba. La bondad y la generosidad de mi madre acabaron por desarmar a este secretario de embajada probable agente de la Gestapo, que abandonó por completo su actitud hostil. Yo le caía bien y no dejaba de animarme sin rastro alguno de maquiavelismo, creo, durante esos complicados meses.

Tras el golpe de octubre de 1944, Illés debía de ser perfectamente consciente de la situación y de la suerte que nos esperaba. A sugerencia mía, le preguntamos si había alguna manera de obtener protección contra los de la Cruz Flechada y de quedarnos en nuestra casa. ¡Qué ingenuidad, sobre todo si la juzgamos con la fría lógica del presente! El señor Illés era un don nadie y nosotros lo teníamos por una especie de salvoconducto. Unos días más tarde nos informó de que, contra la entrega de una gran suma de dinero, un comandante de patrulla de la Gestapo se había ofrecido para rondar por el barrio y protegernos contra un eventual ataque de los de la Cruz Flechada. (Todavía disfrutábamos de cierta liquidez, porque el gerente de nuestras casas nos visitaba una vez al mes para entregarnos los alquileres cobrados). Víctimas voluntarias de su estafa, entregamos a Illés todos nuestros ahorros, que se embolsó sin el menor escrúpulo. Los supervivientes de la casa, que consiguieron que lo detuvieran tras la liberación, aseguraban haber visto a la señora Illés llevando un abrigo de visón pocos días después de nuestro mercadeo de idiotas. Sea como fuere, la «protección» de Illés, ese tartufo de la Gestapo, se demostró muy poco eficaz.

Nos quedamos solos mi hermana, nuestro abuelo y yo, porque mi madre tuvo que presentarse junto con otras mujeres judías, por exigencia de las autoridades militares, a cavar trincheras en los alrededores de Budapest para impedir el paso a los carros de combate rusos. Mi madre —víctima de ciertas irracionales creencias de aquel tiempo— aseguraba que había que respetar la ley y ni siquiera se habría planteado optar por una vida clandestina. Ella y muchas como ella, miembros de la alta sociedad de la época, debido a la poderosa influencia de una educación puritana basada en el servilismo y la sumisión, no podían sustraerse a la creencia en el mito de la legalidad, incluso cuando esa creencia ponía en peligro su propia existencia. En el campo de Kistarcsa, flanqueada por dos elementos de la Cruz Flechada, debía realizar sus necesidades en presencia de sus guardianes, cavar durante todo el día y alimentarse miserablemente. Recibimos algunas cartas suyas muy lacónicas. Mi tía Pötye, a quien debemos realmente nuestra supervivencia —benditas sean sus cenizas, que nunca he logrado localizar— se propuso hacerla sacar del campo de trabajo mediante un *schutzpass* emitido por la embajada de Suecia contra dinero en efectivo. Así venía a decir el alambicado texto original (redactado, supongo, con la asesoría de juristas nazis) que figuraba en el pasaporte emitido por los suecos: «La embajada del Reino de Suecia en Budapest certifica que el/la titular de este documento sale de Hungría en dirección a Suecia, acogido/a al programa de repatriación aprobado por el

Ministerio de Asuntos Exteriores del Reino de Suecia. El nombre del/de la titular figura igualmente en el pasaporte colectivo emitido por la embajada. Hasta su salida de Hungría, el/la interesado/a y su piso se hallan bajo protección de la embajada real». El *post scriptum* inscrito en el documento, «Dejará de ser efectivo el decimocuarto día tras la llegada a Suecia del titular» ponía de manifiesto la ficción jurídica concebida por Raoul Wallenberg, el cónsul sueco, salvador de decenas de miles de judíos, que terminó miserablemente sus días en las cárceles de Stalin. Enloquecido, como lo estaba yo, encerrado en aquella habitación en la que nunca entraba la luz del día, dije a mi madre que la compra de un *schutzpass* era totalmente contraria a sus principios legalistas. En torno a 1950, durante un viaje en grupo, mi madre, que siempre se sometió a la ley, aceptando sus restricciones sin rechistar —como la mayoría de las mujeres judías, estaba inclinada a la sumisión—, aceptó realizar una visita al campo de Oświęcim. «Aquello no era fácil de soportar», nos dijo tranquilamente a su vuelta de Auschwitz, donde tuvo ocasión de ver los hornos crematorios, sin volver a hacer nunca más comentario al respecto.

El sonido y los silencios de la memoria

Tras haberse embolsado nuestro dinero, Illés desapareció. Poco tiempo después, una noche hacia las dos de la mañana, golpearon enérgicamente en nuestra puerta. Diez individuos de la Cruz Flechada hicieron irrupción en el piso y, so pretexto de revisar nuestros documentos de identidad, rebuscaron en los armarios, se llevaron mis discos, nuestra máquina de escribir y todo el dinero que pudieron. Mi abuelo, con asombrosa presencia de ánimo, escondió su cartera en un orinal. «Este piso sería magnífico para instalar el cuerpo de mando», apuntó uno de los intrusos para hacernos sentir que estábamos a su merced. Había algo de ingenuidad en esas palabras. Probablemente, el individuo no había visto en su vida un piso que ocupara una planta entera. La atmósfera se hizo más enrarecida y amenazante. Nuestros vecinos empezaron a preparar las maletas. El sastre enfermo del corazón metió todas sus cosas en un petate. Unos y otros trataban de guardar los efectos indispensables a escondidas, por miedo o para evitar crearnos mayor inquietud. «Pero nosotros estamos bajo protección», se me ocurrió decir, cegado por mi angustia y mis irracionales esperanzas. En ausencia de mi madre, completamente anonadado, me negué a empaquetar nuestras pertenencias con vistas a una eventual partida y a preparar siquiera un mínimo equipo de supervivencia para cada uno de nosotros. Una vez más, un telón gris desciende de no sé dónde sobre mi teatro interior y hace opaca la escena. Aunque no oigo las palabras pronunciadas, creo estar en condiciones de afirmar que el miedo a la muerte —¿o era solo cierta indiferencia fatalista?— impedía a los habitantes del n.º 10 de la calle György Fejér quejarse de nada ni lamentarse de su injusta e inmerecida suerte. ¿O era acaso un asunto de dignidad? Puede ser... Pero no necesariamente. En todo caso, el régimen también nos había privado de palabras.

La inevitable sirena, instalada para dar la alarma ante los posibles ataques aéreos, comenzó a sonar pocos días después. «Bajad todos y juntaos debajo de la escalera; tenéis media hora para hacer el equipaje», nos comunicaron nuestros custodios. Metí la ropa de cualquier manera en una maleta sin tener en absoluto en cuenta nuestras necesidades ni plantearme cambio de domicilio alguno. El padre invierno y las tropas rusas estaban a las puertas de Budapest. La primera vez que nos atrevimos a evocar aquello tras nuestra llegada a Francia, hace cuarenta años, mi hermana —que solo se preocupa por el presente y por el futuro y no tiene tiempo que perder con el pasado— me dijo que en el último minuto volvió al piso para recuperar su caja de pinturas. La esperé impasible delante de la puerta, en el descansillo. Uno de la Cruz Flechada notó mi presencia y trató de amedrentarme con palabras que no he podido olvidar: «¡Si no te das prisa te voy a dar una patada en el culo que te voy a dejar las entrañas amoratadas para siempre!». Digno émulo de Hitler, que fue pintor en su momento, debía de ser sensible a los matices del color. Desde lo alto de la escalera me fijé en la baronesa Grödl —antes de la guerra vivía en un hermoso chalé en la calle Lendvay, muy cercano al nuestro, en la avenida Aréna n.º 100— abofeteada por un insolente joven que custodiaba la entrada. Su sombrerito de paja negro se le cayó al suelo y el agresor hizo pedazos el *schutzpass* suizo. Gyuri, mi compañero de infortunio, y yo arrastramos el pesado carro, cargado de mochilas y maletas llenas a reventar por sus angustiados propietarios. Poseído por no sé qué ardor histérico, a las órdenes de un comejudíos embutido en su uniforme negro, arrastrábamos la miserable carga hacia un destino desconocido. «Más lento», me susurró Gyuri, mi compañero de galera, a quien todavía le quedaba cierto espíritu de rebeldía. Con los dedos apretados a la altura de la visera de sus gorras, los valientes carteros saludaban a la manera militar a sus antiguos clientes, antaño solventes y bien considerados, convertidos ahora en unos vagabundos sin hogar. Flanqueado por hombres de negro que llevaban el brazalete de los nazis húngaros —de color rojo, con una cruz flechada inscrita en el círculo blanco, que imitaba a la cruz gamada—, nuestra pandilla se dirigió hacia uno de los edificios situados a corta distancia del hotel Peregrinus, frente al Gran Mercado, junto al puente de la Libertad. En mayo de 1997 pasaba diariamente por delante del edificio del bulevar de la Aduana cuando me dirigía a los baños Gellért. Al llegar a este punto, la emoción se apodera de mí. Cómodamente instalado en nuestro apartamento de los Inválidos, en París, veo a esas mujeres, a esos vejestorios estupefactos, que arrastran la pesada carga de su raza, abandonando escoltados el edificio de la calle György Fejér para instalarse entre sus correligionarios, que no los esperaban en absoluto. Siento nuevamente su confusión, *escucho* su silencio y me encuentro de nuevo entre ellos. Nuestros guardianes nos hicieron entrar en una casa de vecindad y subimos a la segunda planta. Llamé a una puerta y una mujer de unos treinta y cinco años de grandes y hermosos ojos cálidos nos acogió. Nos hizo instalarnos en su habitación a mi abuelo, a mi hermana y a mí. Édith me ha contado que la chiquilla de diez años que era ella entonces necesitó justificar aquella intrusión nuestra en una casa extraña. Se acuerda de que tuvo que inventar una auténtica «novela de viajes»: «Han convertido nuestra casa de la calle György Fejér en un hotel para los SS alemanes, querida señora. Por ahora no podemos volver y nos alojaremos con usted; provisionalmente, claro».

En compañía de uno de nuestros guardianes, arrastré solo la carreta para ir a recoger los equipajes restantes amontonados a la puerta del n.º 10 de la calle György Fejér. Casi le tomé afecto a ese hombre que, en el fondo, no tenía espíritu de carcelero. Era carpintero y aseguraba que, en otras circunstancias, me habría contratado: «Necesito un aprendiz de tu edad», me dijo. Traté de provocarlo insinuándole que necesitaba entrar a rezar a la iglesia que teníamos de camino: «No puedo entrar ahí de uniforme», aseguró en tono contrito. ¿Qué habrá sido de mi amigo carpintero, que se dejó enredar en aquella caza de judíos? Sin duda, se había equivocado de safari.

Era un padre de familia ejemplar, pero ¿tomaría parte en la «matanza de los inocentes» que se produjo en las últimas semanas de aquel abominable régimen de terror? La madrugada de nuestro desalojo, mi tía Pötye, que vivía en el n.º 8 de la calle György Fejér, entró siendo todavía de noche en nuestro edificio y, con la ayuda de Teréz, nuestra antigua criada, la más fiel de entre los justos, rompió los precintos policiales de nuestro piso y nos proporcionó a mi hermana y a mí ropa suficiente para pasar las semanas siguientes. Vino a buscarnos a la casa del bulevar de la Aduana (mucho antes de 1867 debió de situarse allí una de esas barreras en las que se tasaban y fiscalizaban las mercancías que entraban en la capital) y nos hizo subir a un tranvía del que nos bajamos en Buda, en la plaza Széna, en la parte baja de la colina del Castillo Real.

En el hogar de la Cruz Roja sueca

Las calles de Budapest hervían de agitación: los refugiados de las provincias ocupadas se dirigían en masa hacia la capital; los colaboracionistas, asustados ante el rápido avance de las tropas rusas, se dispusieron a abandonarla, replegándose hacia el oeste. Los alemanes, decididos a defender la ciudad y a no dejar otra cosa que ruinas a los rusos, transportaban las municiones en camiones cubiertos con lonas de camuflaje. En medio de aquel caos, nos arriesgamos a abandonar la mansión del bulevar de la Aduana. Quedarse allí habría resultado suicida. El espectáculo de una mujer joven, nuestra tía, acompañada por dos niños y un porteador arrastrando la carreta cargada con una enorme maleta de cuero negro de los viejos tiempos no tenía nada de extraordinario. Nos dirigimos, subiendo por una calle empinada, hacia el Castillo de Buda, rodeado de edificios públicos a cuya protección se acogía un hogar de niños al cuidado, merced a una alambicada ficción jurídica, de la Cruz Roja sueca.

Estaba situado en la primera planta de una casa típicamente húngara, construida en torno a un patio iluminado por el sol, regado por la lluvia y recorrido por un pasillo interior de bóvedas encaladas. En mayo de 1997 pude cumplir con mi viejo deseo de volver a ver ese rincón de la calle Úri (calle de los Señores, una réplica en miniatura de la Herrengasse de Viena). Antes de ahora he pasado más de una vez por este barrio antiguamente aristocrático del Castillo de Buda, infestado de turistas pero en el que algunas calles conservan una inusual atmósfera de calma. En esta ocasión he franqueado la puerta sin peligro porque han instalado en el porche una tienda de productos folclóricos. Los abetos en las jardineras que se reparten sobre las losas del patio resplandeciente de blancura y los tiestos con geranios colgados en la reja del pasillo de la primera planta me alegraron la vista, me liberaron de mis inquietudes, borraron de golpe el tiempo transcurrido y me permitieron gozar de un ambiente de verdadera paz. En la foto que tengo ante mis ojos, señalo la puerta de la bodega que servía de refugio antiaéreo. Salgo del lugar animado, contento por haberlo encontrado, sin pensar en las angustias que me embargaron entonces, en noviembre de 1944. Pese a ello, el reencuentro con mi doble, el adolescente tocado con un sombrero ligero en lugar de con la boina reglamentaria del liceo —decorada con una medalla esmaltada, emblema de los escolapios, coronada (naturalmente) con una cruz; eso lo habría protegido, quizá, pero también sentía que era indigno de llevarla—, no tuvo lugar en ese escenario. Lo vi gracias a mi telescopio mágico. Está acostado en una cuna de niño, con barrotes, porque no hay ni un sofá libre en esa casa; aborrece las zanahorias que una cocinera, un alma buena y caritativa, prepara con el propósito de alimentar a los perseguidos por los de la Cruz Flechada y por los alemanes; se le encomienda la vigilancia de dos mocosos que se están bañando. El natural impudor de los niños hace que se pongan de manifiesto sus instintos sádicos y encuentra un vago pretexto para abofetearlos. El peligro no modifica la naturaleza de los instintos, al contrario. La náusea que le provocan las verduras hervidas al tragarlas todavía es la misma hoy. Las pulsiones reprimidas negocian con el miedo a la muerte para manifestarse abiertamente.

Quedé profundamente marcado por un episodio de mi vida clandestina que me costó integrar en el relato de aquellos días. Quisiera burlar a los recuerdos que me vienen a la cabeza al hablar del Castillo Real, que ocupó entre 1920 y 1944 el almirante Horthy, antiguo comandante de corbeta en la flota de la monarquía náufraga. El albergue de la Cruz Roja sueca se encontraba a unos pocos centenares de metros de ese monumento histórico.

La ficción del Reino de Hungría

La conciencia histórica se me despertó a la edad de seis años, diría yo. En alguna foto o en la pantalla de un cine de actualidades me parece haber visto al rey Víctor Manuel II en visita oficial a Hungría. El minúsculo rey pasaba en un inmenso carruaje ceremonial, arrastrado por ocho lipizanos —caballos de Lipica, una ciudad eslovena— y rodeado de húsares con dolmán, que lo escoltaban hasta el porche del Castillo de Buda. Era algo más que una «pintura viviente», y todo un acontecimiento histórico para el nativo de Pest. Las plazas, las avenidas, el espacio público del castillo, el barrio de los ministerios, no eran lugar de paseo habitual para los industriosos burgueses de la otra orilla del Danubio: preferían los aledaños del parque Municipal a las explanadas bordeadas de soportes de cañón de la colina real. Siendo estudiante de secundaria, desfilé ante la «Santa Corona» expuesta una vez al año en la sala ceremonial del castillo, bajo una maravillosa cúpula. Objeto de culto, soporte material de la fábula jurídica del Reino de Hungría temporalmente carente de portador tras los sucesos de la Primera Guerra Mundial, la contemplé con el respeto y la inquietud que suscita un tabú demasiado presente. Los cines de actualidades proyectaban en sus pantallas el momento solemne en que el conde encargado de vigilar el aro de oro con piedras preciosas incrustadas y esmaltes panelados de estilo bizantino la sacaba de la lujosa urna ceremonial. Enviada por el papa Silvestre II a Esteban I, que se había convertido al catolicismo y había ordenado administrar a sus vasallos y siervos paganos «la santa lavativa del bautismo», según la pintoresca expresión de un cronista francés del siglo XVI, la corona encarnaba al reino de la Hungría independiente, especialmente enfrentado al Imperio de los Habsburgo, y ejerciendo su soberanía sobre toda la Panonia, desde los Cárpatos hasta el Adriático. Cristalizaba en ella también el irredentismo ultranacionalista, contrario al Tratado de Trianón, que soñaba con la reconquista de los territorios otorgados a los países vecinos. «The hollow crown», ese círculo vacío en el que «la muerte celebra su festín», ha realizado un periplo shakespeariano antes de volverla yo a ver. Szálasi, el jefe del partido de la Cruz Flechada, el hombre de la «solución final», se la embolsó a finales de 1944 antes de huir hacia Alemania y de remitir ochocientos mil judíos húngaros a los nazis. Los americanos extraditaron al criminal a Hungría pero se quedaron la corona, más que reticentes a entregarla a los comunistas, que habían tomado el poder en Budapest. La conservaron hasta la muerte del cardenal Mindszenty, primado de Hungría que se había refugiado en su embajada, y fue devuelta a Kádár en 1977, legitimando con ello su sistema político, el «comunismo *goulash*», aunque alimentando al tiempo las aspiraciones nacionalistas rebeldes al totalitarismo soviético. En 1998 volví a ver la corona, rodeada por varios emblemas de la monarquía, en el Museo Nacional de Budapest. Hasta el más común de los mortales podía acercarse a esas reliquias, sepultadas tras el espeso vidrio de la urna. La museografía tiene la facultad y el poder de banalizar los objetos sacros, y en ese sentido ha cumplido perfectamente con su cometido de desacralizar los símbolos míticos. Como revancha, en la primavera de 1997 volví a contemplar la diadema en una sombría sala del museo, protegida de las luces y el ruido del mundo exterior. *Requiescat in pace!* El europeísta Otto de Habsburgo, príncipe de Lorena, periódicamente recibido en Nancy con devoción, calor y simpatía, acabará por ser el más cualificado candidato al trono de Hungría.

De vuelta al hogar: el adolescente de piel de terciopelo

Emprendo el ascenso a la colina de Buda. El funicular me conduce hasta la plaza de San Jorge, siempre desierta, porque la reconstrucción del Castillo de Buda y de los palacios que lo rodeaban está lejos de haber concluido. Me dirijo hacia la izquierda, atravieso los jardines, dejo a un lado la estatua de bronce que representa a un jinete que trata de dominar a su fogosa montura y me sumerjo en la Biblioteca Nacional Széchényi, que ocupa una de las alas del falso castillo auténtico, puesto que se trata de una reconstrucción del antiguo llevada a cabo en el siglo XVIII. Sería feliz si pudiera descubrir el verdadero rostro del conde Széchényi; tras un viaje a París y a Londres alrededor de 1840, en la época en que el banquero Nucingen ocupaba un suntuoso apartamento en la calle de la Chaussée-d'Antin y Rastignac era ministro, abogó por la introducción del crédito en la economía húngara y preconizó la organización de carreras hípicas para mejorar la raza equina magiar. Sus sueños de modernización del país tras las reformas adecuadas y la creación de vías de comunicación fluviales y terrestres lo llevaron a contratar al ingeniero Adam Clark para construir uno de los primeros puentes colgantes de Europa, que uniría Pest con Buda. La ruptura con Austria, provocada por los ultranacionalistas en 1848, lo volvió literalmente loco, y murió en un asilo para dementes en Döbling, cerca de Viena. Sé exactamente lo que busco en el catálogo de la biblioteca: la tesis de mi abuelo materno sobre el estado de la propiedad de la tierra, publicada en Halle en 1893; «tesis pionera» en el campo de la estadística agraria, como se apunta en la ficha. Por cierto, que también puede consultarse una copia en la Biblioteca Nacional de Francia.

La *vita* del autor, redactada en latín, como era costumbre entonces, me permite enterarme de que Alfréd

Hirsch, hijo de Adolphe y de Charlotte (mi madre heredará ese nombre, que adoptará en su caso la forma de Sarolta), nació un 16 de septiembre de 1871 en Szent-Békálla, municipio del condado de Zala. Realizó estudios superiores en el Politécnico de Zurich y, después, en la famosa universidad de Halle-Wittenberg. De espíritu liberal, siempre opinó que la manumisión de los siervos no había supuesto un cambio excesivamente importante en la economía del país. La aristocracia y la Iglesia poseían decenas de miles de hectáreas, se beneficiaban del alto precio de los cereales —consecuencia de la guerra de Crimea y de la guerra de secesión— y descuidaban la cría de ganado. El campesinado pobre cultivaba sus miserables lotes y vivía en condiciones lamentables. El joven Hirsch preconizaba el desarrollo de los dominios de tamaño mediano, garantía de prosperidad y de equilibrio social. Tres decenios después de haber abandonado Halle, sus posesiones contaban con unas dos mil hectáreas, en las que construyó un gran número de lagos artificiales. Piscicultor, especialista en la cría de carpas, hombre de su tiempo, en fin, decidió recurrir a la publicidad, con la colaboración de Géza Padány en los diseños y, por lo que parece, con la del mismo Frigyes Karinthy en los textos. Un pez sonriente y una vaca llorona animaban los carteles que cubrían los muros de la capital: ¡el pescado era más barato que la carne de bovino! La biblioteca de Buda conserva igualmente mis tesis sobre Balzac y sobre el compromiso austrohúngaro de 1867, y en el fichero mi nombre figura a disposición de las generaciones futuras asociado a la siguiente mención: «Historiador de la literatura de origen húngaro residente en Francia».

Recorro la Pinacoteca Nacional y, ahora sí, encuentro apreciable nuestra pintura romántica; constato que las pinturas que representan a ladrones vagabundos la víspera de ser ahorcados, la confrontación de los criminales con los cadáveres de sus víctimas, los reclutamientos forzosos acompañados por música militar, son típicos del temperamento depresivo de los artistas sepultados en el provincianismo de la *puszta*. Los esfuerzos de esos pintores de la segunda mitad del siglo XIX a los que Monet, Courbet y Manet habían aportado el descubrimiento de la pintura al aire libre y de la técnica impresionista me impactan, pero nunca han conseguido entusiasmarme. Las obras de la vanguardia húngara, que son de inspiración expresionista o constructivista, gozan actualmente de cierta consideración; sin embargo, por su escaso número y su carácter fragmentario, no permiten hacerse una idea precisa del genio de Kassák, Moholy-Nagy o Vasarely, forma afrancesada de Vásárhelyi. Las galerías que contienen esas obras magiares me agotan, mientras que las salas dedicadas a los retablos de la Hungría norteña, con sus espléndidas visitaciones, con sus Reyes Magos dorados y sus vírgenes rodeadas de ángeles, me devuelven a Europa. Los «altares alados» —expresión húngara que designa a los divididos en tres cuerpos— me devuelven a mi condición de aficionado entusiasta y revitalizan igualmente mi escritura. Ni muy germánicos, ni excesivamente mórbidos, ni demasiado nórdicos, pertenecen a lo que se denomina «gótico internacional». Y consiguen que olvide la expresión «garaje para rezos» que utilizaba un sargento instructor para nombrar las iglesias y que oí por vez primera en los varios meses de servicio militar que me tocó pasar o, más que pasar, soportar durante 1952 en un campo dirigido por un comandante soviético. Tenía necesidad de recorrer el castillo, destruido por los alemanes en el invierno de 1944-1945, incendiado luego por los rusos y reconstruido en parte por los comunistas, que no tenían muy claro qué hacer al respecto. Vacío de su propia historia, se halla ahora lleno de vestigios artísticos del pasado, ha recuperado su condición de residencia real y se le ha añadido una cúpula monumental. Sin embargo, nunca llegó a albergar a las instituciones de la república, lo que seguramente lo salvó de los destructivos proyectos de los dirigentes de la época. Vive, no obstante, reconstruido en mi espíritu, idéntico a como lo conocí en noviembre de 1944.

Donde reaparece el padre Nándor

Oculto en el hogar de la Cruz Roja sueca, cada domingo me dirigía a la iglesia Mátyás, también conocida como «de la Coronación». Resueltamente, aguanté la mirada inquisitiva de un individuo que me pareció agente de policía. Para mi sorpresa, era el padre Nándor, el responsable de la conversión del sastre judío y de su esposa, quien pronunciaba el sermón dominical aquel día de finales de noviembre. Tarea muy delicada en esa época complicada, porque la radio retransmitía la prédica. En el púlpito, el padre Nándor se reveló como un hombre valiente. Contrapuso el amor, la tolerancia y el perdón a la arbitrariedad del terror, a la omnipotencia del odio asesino. Durante la prédica, nuestras miradas se cruzaron y me pareció que me reconocía. Comprendí que, una vez terminada la homilía, y puesto que se había convertido en un lugar peligroso, abandonaría la iglesia a toda prisa. ¿Tenía miedo de ser detenido por los de la Cruz Flechada, a quienes había desafiado con su sermón? De manera notoriamente imprudente, me levanté para seguirlo. Lo alcancé justo detrás del ábside. No llego a pararse, ni siquiera para animarme, e intercambiamos frases absurdamente estereotipadas. El buen pastor abandonaba a su rebaño intentando salvar su propio pellejo. Nunca volví a verlo. Sepultado en una bodega durante el asedio de Budapest, confiaba en que con la entrada de las tropas rusas comenzaría una época de paz y de libertad. En febrero de 1945 salió del refugio de su casa, en la calle de la Universidad, a dos pasos del hotel Peregrinus. Con la sotana puesta, quería hacerse una idea de la situación en el barrio. Fue alcanzado por un disparo ruso y murió tirado en la calle.

Un tranvía que cuelga de un puente destruido

Mientras la maternal, la devota cocinera del albergue de la calle Úri prepara sus zanahorias cocidas, una sorda explosión sacude la calle sin que las sirenas hayan llegado a sonar. De manera irreflexiva, olvidando el peligro, me encuentro con algunas decenas de personas en el «Bastión de los Pescadores», tras de la iglesia de Mátyás, donde descubrimos uno de los arcos del puente Margit, que une Buda con Pest, derrumbado sobre el Danubio. Sin advertir a las autoridades húngaras, los alemanes, tras minar todos los puentes que unían las dos orillas, los hicieron saltar en pedazos en pleno día, cuando la circulación entre Pest y Buda era más abundante. El espantoso espectáculo resultó digno de Eisenstein. En París tuve ocasión de ver por vez primera *El acorazado Potemkin* y *Octubre*. Las visionarias películas del gran Serguéi seguían estando prohibidas en Hungría, porque podían poner en peligro el despliegue del «realismo socialista», lo mismo en la literatura que en el cine. El motor de un tranvía permanecía colgado de los raíles que se inclinaban hacia el Danubio. La evocación del pasado me devuelve una «imagen fija»: no tuve oportunidad de contemplar la catástrofe durante mucho tiempo —la radio y los periódicos hablaron de una explosión accidental debida al estallido de una tubería de gas—, y yo lo único que recuerdo es un extraño silencio: ningún sonido, ningún ruido o clamor que viniera del puente, que se encontraba a unos dos kilómetros de la colina de Buda. Ningún barco se dirigía hacia el lugar del siniestro; en la lejanía no se divisaba ambulancia alguna. La población era rehén de las fuerzas alemanas, y los de la Cruz Flechada solo esperaban vengarse de los judíos, aliados potenciales del ejército ruso que avanzaba, sufriendo enormes pérdidas, hacia las puertas de la capital. Conocí momentos de profundo desconsuelo e hice a mi tía partícipe de mis cuitas cuando nos visitó, acompañada —sí, recuerdo a la perfección ese momento— por su amante de la Gestapo. «Si no consigues mantenerte al margen, acabarás en el gueto, como tu abuelo», dijo mi tía. Su aseveración era fruto de un irreprochable razonamiento. («Bist du verrückt? Bleibe meschüge»: «¿Te has vuelto loco? Pues sigue loco…», le escribía Cohn a Grün cuando este le hizo saber que no soportaba un minuto más la atmósfera del manicomio donde se escondía). De cualquier manera, se hizo necesario abandonar nuestro refugio en la calle Úri y buscar un nuevo albergue. Según la opinión del tipo de la Gestapo, los alemanes debían aprovechar la excepcional posición estratégica del castillo, que dominaba Pest y sus alrededores, y por eso eran previsibles combates encarnizados para asegurar su control. Mi hermana, colocada por mi angustiada tía en un convento en la parte baja de la colina, y yo, que había encontrado sitio en el internado «protegido» de la Cruz Roja sueca, estábamos relativamente seguros y, sobre todo, habíamos tenido mucha suerte. Mi prepucio intacto habría podido salvarme la vida ante una eventual redada. El pequeño Sanyi, el hijo de Rózsika la bohemia, nuestra coinquilina en la mansión adornada con la estrella milenaria, fue descubierto por los de la Cruz Flechada en un albergue de niños judíos y fusilado después en la orilla del Danubio. Tras la liberación, Rózsika se instaló en un estudio en los bajos de nuestra casa. En el silencio de la noche se la oía toser; ladraba como un perro herido y no paraba nunca: no lograba echar la pena fuera. A los pocos meses, la calle György Fejér vino a recobrar su antigua calma...

Elogio de los rezagados o el sentido de estas memorias

El intendente del hogar de la calle Úri, un hombre seguro de sí mismo, grande, fuerte, gordo, una especie de armario andante —¿cuál sería su verdadera identidad? ¿El administrador de una hacienda importante, un Harún al-Rashid aristocrático o simplemente un ser piadoso, uno de los «humanitaristas» de la época?—, nos invitó un día, a mí y a un muchacho de rasgos mucho más acusados que los míos, a acompañarlo a buscar unos botes de jalea de frutas (o de melaza coloreada) a un almacén situado detrás de los baños Gellért. «No miréis a un lado ni a otro y venid detrás de mí, que no os pasará nada», dijo el coloso que velaba por nosotros. Seguimos nuestra ruta por un sendero excavado en la falda del monte Gellért y llegamos sin problemas a nuestro destino. A la vuelta, cargados con nuestras cajas, vimos una columna de judíos, un tropel de mujeres, ancianos y niños que arrastraban sus miserables pertenencias, rodeados de guardias húngaros de la Cruz Flechada. Cualquiera de nosotros podría encontrarse entre los integrantes de aquel grupo de prisioneros que, proveniente probablemente del campo de Kistarcsa, se dirigía hacia el oeste. Nuestro acompañante avanzaba con paso firme y regular, sin mover un músculo de la cara. Nosotros permanecimos en silencio. Era un espectáculo horrible que, sin embargo, formaba parte, si no de la «normalidad», sí de lo que se podría denominar la «lógica de los tiempos». Poniendo cara de no ver nada, nos convertimos en cómplices de los verdugos. La voluntad de sobrevivir es monstruosamente egoísta y no puede ser evaluada con criterios morales. Nunca los he olvidado, ni a mis hermanos, ni a mis hermanas, ni a mis abuelos, ni a mis «dobles» de entonces y de ahora, pero solo en este preciso instante me acuerdo de aquellos otros. Más de medio siglo después, en mayo de 1997, dirigiéndome a los baños Gellért, he rozado sus sombras, he atravesado sus filas por el sitio exacto desde donde los vi, sin percibir su presencia espectral. Estas páginas escritas a mi regreso de Hungría les están dedicadas para siempre.

El convoy de los deportados desfila ante mis ojos. Son ellos, los rezagados, cada vez más débiles, abatidos sin piedad en las cunetas a medida que se aproximaban a la frontera austrohúngara, los que dan un sentido a mi búsqueda del tiempo vivido allí y recobrado aquí, a la inmersión en mi pasado, aniquilado para siempre en húngaro y renacido en francés en mi escritura.

CAPÍTULO OCTAVO

Las flores malva del vestido de santa Teréz

Si algún objetivo secreto tenía mi visita a Budapest era, desde luego, el de volver a ver a Teréz, contratada por mi abuela materna a los trece años, según lo acostumbrado entre la alta burguesía, que hacía venir a jóvenes campesinas a Budapest para adiestrarlas en el oficio de criada. Debió de entrar a nuestro servicio poco después de nacer yo. Casada en 1940 con Sándor Benedek, un ebanista de talento, hasta ese día fue completamente fiel a nuestra familia. Con más de noventa años, es el único testigo vivo de la grandeza y la decadencia de nuestra casa y de los momentos de felicidad o de dolor de mis padres. Cierto, ella encarna una continuidad familiar reducida a la nada por la historia, la enfermedad, el exilio y la muerte, y por la que conservo una profunda nostalgia. Teréz y Sándor viven en un barrio de trabajadores, en la planta baja de una casa de vecindad donde todo el mundo se conoce, se vigila y se envidia. En su edificio los tienen por antiguos aristócratas jubilados, porque todos los días, hacia las nueve de la mañana, se instalan junto a la ventana de la cocina y dan cuenta de un desayuno «con tenedor»; en húngaro, la expresión es traducción literal del «Gabelfrühstück» austriaco y remite a la primera colación del día, tan completa como llena de ceremonia, en la que dicha pieza de la cubertería es de rigor. La aviso por teléfono de mi visita. Pese a su mala vista, me reconoció de lejos e hizo que me sentase con ella en la cocina. Miré su hermosa cabeza ligeramente inclinada, en la que se destacaban los músculos del cuello demacrado, sus bellos ojos azules, llenos de amor y de curiosidad; el *flash* de mi cámara consigue que se vean esos puntos misteriosos, el secreto de la gran pintura china, que iluminan el rostro que me mira mientras escribo estas páginas. Sus raros cabellos, blancos y sedosos, peinados con la coquetería propia de la ancianidad, dejan al descubierto una hermosa frente sin apenas arrugas que capta a su manera todo lo que viene de fuera y lo envuelve entre pensamientos generosos y sentimientos de compasión.

Hojas malva, verde y gris, ligeramente amarillentas, alegraban su vestido negro, que cubría un cuerpo fatigado, solo animado por esa energía de campesina que le permitió hacer frente a las dificultades de la vida en la gran ciudad. Su marido, Sándor, «la otra mitad de su vida», como solía decir, al que consiguió devolver a la vida tras una hemorragia cerebral —le hizo beber una copa de coñac y lo envolvió con una manta mientras esperaban a la ambulancia—, es un anciano discapacitado, aunque fuerte y de hombros anchos. Él la mira amorosamente al tiempo que le arruina la existencia, porque se niega a dejar Budapest para acabar sus días en el hermoso pueblo natal de su esposa, en la verde Transdanubia, junto a la frontera austriaca. Teréz se siente amenazada por los pícaros gitanos y por otros ladrones habituales en esta barriada balcanizada, que suelen atacar de preferencia a indefensas personas de edad avanzada. A menudo tiene que echarlos a escobazos para impedirles entrar en su minúsculo y miserable piso de alquiler. Tiene además que defenderse de una sobrina que pretende inhabilitarla y ponerla bajo tutela. Pese a sus achaques, es todavía capaz de dirigirse al centro de Budapest para encargarse de la compra de una cocina completa, con la que han podido hacerse gracias a la indemnización entregada al marido por sus años de cautividad en la Unión Soviética. Era un maravilloso especialista en el arte de la marquetería. Los rusos lo hicieron prisionero mientras paseaba por la calle, en 1945, y estuvo encarcelado en Moscovia durante cuatro años. A su regreso, se había convertido en un comunista entusiasta, lo que motivó algún enfado de su mujer, que esperaba su vuelta llena de angustia. Sándor se inclina para saludarme. Hay cierta rigidez en sus movimientos, como un signo de esa debilidad que era el probable origen de sus gestos esquinados. Quiere a toda costa que veamos su colección de medallas de obrero socialista ejemplar. Todavía sale alguna vez, pero, como no le gusta juntarse con sus camaradas jubilados para jugar al ajedrez, sus salidas se limitan a un viaje en tranvía para cruzar la ciudad y poder contemplar las colinas. Recita versos de un tipo de poesía sentimental pero sugerente, tararea cancioncillas obscenas, abraza en el patio del edificio a las chicas de vida alegre, que se mofan de él. Ese deseo sin edad me impresiona, me entristece, incluso, puesto que es signo de vitalidad y contribuye a la supervivencia de un hombre ya muy maltratado por la vida. Teréz es indulgente con su marido, pese a sus tiránicas exigencias, porque, por respeto a ella, se fuma los escasos cigarrillos que se permite en los retretes. Está orgullosa de él porque «siempre va muy limpio». Los miro: ella, la sabiduría encarnada, el gesto ensombrecido a veces por una nube de angustia o de pánico pasajero; él, un anciano cuyo único destino sería la Casa de Caridad, un ser acabado y roto. Los fotografío, incómodo, para conservarlos vivos, porque sin duda tienen los días contados. Parecería que deseo la muerte de esas personas que me son tan cercanas y eso me obsesiona y me crea sentimientos de culpa. Tengo miedo a perderlos y me gustaría enterrarlos dentro de mí, que sigan siendo míos para siempre. Los quiero con ese sentimiento voraz, destructor, del que mata por amor. El «te comería» con que he amenazado a algunos seres amados en mis años jóvenes, el verso «cruda habría debido devorarte», escrito a la muerte de su madre por el poeta Attila Jozséf, llenan de inquietud mi espíritu, que en lugar de calmarse continúa en tensión.

Me siento en un modesto sillón. Junto a mí hay una lámpara, cuya pantalla de pergamino estaba en la habitación de mi madre. Teréz tiene buen aspecto; se arregla sin falsa coquetería los escasos cabellos dorados. Hace callar al marido y me hace entender con un guiño que no está muy bien de la cabeza. Lo único que quiere es hablar de mi familia, a cuyo servicio pasó los mejores años de su vida. Tras el matrimonio de Endre, su hijo mayor, con Sarolta Hirsch, hija de un gran terrateniente de la Transdanubia, el presidente general de los Molinos Reales, Béla Löwenstein, exhibió los tejidos damasquinados, la porcelana de Ronsenthal y los utensilios de cocina, que constituían una parte significativa de la dote. ¿Acaso insinuaba Teréz que el comerciante de grano súbitamente enriquecido tenía la secreta intención de deslumbrar a la familia Hirsch, cuyos bienes en realidad codiciaba? «Tu pobre madre fue muy desgraciada —gime Teréz—. Tu padre la engañó desde el principio, primero con su mejor amiga, Olga, una auténtica devoradora de hombres». Los engaños de mi padre y las crisis de la pareja eran cuidadosamente disimuladas en casa. Mi madre adoraba a mi padre y lo respetaba como si fuera Dios, el todopoderoso señor de su hogar. Todo el día estaba pendiente de las citas que concertaban en la ciudad. No había que hacerlo esperar ni un solo segundo. Ahora me doy cuenta de que nunca pasamos juntos unas vacaciones completas. Mamá, la criada, mi hermana y yo, pero sin papá —a quien nadie parecía echar de menos—, nos habíamos alojado en una antigua mansión señorial convertida en centro vacacional, un gran hotel situado junto a la frontera austriaca donde algunos jóvenes suabos se mostraron agresivos y provocadores al ver llegar a los turistas de Budapest, entre los que se podía encontrar a muchos judíos ociosos. ¿Qué hacía mi padre mientras estábamos ausentes? ¿Aprovechaba para desahogarse? «No seguirás nunca su ejemplo, ¿verdad?», me suplicó un día mi madre con profunda preocupación.

Teréz fue una valerosa resistente antes de tiempo. Siempre protestó contra las intrusiones del fascismo en nuestro hogar. Un día, seguramente antes de la *anschluss*, *fräulein* Seidl, mi prusiana profesora de alemán, pidió autorización a mis padres —sin que en forma alguna ignorase nuestros poco arios orígenes— para escuchar el discurso de Hitler retransmitido por la radio. «Claro que sí, vete a escucharlo a nuestro dormitorio», le dijo mi madre. Los discursos de Hitler nunca duraban menos de tres horas. La Seidl, en estado de trance, aullaba coreando a la multitud y aplaudía frenéticamente. Mi madre no dejó escapar el más leve reproche, mientras que Teréz afeó a la prusiana su comportamiento, que le parecía inadmisible. «Tú serás la primera persona a la que denunciaré cuando los SS entren en Budapest», le respondió la Seidl. Era 1938. Teréz no soportaba el odio ni la intolerancia y detestaba el nacionalismo exacerbado de la época.

En diciembre de 1944, tras salir gracias al *schutzpass* suizo del campo de trabajo para mujeres judías de Kistarcsa que habían puesto en funcionamiento los de la Cruz Flechada, mi madre buscó refugio junto a Teréz.

Llevaba la cara tapada con una bufanda. «Pero la pobre no podía disimular su nariz —me cuenta Teréz, que la acompañó de un escondite a otro—. Estuvieron a punto de detenernos —añade—. Tu madre le debe la vida al valiente policía que tuvo que revisar nuestros papeles. "Desapareced de mi vista", dijo, y eso nos salvó».

Me causaron una viva impresión sus revelaciones en relación con mi madre, obligada a bailar con oficiales nazis, alemanes o húngaros para dejar claro a todo el mundo que no era una judía escondida por la cuñada de Teréz —una costurerita ligera de cascos que presumía de no llevar nunca bragas—. Oigo el chirrido de la aguja en el disco de 78 r. p. m. y la melodía de una canción *slow*, el zapateo de las botas de los fascistas obligando a bailar con ellos a una viuda de treinta y siete años a la que hacía mucho tiempo que nadie abrazaba. Da las gracias a su pareja de baile cuando la devuelve a su sitio —debe de ser fantástico poder pasar por bien educado y galante con las damas, siendo uno fascista— y, después, pretextando fatiga, se retira a su habitación. Ella dejó el refugio durante los bombardeos para venir a verme al hogar de la Cruz Roja sueca en el que estaba enterrado. Sin duda, quiso borrar de su memoria esos meses terribles y nunca me habló de aquel humillante episodio de su biografía.

Me despido de Teréz y de su marido, que me desean «fortaleza y salud». La mirada de Teréz está ligeramente perdida; me dice que es muy triste haber superado una determinada edad. Pero es una constatación resignada, hecha sin asomo de desesperación. Me regala la cubierta de un cojín que mi madre se dedicó a bordar en las semanas precedentes a mi nacimiento. Sándor, cortés a su manera, agacha la cabeza, y la rigidez de sus movimientos de anciano hace que me resulte difícil expresar el afecto que también siento por él. Filemón y Baucis de la barriada obrera, viven al día, unidos, confiados en Dios pero sin renunciar al tratamiento médico —que les cuesta un pago adicional de trescientos forintos— en tanto esperan, en resumidas cuentas, a la muerte.

Mientras releo estas líneas, me entero de que Sándor ha fallecido, no sin haber agobiado a su esposa durante las crisis de demencia que precedieron a su muerte. Teréz tiene noventa y nueve años muy trabajados. Extremadamente débil, apenas puede salir de su piso. Los recuerdos la asaltan, los muertos la atormentan, los vivos la hostigan. Las alucinaciones, de las que es perfectamente consciente, no la dejan dormir: el crucifijo se suelta de la pared y atraviesa la habitación; los niños se agarran a su falda; los ladrones asaltan la casa. Se pasa la noche en vela, observando las ventanas iluminadas y espiando el ir y venir de sus habitantes. Casi centenaria, no puede soportar ya el peso de su siglo. Siempre ha estado interesada en el asunto del origen del mundo, me confiesa, pero ¿en qué están pensando los científicos —se pregunta en sus delirios— que pretenden captar la energía solar? ¿No acabarán por debilitar al astro que nos proporciona luz y calor? Y, cuando el sol se haya agotado, ¿qué pasará?

¿Se hundirá en el océano? No obstante, ella confía en la providencia divina, de la que dependen lo mismo la felicidad que las desgracias pasadas y presentes. Con la ayuda de su sobrino, que heredará el pequeño apartamento, su nombre ya está grabado en la tumba de su marido, «el compañero de mi vida», con el que espera reunirse. Depositaria de la memoria de mi familia, me lo ha dado todo, todo me lo ha contado. Teréz es ahora prisionera de su soledad. Su espíritu se cierra en torno a sí mismo y nunca llegará a revelarme enteramente sus secretos.

Empiezo a sentirme mal de camino al metro. Aparece un grupo de policías con el uniforme de un repulsivo color gris y algunos campesinos miserables recogen a toda prisa sus mercancías (unos pimientos frescos extendidos sobre una tela), como hacen los africanos en el Trocadero o el Ponte Vecchio. Me interno en el metro, en gran parte construido por las personas que entre 1946 y 1947 aparecían inscritas en la «lista B»: antiguos funcionarios del Estado sospechosos de colaboracionismo, militares licenciados después y, a medida que la lucha de clases se fue exacerbando, propietarios de tierras, campesinos enriquecidos expulsados de sus posesiones (era preciso imitar el ejemplo soviético en la caza del *kulak*), es decir, una importante parte de la población, cuyos sufrimientos y humillaciones no eran desconocidos para el resto del país. La red subterránea del metro debía servir de refugio en caso de que estallase la tercera guerra mundial, enfrentando a los países occidentales y a la Unión Soviética, que, con ese pretexto, se anexionaría de inmediato las democracias populares. Todo estaba preparado hasta el menor detalle, como lo atestiguan los blasones del Estado, calcados de sus modelos estalinianos. Durante el corto trayecto, controlo discretamente los pasadores de seguridad que sujetan la cartera y el pasaporte a mi chaqueta. En uno de los pasillos, me sorprende agradablemente el olor de los pasteles preparados en los nuevos hornos, recientemente importados del Oeste, una innovación muy notable en la tierra de nadie que es el metro. Acelero el paso buscando la salida. Bordeo el inmueble que alberga el Club Afrodita, el famoso burdel frente al que las filas de taxis se suceden sin pausa: peregrino extraviado, me dirijo al hotel Peregrinus. En mi habitación, contemplo el hermoso castaño del jardín de la iglesia ortodoxa serbia. Aturdido, anonadado, no sé qué hacer; espero que el tiempo pase y me refugio en el sueño, que me vence pasado el mediodía.

Teréz y las tres Gracias: Mariska, Anna, Katica...
La Navidad se prepara en verano

Tiempo después, contemplando el arbolado de los Inválidos, cuyo follaje se vuelve negro al caer la noche, me acordé de mi torpeza, sin dejar de pensar en la Teréz de mi infancia. Estoy en mi cuna —debo de tener dos o tres años y enrollo mi *loulou*, mojado, sucio, tranquilizador, en torno a mi pulgar—, entra ella en la habitación llevando una pesada cesta llena de troncos de madera para alimentar el fuego de la estufa de loza. La recuerdo bajando la ventanilla del tren que nos llevaba a Abbazia para lavarse el pelo con el agua pura de la lluvia. Se entendía bien con Anna y Katica, las dos hermanas lavanderas encargadas de la colada semanal y de la gran colada mensual, y se pasaba el rato con ellas, lavando, enjuagando y escurriendo la ropa en una tina de madera blanca apoyada sobre dos taburetes. ¡Había que alimentarlas para que trabajasen bien! El suyo era el día de la pasta, que a mí no me gustaba mucho, de los fideos con semillas de amapola, un alimento energético y rico en glúcidos reservado en las casas de la burguesía a las lavanderas, cuyo trabajo habría merecido más bien un plato de carne. Anna cerraba de forma muy cómica los ojos al cepillar la ropa de cama, y a mi madre, que era muy reservada en todo y me tenía prohibido burlarme de nadie, le gustaba imitarla, lo que nos hacía reír a todos. Mariska era la tercera hermana de aquella familia de ángeles estajanovistas; se dedicaba a planchar la ropa con una plancha eléctrica, mientras que Anna y Katica, manejándose con aparatos pesados como las bolas de los presidiarios, en medio del calor producido por los quemadores de gas, como puede verse en los cuadros de Degas, planchaban las sábanas previamente puestas a secar en cuerdas que pendían del techo. Entre marzo y diciembre de 1944, les confiamos ciertos objetos de valor, pero fueron los rusos los que se aprovecharon de ellos, tras robarlos en enero de 1945. «Podéis creer que esa es la verdad», nos dijeron, dispuestas a jurarlo sobre el Evangelio. Estas tres Gracias tenían un hermano detective a la antigua, siempre vestido con trajes oscuros, con un rostro afable adornado con unos bigotes rizados, que nos contaba emocionantes historias de robos, de crímenes sangrientos, de complicadas investigaciones y de malhechores capturados.

Si atendemos a las curiosidades del complejo «saber vivir» propio de Europa central, yo no tenía nada que hacer con las criadas. Y, pese a ello, su universo me fascinaba. Amaba la atmósfera vaporosa de la cocina, donde podía olerse el aroma del asado o meter el dedo en la salsa de chocolate. En el lavadero, olía los troncos de madera recién cortados y apilados y pasaba vergüenza por el olor a pobreza que emanaba de la habitación de servicio contigua: dos camas de hierro plegables eran todo su mobiliario, que soportaba bien las llamas del soplete utilizado para matar insectos.

Estoy en la cocina, lo que prácticamente me estaba prohibido, de pie junto a la encimera, que una vez por semana, como un ritual, se llenaba con la fina, casi transparente, masa del *strudel*. Mi frente roza la mesa y me digo a mí mismo, allá, en el gineceo de las criadas: «¡Tengo cuatro años!». Ellas se divertían a mi costa, haciéndome ver que había pasado de ser el joven patrón a convertirme en «el idiota de la familia». Las reclusas de este harén, las huríes, podían transformarse en harpías. Uno de sus juegos favoritos era el llamado «la entrada está al otro lado». Consistía en hacerme pasar, por la espalda y por sorpresa, una escoba entre los muslos. ¿Tenía entonces yo la intuición de que el significado de una expresión como «cepillarse a una mujer» era poseerla sin amor? Esta algarabía doméstica, este carnaval en miniatura de la cocina, mi cara de desconcierto, mis protestas, la bragueta del hijo mayor de la familia llena de pelos, las manchas en la ropa interior, las hacían morirse de risa. Yo me sentía herido, desconcertado, ultrajado, y no quería allí a esas brujas, que no echaban a su caldero sapos, ojos de serpiente o hierbas recogidas a medianoche, como las de Macbeth o Fausto, sino otros ingredientes amorosamente elegidos a los que añadían además una pizca de comino húngaro para el cocido de la comida.

La señora Konrád, una gordita que llevaba gafas de montura negra, era la encargada, una vez al mes, del zurcido de las prendas. Era una auténtica especialista en ropa blanca: velaba por el buen estado de los manteles adamascados, de las sábanas de algodón y de las toallas. Un día, cediendo al capricho de mi madre, se las ingenió para confeccionarme ropa interior de una sola pieza, camiseta y calzoncillo unidos, sin bragueta y que dejaba al aire las nalgas; tal proyecto castrador, que comportaba largas sesiones de humillantes pruebas, no llegó a confeccionarse nunca, porque me puse a lloriquear como un niño de pecho aquejado de cólicos intestinales. Una gran desgracia se abatió sobre la señora Konrád: su hijo primogénito, militar de carrera, se suicidó a causa de un estúpido asunto de honor. No volvimos a verla a partir de 1940. Ilona, la costurera de entonces, cosía los vestidos de mi madre y mi hermana: también ella desapareció en el curso de aquel año fatídico, cuando dejamos el chalé de la avenida Aréna. No sabría decir cómo aterrizó entre nosotros Mária la morena, la nueva institutriz, encargada de darme clases de *húngaro*. Dulce, tolerante y paciente, entendió con rapidez que aquel mocoso judío, cuya lengua habitual era el alemán y que pronunciaba las erres con un tono gutural —lo que lo excluía de la comunidad de los magiares de pura cepa—, debería incorporarse pronto a la escuela comunal, donde tendría que demostrar ser competente en el uso de la lengua nacional. Un día, Juci, la de los pies grandes, la hermana pequeña de Mária, vino a nuestra casa. ¡Juci limpió la tinta que se había derramado sobre mi escritorio con su propia lengua, ancha y carnosa! ¡Juci llevaba zapatos de hombre! Mi madre me enseñó que no siempre era necesario «ver» esas extravagancias; esa pobre familia no tenía suficiente dinero para comprar calzado a la muchacha, que recorría las calles de Budapest llevando los zapatos de su padre. Mária la rubia sustituyó a Mária la morena. Era una mujercita enérgica, mandona y exigente que me enseñó el manejo de la sierra caladora, a pintar la madera cortada y a barnizarla. Volví a verla en 1948, en el rectorado de la Universidad de Budapest, durante un examen público. La encontré bastante deseable, la cubrí de besos y ella se dejó hacer, pero la cosa no pasó de ahí.

Mi madre estaba muy agradecida por la lealtad de su gente. Preparaba la Navidad desde el mes de julio. Iba al establecimiento del señor Lusztig, propietario de una tienda de telas en las cercanías del parque Municipal —no uno de esos almacenes del centro, después de todo—, y elegía unos metros de tela a cuadros, de crepé con florecillas, de lana fina, de satén negro o de blanco algodón, siempre según la edad, el gusto o las necesidades de sus fieles y amados vasallos. Cercanas las fiestas de fin de año, el empaquetado y etiquetado llenaban jornadas enteras de duro trabajo. Katica y Anna, agradecidas, quisieron besarle las manos, pero mi madre se lo impidió con una frase estereotipadamente afectuosa: «¡Ni se os ocurra, hijas, mejor lo dejamos para mejor ocasión!».

Una prisionera condecorada

Fui allí a la búsqueda de los últimos testimonios de mi infancia, de los escasos supervivientes que habían conocido a mis padres. Recogí sus dichos para dejar testimonio de su coraje, de la generosidad que los animaba, de la dignidad que les permitía vivir en condiciones a menudo deplorables. De sus antiguos esplendores habían conservado una grandeza de ánimo, una bondad y un sentido de la ética insuperables. ¿Se equivocaban los comunistas persiguiendo a los descendientes de la alta burguesía arruinada? Los ideólogos del Partido no ignoraban que esos desclasados mantenían intacto una suerte de espíritu europeo y que su cultura constituía un muro defensivo interior contra la adversidad y la barbarie de los nuevos tiempos. Alice y Édith, las dos hermanas de Dódy, pertenecían a esa generación.

Tras la muerte de su marido, Dódy no quiso abandonar Suiza. A los ochenta años daba todavía lecciones de piano. Aunque se quedó desesperadamente sola, siempre se negó a regresar a Hungría, tal era el horror que le producía su balcanizado país. Creo que no podía olvidar cómo, por ser descendiente de la familia Gerbaud, fue puesta de patitas en la calle en la época de la nacionalización de los comercios. Alice, algo más minada por la edad y las enfermedades, separada de sus siete nietos por una hija descastada, se dejaba aterrorizar por Édith, una nonagenaria frágil de personalidad inoxidable. La antigua secretaria del agregado comercial de la embajada de Francia en Budapest fue acusada de espionaje. Arrestada en 1948, los comunistas la condenaron a seis años de prisión. Hambrienta, sin poder dormir apenas, sumisa en los interrogatorios, cegada por los focos, resistió como pudo la tortura psicológica. A la interrogadora apenas salida del liceo que estaba encargada de sacarle información sobre presuntos o inexistentes delitos le recitó poemas, y se burló de ella corrigiéndole la lista de los reyes de Hungría. Mientras tanto, murió su marido, un biólogo y cantante de ópera aficionado de la altura de un Fischer-Dieskau en el papel de Cristo en las *Pasiones* de

Bach. Al salir de prisión, pudo sobrevivir dando lecciones de francés, de inglés y de alemán. El Estado francés le otorgó una renta de unos centenares de francos, y el presidente Chirac acaba de imponerle la Legión de Honor. Le he prometido enviarle unos centímetros de cinta de la seda adecuada (puede comprarse por metros en una tienda de la galería del Castillo Real), porque el plástico le resulta totalmente desagradable. Conduce ella misma y los conductores del trolebús se arriman a las aceras cuando pasa para tenerla contenta. Con su mano temblorosa parece bendecirme y me felicita por «no haber cambiado». Édith es una artista de la cuarta edad: se mueve con sorprendente agilidad por su apartamento, del salón cubierto de fotografías y recuerdos al balcón sostenido por vigas que, igual que ella misma, no cede bajo el peso de los años. Me duele dejarla. Conoció bien a mi madre y la ayudó, antes de su marcha a París, a refrescar sus conocimientos de gramática francesa. La acompañó hasta la estación. El tren comenzaba a acelerar, pero ella seguía allí, gritando su último adiós: «¡Y no te olvides de que el imperativo sustituye al condicional después de un «si» hipotético!».

Me dirijo hacia el metro. En la esquina de la calle Bajza, no muy alejada de la avenida Aréna donde vivimos hasta el otoño de 1940, se encontraba la farmacia Wittmann, de la que fuimos buenos clientes antes de la guerra: mi madre siempre se negó a aceptar el dolor gratuito. En los años 1942 y 1943, nos aprovisionamos allí de tranquilizantes, antidepresivos e inyecciones de insulina para mi padre. No queda ni rastro de todo aquello… Solo queda el recuerdo de algunos nombres de medicamentos —Algogratín, un analgésico; Panaflu, contra la gripe; Birobin y Fercupar, contra la anemia— prescritos por el profesor Preizics, un judío pequeño y jorobado cuyo estetoscopio me resultaba muy desagradable cuando me lo aplicaba, o por el doctor Armin Flesch, adepto del método Priznitz, que consistía en envolver el cuerpo del paciente con paños húmedos para que le bajara la fiebre.

El mundo desaparecido del parque Municipal

En los años de la posguerra nunca se me ocurrió la idea de volver a la calle Aréna o de visitar las inmediaciones del parque Municipal, cuyas cuestas recorrí de niño en cochecito, luego a pie y por último en patinete. Y, sin embargo, el parque es un espacio acogedor. Contemplo las calzadas pavimentadas desde lo alto de mi cochecito de niño y las recorro rodando el aro. Sin aliento, me detengo junto al carro del heladero, refrigerado mediante el uso de desagradables bloques de hielo; el que arrastra el carro vende botellines de chocolate frío, cubiertos de una tapa de cartón que hay que perforar con una pajita de papel de cera. Caballerito motorizado, lanzo mi bólido accionado a pedal por la pista que bordea los corredores arenosos reservados a los caballistas y sus acompañantes. ¿No fue de Milán de donde mi padre me trajo mi primer triciclo a pedales? Y mientras que las niñeras maldicen contra sus patrones, yo me entrego al sueño oyendo el arroyo que se interna ruidosamente en los canales de desagüe. ¡Cuánto me habría gustado poder seguir el trayecto subterráneo de los objetos que arrojé allí! Me veo corriendo en sueños entre los hermosos castaños heridos de muerte durante el asedio de la ciudad, en diciembre de 1945.

La configuración del parque cambió radicalmente tras la guerra. Convertido en escombrera, el terreno se fue llenando de colinas que antes no existían. La construcción de un «estadio del pueblo», concebido para cien mil espectadores, hizo necesario desplazar millones de metros cúbicos de tierra. Se rellenaron las zanjas y se construyeron unas gradas que conferían cierta teatralidad al lugar. Después, las hierbas silvestres y, por último, el césped cubrieron por completo esa Atlántida desaparecida para siempre. En vano buscaríamos el emplazamiento de la Feria Internacional, en donde en 1938 asistí a una de las primeras retransmisiones televisivas, bastante decepcionante, la verdad, porque la imagen que se veía en la pantalla no tenía mucho que ver con el rodaje que yo había contemplado poco antes tras los cristales del estudio. ¿Qué se hizo de la avenida Stefánia, paseo de los elegantes de la anteguerra, hoy convertida en garaje para coches abandonados por los turistas? ¿Es posible que la estatua del arquero, una imitación del escultor Stróbl de la obra de Bourdelle, haya sido reubicada como adorno sobre el pórtico de la antigua pista de patinaje abandonada? ¿Dónde están la rosaleda y los guardias que seducían allí a las niñeras? ¿Dónde están los encargados del alumbrado público y los que se ocupaban de encender las farolas de gas? Desde nuestro traslado al piso de la calle György Fejér en 1940, me había «olvidado» de ese mundo elegante y vulgar a la vez, porque englobaba el Prater budapestino, el «vurstli» —tomado del «Würstli» austroalemán, que significa algo así como «bosquecillo de sauces»—, paraíso de los niños, que montaban en el tren conducido por una locomotora dragón de ojos rojos y lengua escarlata, y de las empleadas de hogar, condenadas a convertirse en presas fáciles de militares de permiso y de matones con gorra.

En mi sueño, atravieso a pie el lago artificial al borde de ese «bois de Boulogne» budapestino. El agua, dulce y cálida, que en verano cubre el fondo de hormigón de lo que se utiliza en invierno como pista de patinaje, tiene una profundidad de, más o menos, mi estatura. Me dirijo hacia la otra orilla, mientras alguien me lanza un cable que un flotador de poliestireno mantiene en la superficie. Pese a las advertencias que me parece oír, no trato de alcanzar el cable, puesto que no me siento en peligro. ¿Qué había ido a buscar allí en el ecuador de mi travesía? Hacia los cinco o los seis años, iba dando un paseo por las cercanías del sitio por donde había salido del agua en mi sueño. Un grupo de judíos con caftán rezaba cerca de allí. La criada me apartó del grupo y me explicó que aquellas personas estaban dando de comer a los peces. Se trataba, de hecho, de la vigilia de Rosh Hashaná, la fiesta de Año Nuevo; los judíos se encontraban allí para arrojar simbólicamente sus pecados a las aguas del río, tras lo que iniciaban un periodo de penitencia de diez días. ¿Deseaba realmente acercarme a ellos? Durante una visita académica a Israel, me encontré en una ocasión delante del Muro de las Lamentaciones. Fue un sábado por la noche, se festejaba el fin del *sabbat*, y me encontraba allí en compañía de Shlomo Elbaz, un destacado especialista en cultura francesa que conocía mis orígenes y mi posición algo equívoca en aquel lugar sagrado. Liberal y generosamente, me hizo entrar en la ronda que bailaba expresando su alegría al final de la jornada de recogimiento. Allí me sentí feliz y profundamente emocionado. Shlomo, que intuía mi nostálgica búsqueda de la religión de mis antepasados, me desaconsejó pese a ello que entrase en el corredor, bajo el muro, donde los judíos ortodoxos oraban balanceándose. Mi presencia habría podido incomodarlos. ¿Cómo me habrían acogido aquellos otros ortodoxos reunidos junto al lago del parque Municipal?

Una Ópera en medio de las ruinas

Los escombros arrojados al parque Municipal, ahora cubiertos de hierba y que, con el paso de los años, se han sumergido por completo en el humus del olvido, me evocan la capital cubierta de ruinas tras el asedio de 1944-1945, en mitad de la cual solo el palacio de la Ópera permanecía iluminado. Tras haber devuelto a los músicos sus instrumentos confiscados, las autoridades soviéticas volvieron a abrir las puertas del teatro lírico. Los rusos son bastante melómanos, como es sabido. Reabierto a instancias del mando de la fuerza de ocupación y de los vecinos de Pest amantes de la lírica —que llegaban hasta la avenida Andrássy, tras haber atravesado calles en las que los perros hambrientos, los ladrones húngaros y los merodeadores rusos rondaban a los paseantes—, la Ópera era un lugar de cuento de hadas. En las casas, la única iluminación era la de las velas, y allí podía admirarse el edificio iluminado por esas lámparas cuyas pantallas de vidrio azulado y transparente atenuaban la potencia lumínica. Se salía de pisos devastados y se encontraba uno con los asientos cubiertos de terciopelo; se pasaba junto a fachadas reventadas, pero en el escenario podían admirarse muros de mármol de imitación. Muchos grandes artistas, que habían sabido permanecer al margen durante el periodo terminal del fascismo húngaro, recobraron su lugar en las compañías prestigiosas…, al contrario de lo que le ocurrió a cierto bajo profundo que tuvo la pésima idea de estrechar la mano al *führer* húngaro con ocasión de una fiesta en el Castillo de Buda y en presencia de un fotógrafo. Los cantantes judíos, con la voz a menudo enronquecida, recuperaron sus papeles, y el público se mostró indulgente con ellos. La Ópera de Viena, destruida durante un bombardeo aliado, continuaba con su actividad en el Theater an der Wien y «prestaba» a algunos de sus artistas, los más cercanos al final de su carrera, a su casa hermana de Budapest. Con la inflación, las entradas para los últimos palcos no costaban mucho más que un pastelillo comprado en cualquier puesto callejero. Descubrí entonces que la lírica me proporcionaba un verdadero placer físico y que alimentaba mis propias fantasías. Lloré con Rodolfo al descubrir que Mimí estaba muerta, gemí junto a Aida, me sentí identificado con Hoffmann, cuyos amores siempre se topaban con insalvables dificultades orquestadas por su enemigo, un ser diabólico de rasgos cambiantes. Asistí al final del primer acto de *Don Giovanni*, en el que el seductor grita: «Viva la libertà!», exaltando esa condición que solo podía ser asimilada, en el contexto húngaro de entonces, a la dignidad humana. En la época de la «traición» de Ágnes, «Ella giammai m'amò», el aria de Felipe II en *Don Carlos*, me impresionó profundamente. Me emocionaba con los cantantes y compartía el entusiasmo de los directores de orquesta, que volvían a dar sentido a mi vida. Me hacían sentir dichoso y me permitían olvidarme de nuestra miseria y de mi angustia. La compañía cantaba en húngaro, pero solía ser frecuente que un artista invitado cantase en italiano o en alemán. Pero poco importaba esa confusión babélica de lenguas, porque la música no tiene fronteras y el canto es universal. Este era el punto de vista del gran Klemperer, quien, fastidiado por sus fracasos vieneses de la posguerra, vino a establecerse durante varios años en Budapest, dirigiendo allí las cinco grandes óperas de Mozart cantadas en húngaro. Con la mano derecha paralizada, acompañaba con la izquierda los recitativos al piano, intercalando en las partituras algunas notas propias —«señales de radio», las llamó algún crítico malévolo— cuando quería llamar al orden a algún cantante despistado. Se dedicaba a seducir a jóvenes cantantes sin demasiado talento, que se ofrecían al divino Príapo con una rosa roja en la boca. Artista austero, dirigía generalmente sentado, sin batuta, con el puño cerrado, del que emergía un inmenso pulgar que se agitaba de forma muy poco mecánica. A menudo, arrastrado por la emoción, se levantaba y extendía sus brazos de gigante durante los momentos excepcionales, como el cuarteto de *Fidelio*, las bodas burlescas de *Così fan tutte* o el desfallecido canto del coro poco antes del final de la *Novena*. Circulaba libremente entre Budapest y Viena, pero ¿llegó realmente a darse cuenta de los cambios ocurridos en la vida cultural del país en el que trabajaba? Abandonó Hungría tras el golpe de mano propinado a la programación musical por el Partido: las óperas de Wagner fueron prohibidas y las *Pasiones* de Bach, dado que «la religión era el opio del pueblo», totalmente proscritas.

Me pongo de nuevo mi escafandra: conozco el fondo marino, los senderos que lo recorren, los navíos hundidos cubiertos de conchas y algas con los que se tropieza uno por todas partes; y aparecen allí las columnatas de hierro que sostenían las cupulillas de los quioscos donde se interpretaban melodías de las operetas de Lehár, que destilaban nostalgia austrohúngara en aquel país que había perdido la alegría y se preparaba para la guerra.

Una academia donde no se hace otra cosa que música

En este mayo de 1997, el metro me deja en la rotonda de la avenida Andrássy, en las cercanías de la Academia de Música. A falta de concierto, elijo una velada de música de cámara, despreocupadamente animada por Tamás Vásáry, a quien el irreductible Kodály regaló un piano Steinway en los años 1950-1952, mientras se hallaba desterrado en un villorio remoto de la *puszta*. Me acerco al edificio, que antaño me parecía digno de veneración. La estatua de Liszt anciano sentado en un sillón, incorporada a la fachada de esta gran escuela de compositores e instrumentistas, contempla, en el paseo de enfrente, la escultura en bronce de un virtuoso loco, su «doble», con la mirada perdida y la cabellera flotando al viento, y cuyas desmesuradas manos no asustan en absoluto a los niños que brincan irrespetuosamente sobre sus rodillas. La improvisada velada me decepciona y las tres cotorras que no dejan de charlotear a mi espalda, en el primer palco a la izquierda, consiguen hartarme. Me aburro en el intermedio, bajo al vestíbulo buscando caras conocidas, como si el tiempo se hubiese detenido tras mi partida en 1956. Fotografío las escaleras *art nouveau*, las fuentes embellecidas con mosaicos brillantes. ¿Cómo he podido olvidar los extraordinarios conciertos que escuché de joven? ¿La matinal de la Orquesta Filarmónica Municipal, en febrero de 1945, consagrada a las obras de Mendelssohn y Goldmark, que habían estado prohibidas por el régimen nazi; a Menuhin tocando por primera vez en Budapest la *Sonata para violín solo* que había encargado a Bartók, enfermo de leucemia en Nueva York; a Annie Fischer en trance, ejecutando el *Hammerklavier* de Beethoven; a Richter, todavía elegante y delgado, entrando a escena con la cabeza inclinada sobre su hombro izquierdo e imponiendo a los estalinistas un programa compuesto enteramente en torno a Debussy y Ravel, o a Székely y su Cuarteto Húngaro, o quizá a Végh y a sus músicos?

La prestigiosa sala sirvió de marco —me doy cuenta de ello mientras redacto estas líneas— para el juicio contra los miembros del partido de la Cruz Flechada. Los asistentes habían sido cuidadosamente seleccionados por el Partido Comunista, que distribuía las entradas entre un público al que el espectáculo le era completamente indiferente. Instalado en el primer palco del lado derecho, asistí a una de esas sesiones una mañana de marzo de 1945. A una orden del presidente del «tribunal popular», entró un siniestro personaje de aire insolente. Embutido en su uniforme (camisa negra, pantalón negro, botas de montar negras), declaró así su identidad: «Soy Ferenc Szálasi, caudillo de la nación húngara». El presidente del tribunal lo llamó al orden, pero el antiguo *führer* respondió declarando que la única autoridad del tribunal se fundaba en la presencia en el país de las «bayonetas soviéticas». El presidente le quitó la palabra y lo expulsó de la sala. Desde luego, no está de más apuntar que este sinvergüenza seguía los mismos pasos que Mahler, Mengelberg, Fürtwangler, Szigeti o Jacques Thibaud. El siguiente acusado, antiguo alcalde de una barriada del norte de la capital —la «Nueva Ciudad Leopoldo»—, se negó a partir de octubre de 1944 a vender, a cambio de los cupones del racionamiento, la leche disponible a las madres judías que debían alimentar con ella a sus recién nacidos. El personaje que trata de componer es patético: se arrepiente, pero no le sirve de nada, porque no podrá librarse de ser sentenciado a muerte.

Es evidente que la jurisdicción del tribunal emanaba del sistema puesto en marcha por los soviéticos. Sin embargo, todavía hoy lo considero legítimo. En su desarrollo tuvo algo de ingenuo, de idealista o de humano, simplemente. Llevaron a Szálasi y a su pandilla a las orillas del Danubio para que contemplasen la ciudad en ruinas, los puentes destruidos por los alemanes, el Castillo de Buda calcinado, las orillas cubiertas de escombros. Como si el tribunal considerase que esos criminales debían darse cuenta de la catástrofe que habían provocado con su locura. Fueron condenados a muerte y ahorcados en el patio de la prisión. El *L'Express* húngaro de la época —no me acuerdo del nombre del periódico— publicó una fotografía donde se veía a los ajusticiados colgando de las horcas, con las caras ocultas por las capuchas que cubrían sus cabezas. Este proceso necesario, y justo según mi opinión, no tuvo nada que ver con el diseñado por los consejeros soviéticos contra los antiguos comunistas, cuyo fundamento fueron declaraciones obtenidas bajo tortura y un diabólico desarrollo argumental («En interés del Partido y del movimiento obrero internacional...»), bastante mejor descrito por el lúcido Arthur Koestler en *El cero y el infinito* que por Arthur London en *La confesión*.

Decepcionado, abandono la velada con Tamás Vásáry y entro decidido en un McDonald's del bulevar Erzsébet, en donde seguro que no suena música gitana y donde el cliente es atendido por jóvenes sonrientes y nada serviles. (Los instructores americanos desembarcaron en Budapest pocos días antes de la apertura del primer restaurante de la cadena al objeto de iniciar a los trabajadores húngaros en la coreografía adecuada al estilo de la empresa, la que garantiza su buena marcha y la obtención de los beneficios previstos). Recorro el bulevar hasta la avenida Rákóczi. Paso por delante de una librería donde trabajó mi madre: como si hubiera olvidado los años de posguerra, atravieso el bulevar y doy la espalda al cine en el que, antes de la prohibición de las películas americanas por el régimen comunista, pude ver a

Veronica Lake en *Me casé con una bruja*, de René Clair. El autobús que me devuelve al hotel Peregrinus apenas me permite entrever el cine Uránia, antaño propiedad de la compañía cinematográfica alemana UFA, donde vi con mi padre una película nazi sobre la guerra. En mi pantalla interior se proyectan ciertas imágenes que me han marcado. Un marino tiene problemas para abrir la escotilla del sumergible, que se hunde rápidamente en las profundidades del mar. Pierde pie, lucha contra las olas y luego se ahoga irremediablemente. El malestar me embarga y busco la mirada de mi padre, que está sentado a mi lado.

CAPÍTULO NOVENO

Un álbum de fotos

El álbum está cubierto de una tela acolchada con un estampado de rosas blancas y rojas y ostenta una inscripción a pluma: «FRED 1930-». Como en un diccionario de autores contemporáneos, falta la fecha de la muerte. Nadie la escribirá nunca. En el propósito de mi madre el guion no remitía a mi desaparición, más bien abría perspectivas, guiaba al presente hacia el porvenir. ¿Cómo escapó este álbum a los desastres, a la ruina, al pillaje y a la dispersión? No lo sé. Estaba en uno de los tres o cuatro cajones, mejor dicho, cajas de cartón que llevé tras la muerte de mi madre desde su último domicilio a nuestra bodega. Lo hojeo por primera vez en mi vida; nunca me había atrevido a enfrentarme con las imágenes de un pasado que sentía todavía cercano y cuyos inextricables y cálidos laberintos nunca he dejado de recorrer, como el topo de Kafka. Un bebé regordete y rotundo, contento y sonriente, descansa en sus brazos; el colchón de la cuna esta colocado en una mesa, en el balcón lleno de plantas del piso de los abuelos paternos, en el bajo del chalé de la avenida Aréna. El niño que descansa en las rodillas de su madre tras haber ingerido su alimento soy yo. Mías son las imágenes del chiquillo que llora sentado en su orinal o que golpea los barrotes de su cuna, y también me veo acostado, succionando ansioso mi *loulou*. Debía de estar malhumorado a menudo, incluso en brazos de esa jovencita que era mi madre. El fotógrafo aficionado no tenía el oficio del señor Veress, que, para eternizar a los hijos de buena familia que acudían por norma a su estudio, nunca a otro, siempre esperaba el momento propicio, buscando la pose más favorecedora del retratado. Ese parque, esa mecedora provista de cuatro ruedas, el cochecito con su pesada caja suspendida de los resortes cromados, formaban parte del mobiliario que me rodeaba, a la vista de estas fotos de formato 6 por 9 ó 6 por 6, tomadas probablemente con una Kodak Box o con una cámara de caja Agfa. Vuelvo a verme en compañía de mi abuela materna, que perdí a la edad de cuatro años y cuya mirada sonriente siempre conseguía tranquilizarme. Tengo una raqueta de tenis en las rodillas, rasgueo las cuerdas de diferente color —aquí intervienen mis recuerdos, porque, como es obvio, las fotos son en blanco y negro—, fascinado por la superficie cuadriculada, dura, resbaladiza, que parece cubierta de resina ambarina. Me hallaba visiblemente feliz en el agua, tanto en la casa de baños Széchenyi, donde teníamos nuestra propia cabina, como en la piscina del chalé austriaco donde pasábamos las vacaciones. Mira, ahora estoy en brazos de mi abuelo paterno, bastante autoritario con sus hijos adultos, puritano a su manera, aburrido de la frivolidad y las manías exhibicionistas y pretenciosas de su mujer, que juega entretanto con las tres hileras de su collar de perlas. He aquí a un muchachito de cuatro años, vestido de blanco y con un corbatín negro, en su patinete, entretenido en el balcón del chalé que se encuentra junto al parque Municipal. Aquí se dispone a subir a su coche, bastante pasado de moda, la verdad, una especie de bañera con pedales. Pasa la mayor parte del tiempo en compañía de su madre, lo mismo en las colinas de Buda que en los Alpes austriacos. Lleva el pelo peinado con raya a la izquierda y los mechones iguala- dos a la altura de la oreja, que queda a la vista, mientras los más largos asoman por detrás. La joven lee un libro que él observa mientras le pasa un brazo alrededor del cuello; con el otro, le agarra el cuello del vestido. Aquí la abraza aparatosamente, echando una mirada cómplice al fotógrafo. Fui muy feliz en los Tatras checos, tirando del trineo con mi maillot beis y mi cálida capucha, y no —como en los años siguientes— con aquella gorra de visera que acentuaba mis rasgos raciales. Conservo una inconmensurable nostalgia de aquel sitio, del funicular que me permitía divisar inmensas extensiones nevadas, y todavía siento la felicidad que me producía hallarme tan unido a mi madre.

Estoy junto a la cuna de mi hermana, con el brazo apoyado sobre el bebé dormido. ¡No consigo acordarme de mi madre embarazada! ¿Qué oscurece mi memoria? Seguramente, el excesivo pudor habitual en ciertas familias, en las que no puede hacerse referencia a la sexualidad si no es en forma eufemística o reprobatoria. La imagen de la cigüeña que con su largo pico atrapa al bebé, que boga entre las olas del lago celeste y lo deposita en el hogar elegido, es típica en esos ambientes. Por contra, me vuelvo a ver entrando por primera vez en el sanatorio del Parque, donde había dado a luz mi madre, y encontrándome a mi hermana junto a ella. Artimaña sublime de previsión maternal, hay también en la cuna una apisonadora en miniatura —un tipo de máquina que me fascinaba en esa época—. Acepté sin rechistar el «regalo» de mi hermanita, caído del cielo allí para hacerme soportable la pérdida de mi condición de hijo único.

Vienen después las fotos de Abbazia, cerca de Fiume, llamada ahora Rijeka, en Croacia, puerto de la monarquía austrohúngara y después del reino de Umberto II. Estoy con mi madre, una joven elegante y deportiva, y con mi padre, que lleva pantalón corto y al que se ve feliz, despreocupado, más pendiente de mí que de su mujer. Los «hombres» —mi padre y yo— llevamos unas gorras italianas planas; una cinta blanca recoge los cabellos de mi madre. Los diferentes lugares donde estuvimos allí, en 1936 y 1938 probablemente, están tan entremezclados en mi recuerdo que tampoco logro distinguirlos en las fotos del álbum. El viaje en Lancia, en una sola jornada, de Budapest a Abbazia, con mi padre y con Teréz, es uno de mis mejores recuerdos. En Liubliana, a donde llegamos a la hora de la comida, el señor director Loránt hizo que le dispusieran una habitación para echarse una siesta con su hijo. Lo sentí allí muy cercano, físicamente, quiero decir, y esa sensación tuvo mucho de excepcional, porque no recuerdo nada parecido en todos mis años de infancia. Mi madre, mi hermana y Teta llegaron en tren a la mañana siguiente. La pregunta de mi madre, «¿Te has lavado los dientes?», me ofendió. De hecho… no, no me los había lavado.

La blanca Abbazia resplandecía de belleza adriática. Ocupábamos unas dependencias anejas al Gran Hotel, propiedad de la familia Zehentner. Antes de la guerra, mi padre había confiado ciertas joyas a Annie y Louisa, las dos hermanas, que se las devolvieron a mi madre cuando fueron necesarias para hacer frente a los considerables gastos ocasionados por la enfermedad de mi padre. Expropiados por el régimen de Tito, Annie se hizo abastecedora al por mayor de las tropas americanas acantonadas en Venecia; Louisa abrió un bar en una localidad cercana, Mestre. Enriquecidas de nuevo, se retiraron en su vejez a Roma, donde me recibieron en su piso de Monte Mario. En los años ochenta, Annie y Louisa desaparecieron para siempre de la guía telefónica de la capital. Debían de tener la misma edad que mi madre.

En las dependencias anejas al Gran Hotel, la habitación de los niños daba al mar, igual que la de mis padres. La jornada transcurría entre el amerizaje del hidroavión de la mañana, el baño, los paseos por la playa y las excursiones en el *Mocenigo*, un hermoso navío felliniano, iluminado cada noche por guirnaldas de bombillas, que hacía el trayecto entre Venecia y Fiume. El *Giulio Cesare*, un misterioso paquebote, echaba el ancla lejos del muelle, en cuya entrada se hallaba la aduana, que albergaba también el café del puerto. Aprendí a nadar en el establecimiento de baños de más allá del parque, sujeto con una correa al palo que sostenía el socorrista. Con un imperceptible movimiento, el malvado podía hacer que me bebiera media piscina. No solo tenía pavor de los inexistentes tiburones, también me asustaban los pulpos, y me parecía haber visto uno a los pies del socorrista. Uno de esos cefalópodos me miraba fijamente con sus grandes ojos saltones. Más adelante, cambiamos de playa; la nueva se encontraba en la curva del paseo marítimo, en dirección a Fiume. El guapo Victor reinaba sobre casetas y canoas. Soldado del Corpo Spedizionario enviado por los italianos al frente del Este, moriría en Rusia. A pocas decenas de metros de la costa había una plataforma flotante; mi padre llegó a prometerme cien liras de paga si saltaba desde allí al mar con las piernas bien juntas. La promesa del dinero consiguió corromperme y logró que venciera mi aprensión —la verdad es que cada cucurucho de helado costaba unos cincuenta céntimos…—. Y así pasaban los días. Mi padre jugaba al tenis, y la maliciosa abuela de una rica familia arruinada de Buda me dio a entender, sería en 1946 o 1947, que se mostraba muy interesado por la pequeña Erzsébet Ribáry, buena jugadora de tenis también.

Las fotos siempre tienen un aire taciturno y su placidez exaspera a quien busca desvelar sus secretos. Es verdad: el famoso hotel Quarnero aparece en una de ellas. Pero si pudieran hablar, contarían que allí se exhibía, en el escenario situado al fondo de la terraza, una mujer desnuda, y que todos esos caballeros y damas de aire provinciano y convencional iban allí cada noche para comérsela con los ojos. En la versión edulcorada del espectáculo, destinada a los niños y a los chóferes el domingo a mediodía, no figuraba la mujer en traje de Eva. Recuerdo un extraordinario número de prestidigitación: el mago llevaba en brazos un gran aparato de radio cubierto con un corte de seda negra, se acercaba al público y lo lanzaba al aire… La radio desaparecía y el mago saludaba al público agitando el paño. Ese trozo de tela veló mis recuerdos hasta el día que vi *Coronel Redl*, la película de Izstván Zsabó protagonizada por el magnífico Brandauer. Durante la proyección tuve la impresión de que la estatua de la sirenita de Abbazia me hacía señas.

Con ocasión de mi primera comunión, en 1936, heme aquí con el traje ceremonial húngaro: chaqueta blanca adornada con entorchados. En la foto colectiva, el padre Luzsenszky —fascista notorio algunos años más tarde— está en el centro, naturalmente. Se suceden después varias fotos de pequeño formato. Cambio de vehículo: el patinete deja paso al triciclo; cambio de vestimenta: los bombachos reemplazan gradualmente a los pantalones cortos. La expresión de la cara es casi siempre sonriente. Desaparece el peinado a raya y los mechones sueltos de por detrás empiezan a cubrir las orejas. El adolescente lleva una mano metida en el bolsillo. Parece sereno y pensativo, y sin embargo tartamudea, porque las emociones, las pulsiones, los complejos, que no llega a entender del todo, lo dominan. Estas son las dos últimas fotos con mis padres: en la primera, él le da a la mano a mi hermana, su niña querida —a quien tuve siempre por su preferida—; en la segunda, mi madre, en el centro, posa sus manos protectoras sobre los hombros de cada uno de sus hijos. El formato de las últimas fotos es más grande; han sido tomadas en el establecimiento del sempiterno Veress, el fotógrafo de las familias importantes. ¿Quién es ese muchacho? ¿Y ese guapo jovencito, tenebroso y romántico, que ignora totalmente sus poderes de seducción y me mira confiado? Y esa señora, rodeada de sus hijos y nietos en un pequeño piso de París, ¿quién es? Delgada, frágil, con un sencillo vestido, los grises cabellos impecablemente peinados, adopta una actitud algo rígida cuando se ve ante el objetivo. A esas alturas ya le han diagnosticado una angina de pecho. Mi madre murió en la Salpêtrière. No sé que me lleva a confesar aquí que la víspera de su muerte vi una película pornográfica por primera vez en mi vida. Fue *Garganta profunda*, la historia de una individua de extravagante anatomía, que tenía el clítoris alojado en el fondo de la garganta. Yo sabía que al día siguiente me tocaría afrontar la muerte y buscaba desesperadamente conjurarla, ofender al ser amado, romper con la decencia y blasfemar contra mi madre, que estaba a punto de desaparecer. Era la rebelión contra lo innombrable de la que nunca he llegado a renegar, y que conduce irremediablemente mi barca hacia el irresistible polo magnético en el que se hará pedazos.

Álbum, ¿qué quieres de mí? Estas instantáneas, sobre todo las posteriores a 1936, muestran el rostro limpio y sereno de un adolescente que esconde sus secretos bajo maquillaje teatral. Las mejillas, sabiamente iluminadas por el fotógrafo, no presentan la menor traza del eccema de origen nervioso que me hizo sufrir desde mi más tierna infancia. Aborrecía los ungüentos grasos o alquitranados que me recetaban y quedé muy agradecido al dermatólogo que recomendó a mi madre que me llevara de paseo por las colinas de Buda y me invitara a unos batidos de frambuesa. Las fotos están mudas. No mencionan siquiera las visitas al ortofonista que, provisto de un aparato que hacía vibrar la barbilla, pretendía enseñarnos a mi madre y a mí a pronunciar correctamente las erres. Antes de 1945, la erre velar era signo inequívoco del origen judío del hablante; después de 1945, de tener una ascendencia aristocrática. Un distinguido colega me presentó así a sus estudiantes: «Con ustedes, el señor Loránt, con su inimitable acento austrohúngaro», tras lo que me dirigí en alemán a la concurrencia. ¡Qué suerte haber encontrado este álbum! Sin él no hubiera podido volver a ojear mi vida ni profundizar en mi diálogo con el pasado. ¿No son estas fotos, mudas y a menudo enigmáticas, como las cartas de tarot de mi existencia, cuyo significado secreto me toca ahora descubrir?

Los silencios de la madre: una estela en su memoria

«¡Me han quedado tantas cosas que preguntarle!». Repito por mi cuenta la letanía, saturada de quejas y de reproches. El pasado familiar ha pasado a ser secreto exclusivo de mi madre, como si la losa que hizo colocar sobre la tumba de mi padre cerrase para siempre una sima a la que nosotros nunca podríamos asomarnos. ¿Podría ahora contemplar desde fuera a esta figura materna que tan cercana a mí he sentido siempre? ¿La había interiorizado de tal forma, con su nobleza, su dignidad modesta y discreta, su apertura al mundo y sus complejos, que era incapaz de verla en realidad? ¿O es quizá un reprimido sentimiento de culpa por haberla abandonado a su suerte en diciembre de 1956 lo que me impide trazar su silueta, esbelta y resuelta en sus años jóvenes, frágil y descompuesta ante la cercanía de la muerte? Me aferro a los recuerdos, trato de acceder al universo virtual de esas raras fotografías a las que ahora tengo acceso, releo ciertas cartas en las que me exponía con detalle sus ocupaciones cotidianas para ocultar mejor su angustia.

Progresivamente se había ido convirtiendo en un ser de silencios. De joven, siempre se manifestaba gozosa de vivir, mostrando entusiasta su gusto por los placeres del momento presente. Pasó una infancia feliz en la hacienda familiar de Cikola, en la Transdanubia. Amante de la naturaleza, nada en los arroyos y monta a caballo para recorrer el espacio que se abre ante ella. Sári se protege del ardiente sol en una choza de paja, de la que todavía se acuerda; siempre acude puntual a la comida familiar, servida en el señorial *château* del piscicultor enriquecido. Nunca se niega a subir en el carro de caballos que su padre pone a disposición de los invitados para recorrer los pedregosos caminos de tierra que rodean los lagos artificiales que el padre ha hecho excavar en el suelo arenoso. En una foto me encuentro con el viejo Hirsch, un hombrecillo grueso y fuerte, con el pelo cortado al cero, doctor en Ciencias Agrícolas, seguro de sí y orgulloso del complejo que ha levantado en unos pocos años. Mi madre debía de quererlo mucho: se llamaba Alfréd, y a mí siempre me llamó Frédy, como queriendo olvidar que mi verdadero nombre era Endre, el nombre de mi padre.

La escarlatina interrumpió la felicidad de aquellos hermosos años. Ignoro cómo fue curada, pero Sári sufrió hasta el fin de sus días una otitis crónica, y su tímpano perforado le producía molestias periódicamente.

Su estancia en Suiza le permitió recobrar la salud, sustraerse a la vigilancia de sus padres y afirmar su personalidad adolescente. Adoptó una nueva lengua, en la que empezó a desenvolverse rápidamente; apreciaba, veneraba, debiera decir más bien, el sabor, los matices, las sutilezas, la lógica de un idioma que, al contrario de lo que ocurre con el húngaro, exige rigor en la construcción de imágenes o comparaciones. Mientras trato de recomponer su itinerario vital me doy cuenta de que he seguido un camino parecido al de esta chica de buena familia, educada para ser ama de casa, al elegir Francia como tierra de asilo. Siendo totalmente húngaro me embarqué en la investigación de la obra de Balzac, en la enseñanza de la literatura francesa y en el estudio de las obras maestras de la literatura universal. En los momentos de desánimo, he tenido a menudo la impresión de ser un acróbata en la cuerda floja; pero la mirada protectora de mi madre siempre fue un contrapeso que me ayudaba a conservar el equilibrio.

A su vuelta de Suiza, participó de la vida despreocupada de la gran burguesía budapestina, sin dejarse arrastrar por sus infinitas banalidades. Ha de tener unos dieciocho años en esta foto, en la que se la ve durante un festejo mundano o una noche de baile. La jovencita con vestido de lamé sin mangas, de corte discreto, se yergue muy recta detrás del sillón, con las manos apoyadas en el respaldo; la mujer sentada, vestida de tul, tiene una pose algo más artificial, ligeramente vuelta hacia la derecha al objeto de destacar la firmeza de sus piernas. Mi madre tiene la cara más alargada, cabellos negros cortos, peinados a la moda con un mechón sobre la frente, y una expresión serena. Sus labios sin pintar son finos, sus ojos, que me miran, están coronados por unas cejas sin depilar cuyas líneas curvadas prolongan el dibujo de la nariz simétrica y armoniosamente. ¿Tuvo un preceptor en el *château* familiar a su vuelta de Suiza? ¿Asistió a los cursos del liceo? ¿Acabó el bachillerato? Sea como fuere, recuerdo haber conocido a la tía Ilona, su profesora de húngaro, que venía por casa de cuando en cuando y siempre se mostró orgullosa de su alumna.

Después, hacia el final de los años veinte (yo nací en 1930, cuando ella tenía veintitrés años), llegó el flechazo amoroso. Ella idolatraba a su novio, que le había descubierto los secretos de su propia feminidad. ¿No había en esta chica aficionada al deporte, pudorosa, independiente y misteriosa, algo de masculino? ¿Dónde se vieron por primera vez? ¿Cuándo se decidió él a pedir su mano? No lo sé. ¿Matrimonio de conveniencia? Probablemente, pero a eso habría que sumarle un verdadero sentimiento de amor por parte de la novia.

Las fotos tomadas durante su viaje de novios han sobrevivido a todas las catástrofes. Sus cuidados han conseguido ese milagro. ¿No era quizá uno de sus más preciados recuerdos el del crucero que, saliendo de Hamburgo, los llevó a los fiordos y puertos noruegos? En el puente del paquebote *Oceana* se la ve entregada a una larga caminata. Está esbozando una sonrisa; la siento confiada, feliz, nada traumatizada por el imperioso deseo de ese hombre de cara ancha, poco corpulento, vestido con una amplia chaqueta de *sport* y bermudas. En esta otra foto, su mirada más tierna; Sári expresando su originalidad: una corbata destaca en el cuello azul de su chaqueta de punto a rayas, tiene las manos en los bolsillos y lleva una falda sencilla y zapatos planos con hebillas. Su guardarropa estaba bien surtido, es evidente. A la entrada de un rudimentario «baño para señoras», con un vestido de pieles. Y la leyenda: «También en el lejano norte los hay». Visitaron Lyngseidet y los campamentos lapones, Trondheim y su mercado de pescado, sobrevolaron en hidroavión la región de Hammerfest, en un aparato que el barco llevaba anclado al puente. Tocada con un sombrero que le sienta muy bien, con una elegante capa, sube por la escalera que bordea una imponente chimenea. La satisfacción inunda su rostro: está exhibiendo su felicidad ante el mundo, no me cabe duda. Al pie de un glaciar, una pareja me llama la atención, y leo detrás el comentario de mi madre: «Das Pärchen» («la pareja… de enamorados», traduzco, haciendo explícita la naturaleza erótica de la expresión alemana). En el espacioso camarote, mi padre está desayunando. Se lo ve distendido y muy atento al huevo al que acaba de romper la cáscara. Hay algo sensual en su abandono. Mi madre nos ha explicado la escena en más de una ocasión: el huevo estaba poco cocido y mi padre se lo observó al camarero. «¡Cuánto lo siento, señor!», respondió este, y, abriendo el ojo de buey, lo arrojó al mar para después añadir: «Le serviremos otro inmediatamente». ¡El espíritu ahorrativo de la Europa central no podía disculpar semejante dispendio! ¡Un huevo arrojado al mar! Qué mentalidad, qué lujo, qué imprudencia, qué imperdonables costumbres… de antes de la guerra.

En la época de su matrimonio, los Löwenstein, con el imprescindible permiso otorgado por las autoridades, habían optado ya por el apellido Loránt, de resonancias mucho más húngaras (aunque la «t» de este nuevo patronímico podía suscitar alguna duda, puesto que imitaba imperfectamente la «d» del Loránd auténticamente magiar). El cambio de apellido debió de sobrevenir en la misma época en que esta familia judía se convirtió al catolicismo. «Sicher ist sicher», «lo seguro es lo seguro»: nunca se acaba de saber qué clase de porvenir reservan los *goyim*, los gentiles, a los miembros de la raza maldita, por lo que es lógico que tratemos de fundirnos con la masa de los bautizados para intentar vivir libremente, para construir edificios y contribuir al desarrollo agrícola e industrial de «nuestro país», y también para proteger a nuestros descendientes de las persecuciones sufridas por nuestros abuelos en este mismo país, convertido en monarquía austrohúngara, donde se había decidido que disfrutásemos de una ciudadanía plena. Fue así como nací católico, limpio del pecado original por efecto de las aguas bautismales y aparentemente admitido en la comunidad de los fieles que recitan el *Credo in unum Deum*… Puede decirse que conservé el prepucio pero que me cortaron las raíces. Mis abuelos maternos mantuvieron su apellido, Hirsch, y permanecieron fieles a sus orígenes. Vendieron la mayor parte de sus posesiones —varios miles de hectáreas— en 1934 y murieron poco más tarde. Su hijo Miklós, un hombrecillo colérico y sanguíneo, era abogado y seguramente francmasón. Individuo singular, tenía una buena biblioteca y se interesaba al tiempo por la suerte del campesinado humilde, pero llenaba de terror a mi madre. ¿Defendía acaso sus intereses contra las ambiciones de mi padre? Había magiarizado su apellido, convirtiendo el «Hirsch» en «Halász», «pescador», y conservado algunas hectáreas de latifundio. A los cuatro años, me parece, visité por última vez a los abuelos Hirsch. Me acuerdo de la abuela Irén, tierna y cariñosa. Su marido Alfréd me legó su diminutivo familiar y su tesis académica sobre agronomía, pero no alcanzo a evocar sus rasgos. Algunos indicios me hacen pensar que, al contrario que los Loránt-Löwenstein, se interesaban por el mundo de la cultura. El cuadro de Ripl-Ronai, un gran formato de Iványi-Grünwald, y uno de los pocos libros familiares que sobrevivieron al asedio de Budapest, dedicado a Alfréd Hirsch por el eminente historiador de las literaturas inglesa y alemana Károly Sebestyén, parecen confirmarlo. Mi madre no nos hablaba nunca de sus padres ni de sus años de infancia y adolescencia. ¿Pudor? ¿Nostalgia? ¿O quizá simplemente porque «no se debe hablar de esas cosas»? Jamás se miraba en un espejo (o hacía como que no se miraba), aunque lo tuviera delante, e igualmente consideraba poco elegante hablar de sí misma, desvelar a los demás sus más íntimos sentimientos. Todavía estoy pagando un pesado tributo al «señor Silencio», aquel por el que Endre Ady, el poeta simbolista, se sentía perseguido.

En los primeros años debieron desenvolverse en una deliciosa complicidad. Un cuaderno escolar de cubiertas de cartoné (en cuya tapa, atención, una golondrina recortada se apresta a cruzar el espacio reservado para rotular el nombre del usuario y la materia académica) le hizo de diario de viaje y fue llevado amorosamente por mi madre durante su estancia en Italia, de finales de septiembre a principios de octubre de 1933. Cada momento pasado con Endre es para Sári un puro placer. Veo el lujoso salón del Plaza, su hotel en Roma, y las vistas de Nápoles, los billetes del autobús de línea Capri-Marina Piccola, la entrada para la Grotta Azzurra, el texto de una sola estrofa cantado en dialecto con ocasión de las fiestas de la vendimia: «Doce è ammore settembrino... ohè! Doce è ammore! e fa ecchiù doce chiste grappula matare... ohè!». Cook and Son les organizaron una visita a Pompeya y al Vesubio. El trozo de lava con una moneda de cien liras engastada en el interior era uno de los más preciados tesoros de mi madre; yo lo miraba, acariciaba sus asperezas, durante mucho tiempo me hizo soñar. A la vuelta pasaron por Milán, visitaron la Exposición Trienal, probaron el Café de la Scala. Hicieron escala en Montecarlo, penetraron —como acredita la entrada del Casino— en la «cueva de todos los vicios», tomaron el autobús a Niza y volvieron a Budapest pasando por Venecia y Viena. La fecha de su llegada, el lunes

16 de octubre, cierra el documento. Echo una última ojeada a la postal azulada donde se ve un avión de carlinga doble de la Società Aerea Mediterranea, que atendía la línea Venecia-Viena, y un pequeño croquis esbozado en el margen: «Cumbres-nubes-niebla-tierra». Durante el viaje, me dejaron a cargo de mis abuelos paternos, que no me obligaban a comer verduras. Sári y Endre aprovecharon bien, en otoño de 1933, aquel viaje *excepcional* (¿se comprenderá que le otorgue esa calificación en esta época de «acualquierparte.com»?). Mi hermana nació el 16 de septiembre de 1934: la llamaron Édith, como la santa del día y también —la propia Édith me lo confesó una vez— como la muñeca preferida de mi madre.

¿Qué ocurrió después? La foto familiar que tomé a los seis u ocho años —y en la que salgo porque había puesto la cámara apoyada en un soporte y accionado mediante el disparador automático— prueba que intentaba por todos los medios preservar la cohesión de la familia. Pasamos juntos varios periodos vacacionales en Abbazia, en Italia. Guardo un emotivo recuerdo de una estancia en la estación de invierno de Mariazell, en Austria, a donde primero fuimos mi madre y yo, y mi padre se reunió con nosotros más tarde. Recuerdo los dorados del retablo barroco de la iglesia, que acogía a peregrinos de todo el país. Una noche en que mis padres habían salido, llegué a tal punto de angustia que los recibí llorando y vomitando. ¿Fue al día siguiente cuando mi padre me llevó en teleférico hasta la cima del Alpe de Rax? Descendimos en trineo por una pista especialmente preparada. Fue algo maravilloso. Agarré nuestro particular Rosebud y terminé por aprender a frenar. Las vacaciones en familia se volvieron cada vez más raras. Mi madre y yo viajamos juntos por varias localidades austriacas, hasta rincones que hoy día no dicen nada a nadie, como Prein o Edlach. La presencia de alguna amiga y de sus hijos mitigaba, a menudo, la soledad de mi madre. Las señoras vestían el *dirndel*, al estilo local, y los niños llevaban pantalones de cuero. ¡Los dibujantes antisemitas todavía no nos habían elegido como modelos! Con el *alpenstock* en la mano hicimos excursiones atravesando campos y bosques. En la posada, después de la caminata, nos daban deliciosos batidos de frambuesa y nuestro cansancio se veía recompensado con una chapita conmemorativa como recuerdo de la visita. En aquellos territorios alpinos me encantaba andar junto a mi hermana y mi madre siguiendo los riachuelos. Los barcos de papel, que echaba al agua cristalina y que la corriente arrastraba, me invitaban a fantasear con lejanos horizontes y me llenaban de buen humor (y ahora hago como que ignoro cómo iba a acabar aquello). Todavía me puede la nostalgia. Mi madre parecía contenta. De cuando en cuando, mandábamos postales a mi padre.

En casa mi padre besaba a su «Satyó» en la frente. La desnudez estaba prohibida, y tampoco la ternura tenía mucho sitio allí. Todavía siento la palma cálida y sedosa de mi madre sobre mi mejilla, y me veo dando la mano a mi padre o apretándome contra él durante la siesta que siguió a una tormentosa bronca a las criadas que me dejó muy alterado. Mi madre se esforzó siempre por que en la casa reinase la calidez. Sin embargo, el culto excesivo a la figura paterna y el temor que inspiraba a los suyos enfriaban la intimidad familiar. Su complicidad parecía amenazada. ¿Era ella acaso excesivamente prudente y apocada y quizá no llegaba a satisfacer los deseos del hombre? Sobreexcitado por sus numerosos proyectos y presintiendo tal vez su próximo colapso psíquico, ¿buscaba él una compensación en sus parejas ocasionales, que no tenían ni mucho menos las virtudes y la discreción de su mujer? Por fin me atrevo a plantearme estas cuestiones. Hace una veintena de años me tocó escuchar las confidencias de uno de sus mejores amigos: «Estaban a punto de romper». Mi madre dependía enteramente de su marido y nunca reveló, ni con un gesto, su angustia o su tristeza.

Todo cambió a partir de los años cuarenta. La desgracia cayó sobre ella, sobre nosotros, en el piso de la calle György Fejér que por sí sola organizó. Mi padre se puso enfermo. Mi madre tenía treinta y tres años cuando le tocó quedarse sola. Las relaciones de dependencia se invirtieron: el conquistador, el constructor, perdió progresivamente su autonomía. A los diez años me convertí en cómplice de mi madre en el empeño de mantener el decoro familiar. Nunca quiso ella evocar este periodo de su existencia, del que la muerte de mi padre no fue más que el inicio: la entrada de los alemanes en Hungría, la legislación antisemita, su marcha a un campo de trabajo y su huida de escondite en escondite no le dejaron un momento de respiro. Sin embargo, ella contaba siempre cómo en los peores momentos gentes sencillas y devotas de su propia familia, u otras, movidas a veces por la codicia, la habían salvado. Pero una vez instalada en Francia, el periodo posterior al año 1940 fue incluido en un dosier que estaba prohibido consultar. Al contrario que otros, se negó a plantear ninguna demanda a la República Federal de Alemania como víctima del nazismo. Era ese un dinero sucio, contaminado por los más espantosos sufrimientos. Édith, Marika y yo abandonamos Hungría en 1956; ella nos siguió diez años más tarde. Entre tanto nos dirigió varios centenares de cartas, contándonos cuánto le gustaría compartir nuestra nueva vida, pero solo gracias a la confidencia de una amiga que vino a visitarnos pudimos enterarnos de que estaba atravesando un periodo depresivo, pues sus peticiones de pasaporte le eran denegadas año tras año, y de que la trataba un psicoterapeuta de Budapest. ¿Cómo ocultar que todos nosotros temíamos su venida a Francia, sin tener en la menor consideración su coraje y su voluntad de no ser una carga para nosotros?

Perdidos sus puntos de referencia, pasó sus primeros meses en Francia totalmente desorientada. Le encontramos un discreto pasatiempo en la Biblioteca de Lenguas Orientales de la calle Lille. Junto a una devota colaboradora que trabajaba «a la antigua», redactaba sus fichas a mano y las corregía con goma de borrar. Mi madre aseguraba haber olvidado todo lo aprendido antaño. Para desesperación mía, repetía sin parar que, en Hungría, en la biblioteca donde había trabajado, le tenían prohibido acercarse a los libros porque sus dos hijos habían abandonado clandestinamente el país. Confinada en tareas administrativas, finalmente fue despedida. Seguidamente, la Oficina de Derechos de Autor la había contratado para ocuparse de la correspondencia con editores del extranjero. ¿Cómo iba a poder ella ahora desenvolverse de nuevo entre libros, o redactar las fichas conforme a las normas internacionales? La confianza en su capacidad le fue volviendo progresivamente gracias a la colaboración de algunas de nuestras amistades, todas impresionadas por su dignidad y su disponibilidad, por la calma que exhibía siempre y por su férrea voluntad de recobrar su autonomía. Por la mañana trabajaba en la Biblioteca Nacional, catalogando libros húngaros y alemanes. Por la tarde llevaba el archivo de la revista del Movimiento Francés por la Plafinicación Familiar, en una época en que las mujeres todavía debían irse a abortar al extranjero y la píldora no se vendía libremente. Cuando pasaba por delante, ignoraba púdicamente la vitrina donde se exponían los diversos métodos anticonceptivos, preservativos, dispositivos intrauterinos y diafragmas, que solo se podían adquirir en Suiza. Al archivar por temas los recortes de los periódicos, se sonreía recordando que era un trabajo bastante semejante al que hacía en otro tiempo, cuando llevaba el inventario de la ropa de verano y de invierno, enpaquetada al final de cada estación y ordenada en los armarios del guardarropa familiar en nuestro antiguo piso. Fue educadamente despedida de su trabajo en el Movimiento por la Planificación Familiar, fundado y patrocinado por mecenas de la burguesía liberal, tras de que los opositores del «poder médico» se apoderasen de la dirección del organismo.

Se interesaba por los demás, por sus alegrías y sus preocupaciones. Ser de silencios, guardaba en cambio sus propias alegrías y dolores en secreto. Nunca nos atrevimos a preguntarle. ¿O tal vez existía entre nosotros un acuerdo tácito para no evocar los espectros de ese pasado que proyectaba sus sombras sobre nuestra actual vida de exiliados, una realidad que voluntariamente queríamos ignorar?

El pasado reprimido resurgió de manera trágica. La tumba donde tenía encerrados sus esqueletos y sus tesoros se abrió. «En cuestión de segundos vi pasar ante mis ojos toda mi vida», me confió mientras se hallaba en reanimación en el hospital de la Ciudad Universitaria, tras el infarto que la derribó en la Biblioteca Nacional. Esa frase estereotipada, pronunciada por la persona a la que yo más he querido en este mundo cuando se preparaba para abandonarlo, me dio miedo.

Aquella existencia hecha de devoción, de abnegación, de sacrificio y de autodisciplina pasa ante mis ojos como una película muda. Interrogo a la figura silenciosa. Releo las cartas que me envió desde el hospital, donde habla de su ilusión por volver al trabajo. Escruto entre sus raras fotografías, reviso mis recuerdos, pero no puedo arrancarle sus secretos. Y sin embargo le hablo y la hago hablar, vive en mí y me sostiene entre sus brazos. «¿No te has dado cuenta de que la abuelita te protege?», me dijo un día Sylvia, que, llena de un misticismo muy mejicano, cree en la presencia entre nosotros de las almas de los difuntos. Personalmente, tengo otra concepción de la trascendencia, pero estoy convencido de que el recuerdo de este ser frágil y discreto me ha ayudado a superar innumerables obstáculos, ha mantenido a distancia a las bestias feroces que me he cruzado en el camino, a los seres malignos y las epidemias mortales. No me he acercado a su tumba desde hace más de diez años. No me siento a gusto en los cementerios. ¿Tengo miedo a la muerte y a mis muertos? ¿Me obsesionan en exceso los cuerpos putrefactos y la vanidad de la existencia? Pese a todo, el esbelto ciprés de varios metros que se alza sobre su tumba —mi hermana plantó allí la semilla— es quizá su último recado, instándome a que acepte la finitud insoslayable de la condición humana.

CAPÍTULO DÉCIMO

De la estación del Este se sale para el Oeste

Tenía prevista una visita a Viena desde que salí de París, en mayo de 1997. Las oficinas de los Ferrocarriles Húngaros se encuentran a menos de cien metros de la Ópera. Compré allí un billete de ida y vuelta Budapest-Viena. El precio, alrededor de cuatrocientos francos, viene a ser un tercio del salario húngaro medio. Unos amigos me recomendaron no subir a los vagones que provenían de Rumanía; para ellos, los pasajeros de ese Orient-Express se convertían inmediatamente en sospechosos. Llegué a la estación del Este, que parecía en obras, en torno a las seis de la mañana. Me esperaba allí un espectáculo desolador. El vestíbulo exhibe una asombrosa suciedad: los bancos con la pintura descascarillada están cubiertos de desperdicios. No hay iluminación, ni señalización, ni ventanilla alguna abierta en este lugar desierto donde el polvo arrastra ante mis ojos los miasmas del crimen. Salgo corriendo. Mientras busco una cafetería, me muevo como un alma en pena a la caza de la terrenal cafeína por los limbos de un amanecer gris. Mi maleta con ruedas me convierte en víctima ideal para los taxistas. Uno me propone llevarme en veinte minutos a la pastelería Gerbeaud (¡que abre tres horas más tarde!) para que desayune. Encuentro un miserable establecimiento de bebidas hecho de tablas y cubierto con chapa ondulada en donde, entre dos vasos de aguardiente, me sirven también un café doble. De pie, bajo un porche enfrente de la estación, trato de pasar el rato y tranquilizarme observando los alrededores. Me dirijo de nuevo a la búsqueda del tren que me lleve a Viena y encuentro sitio en un vagón húngaro, elemento aparentemente nuevo en un convoy de aire paupérrimo. Un prospecto me explica que los Ferrocarriles Húngaros han vuelto a poner en uso vagones fabricados en los años cincuenta que se vendían entonces a los eslovacos. ¿Y es esa especie de volquete con ruedas disparejas lo que circula entre Bratislava y Praga?

En la otra orilla del Danubio, el paisaje tiene más interés: algunos hoteles recientemente construidos, gasolineras modernas —en mi infancia se trasegaba a mano el combustible con cilindros de cristal, que se vaciaban rápidamente en el tanque de reserva del vehículo— y carreteras en buen estado de conservación. Espoleado por el hambre, me dirijo al vagón restaurante y consigo, pagando varios miles de forintos, un café imbebible y un pan envuelto en plástico depositado en una mezquina bandeja. Durante mi modesta colación, el que parece jefe de camareros, bastante desaliñado, permanece sentado y engulle sin pudor alguno lonchas de jamón y queso acompañadas de panecillos frescos, sin duda sustraídos a los clientes. En voz alta, este maleducado aficionado al fútbol comenta a su subordinado el resultado de un partido, con el periódico desplegado y puntuando la exposición con abundantes «que te jodan». Por lo que se ve, el «viaje a Viena» no figura ya entre las costumbres nacionales, y el precio prohibitivo del desayuno parece pensado para que el cliente, pobre pichón a punto de ser desplumado, no incomode en exceso a los siniestros individuos del vagón restaurante internándose en sus dominios.

El tren abandona Győr y atraviesa Mosonmagyaróvár, no muy alejada de la frontera austriaca. De repente, reconozco la estación donde en 1956 nos bajamos del tren para salir clandestinamente de Hungría. El vehículo no disminuyó la marcha, como me hubiera gustado a mí. Solo hoy, inclinado sobre mi escritorio, he podido hacer que se detenga.

Motivos de un exilio: los sucesos de 1956

Expulsado de la universidad, clasificado X por razones no relacionadas con la pornografía, sino con la lucha de clases, me vi obligado a protestar contra esa decisión, de la que tuve noticia antes de que se produjera. Me dirigí al hermano de nuestro vecino, el secretario de Estado de Finanzas y creador del forinto, que no pudo hacer nada contra las decisiones de las instancias locales del Partido ni contra la mezquindad y las envidias de sus representantes. Durante todo un largo año, evité cuanto pude a mis colegas; nunca me quedaba a comer en la cantina de la facultad y me dedicaba a deambular por las calles, cabizbajo y preocupado. Estaba apasionadamente entregado a mis estudios de lengua francesa, a la enseñanza de las obras maestras de su literatura, de Molière a Éluard. La decisión de expulsarme dejaba en nada todos mis proyectos en el campo de la investigación literaria.

János Győry, encargado de orientar desde el punto de vista ideológico marxista los programas del Instituto de Francés de la universidad, me aconsejó en 1952 que me dedicase a analizar la «política cultural de la dictadura jacobina en el periodo de 1792-1793». Me puse manos a la obra con entusiasmo, ignorando completamente en qué berenjenal me metía. En los números del *Moniteur* de esos años, conservados en la Biblioteca del Parlamento, me dediqué a estudiar los festejos revolucionarios concebidos y organizados por Jacques-Louis David; hice traer de la Biblioteca Nacional de París algunas piezas que han quedado como testimonio del intento de dar forma a un sueño, el teatro nacional popular. Los discursos, llenos de fanatismo, de Saint-Just y de Robespierre me llenaron de asombro e inquietud, y rápidamente debí rendirme ante la evidencia: poniendo trabas a cualquier manifestación cultural, la revolución caminaba hacia su propia destrucción. Algo antes de la caída de Robespierre, tanto *El avaro* de Molière como *Los bandidos* de Schiller habían desaparecido de todos los repertorios. Tuve la impresión entonces de que mis investigaciones carecían, en realidad, de verdadero interés. Pensé en algún momento que hubieran podido contribuir a poner de manifiesto los mecanismos de las dictaduras que estaban por llegar, con sus innumerables festejos y desfiles. Mientras los hijos desfilan, se masacra a los padres. ¿Cómo escapar de un callejón sin salida como este?

En 1954 el instituto «heredó» un espléndido ejemplar de *La comedia humana*, la edición Conard encuadernada en piel, que provenía de una biblioteca expropiada. «Esa gente se lo tenía merecido —aseguró János Győry—, nunca la leyeron, ni siquiera habían cortado los pliegos». Decidí sumergirme en la lectura de Balzac. Fue una decisión que determinaría prácticamente toda mi vida. En un solo año resumí y anoté todos y cada uno de sus libros. Este derviche romántico me arrastró a otras esferas, burguesas, provinciales, aristocráticas, místicas. Me liberó de mi universo tétrico y cerrado. Era un genio, con una especie de enciclopedia interior a su disposición donde se recogían todos los conocimientos y todos los vocabularios, incluso los más especializados. La idea de una tesis sobre la unidad novelesca y filosófica de *La comedia humana* surgió naturalmente en mi interior. El proyecto, aprobado por mi maestro Eckhardt —aunque no sin ciertas reticencias, relativas sobre todo al estilo de Balzac— fue también aprobado por János Győry. Bajo la influencia de Árpád Szabó, historiador de la filosofía de la Grecia antigua, enemigo del marxismo y dedicado entonces al estudio del pensamiento matemático —hijo de la abstracción, de la soberanía del espíritu humano y no esclavo de infraestructura social y económica alguna—, Győry se había convertido en el *enfant terrible* del Partido y, luego, en un verdadero renegado de la ortodoxia marxista-leninista. Alrededor de 1972 me lo encontré cerca de la Sorbona. Llegaba de Poitiers, donde había dictado un curso sobre Chrétien de Troyes, que analizaba con una metodología cercana a la de Gaston Bachelard. Me contó que primeramente había sentido necesidad de enterrarse bajo sus notas y materiales, pero que al cabo de algunas semanas levantó los ojos y pudo notar que el alumnado seguía sus explicaciones con interés. No me preguntó por mi trabajo ni por mis condiciones de vida, y ninguno de los dos hizo alusión alguna al pasado.

En agosto de 1956, en la época en que el régimen pareció liberalizarse, József Herman, vicedecano de la facultad y encargado de ejecutar los tejemanejes del Partido, me echó de la universidad. Me obligó a abandonar mis investigaciones balzaquianas y ese «jardín particular» que me había creado en el Instituto de Francés. Pretendió enviarme a un colegio situado en los suburbios, en Kőbánya, la «cantera de piedra», una zona obrera donde reinaban la miseria y la incultura. Mientras la mayoría de mis colegas permaneció indiferente a mi suerte, el profesor Eckhardt, figura indiscutible de los estudios franceses, se empeñó valientemente en mi defensa, manifestando en mi favor que «se le persiguió antes de 1945 porque era judío, y ahora se pretende perseguirle de nuevo por ser burgués». Gracias a él obtuve un puesto de profesor de húngaro en un instituto del centro, el Eötvös József Gimnázium, no muy alejado de la universidad ni del hotel Peregrinus.

El caso de J. Herman, un producto típico del régimen, merece que le dediquemos un poco de atención. Miembro de una familia de la alta burguesía de Pest, estalinista cerril, denunció a partir de 1952 a todos sus más cercanos colaboradores. Los partidarios más acérrimos del régimen confiaban ciegamente en su talento de orador y en su inquebrantable fidelidad al Partido. Tanto era así que, tras la muerte de Stalin —cuya efigie, por cierto, siempre había gozado de una eterna juventud en las estatuas de las plazas y en los murales—, lo hicieron responsable de dar a conocer al profesorado el «informe secreto» de Jruschov, en el que se denunciaban los crímenes del dictador. Se convirtió entonces en el hombre de confianza del decano, un especialista en Dante poco ortodoxo, también. Tras haber apoyado a los estudiantes en octubre de 1956, pretendió sin éxito un puesto de profesor asociado en la Sorbona. Se desembarazó de su mujer francesa, que tenía una pierna paralizada, de rigidez pareja a la de su ortodoxia marxista, se entregó a un nuevo amor y se hizo nombrar embajador de Hungría ante la Unesco. En lo que a mí se refiere, refugiado en París, satisfecho titular de una beca de doscientos cincuenta francos, inquilino de un piso puesto a mi disposición en la residencia universitaria d'Antony y comensal habitual del comedor asistencial de los estudiantes, tuve el honor de encontrarme un día con el señor embajador en la calle Richelieu, a la entrada de la sala de lectura de la Biblioteca Nacional. «Buenos días, Alteza», me dijo con ironía al saludarme, mezclando su peor «odio de clase» con su absoluto aborrecimiento por los emigrados. Asombrado, traté de ignorar a Su Grandeza, no sin otorgarle el título que en realidad le correspondía: «Buenas, Excelencia». ¿Dónde enseña actualmente este reputado especialista en latín vulgar? En Venecia, por lo que parece. No podría reprochar a mis colegas italianos haberlo contratado: J. Herman no era un mal fichaje.

En el instituto Eötvös, cuyo alumnado provenía de las clases populares, me dediqué a analizar los textos clásicos de la literatura húngara, evitando el programa obligatorio y utilizando metódicamente modelos franceses. En mi condición de profesor principal, debería haberme conducido como espía del régimen, al visitar a las familias que tenía a cargo y a las que debía interrogar sobre aspectos poco o nada relacionados con la pedagogía. Que se esperase de mí que pudiera inmiscuirme en vidas ajenas se me hacía intolerable. Logré convencer a algunos padres de mi buena disposición: los lunes por la mañana algunos chicos *se atrevían* a confesarme que el domingo habían ido a misa. Agobiado por el tráfago administrativo, aprovechaba las horas destinadas a la «formación colectiva» con los alumnos de los cursos superiores para leer una melancólica comedia de Musset. El trabajo no me daba tregua: por la mañana corría al instituto y llegaba sin resuello a punto de sonar la sirena, de modo que los alumnos de los últimos cursos encargados de decir en voz alta los nombres de los que habían llegado tarde me daban el alto, confundiéndome con alguno de esos alumnos, y alguna vez me tuvieron retenido en la puerta del edificio. Tenía entonces veintiséis años.

Al margen de la vida política, aislado, nunca tuve la menor idea de que lo que venía cociéndose en el Círculo Petőfi, donde intelectuales comunistas discutían sobre las libertades ciudadanas que había de consagrar la nueva Constitución. El 23 de octubre de 1956, Marika, mi primera esposa, y yo fuimos invitados a cenar por una pareja amiga que ocupaba un amplio piso en Buda, junto a los muelles del Danubio. Ella era de origen belga, hija de un minero comunista exilado, de carácter risueño y alegre, pese a ser una destacada especialista en las arideces de la gramática descriptiva. Él era ingeniero electrónico, apolítico y celoso de la independencia que le proporcionaba su profesión. Podían viajar, porque al igual que ciertos afortunados privilegiados, poco sospechosos de anticomunismo, desde luego, iban a Viena, a Checoslovaquia, incluso a Transilvania. La película que nos proyectaron sobre su última estancia en Rumanía no me interesó lo más mínimo. Nos despedimos alrededor de medianoche y nos dirigimos a casa atravesando los muelles de Buda. A la altura del Parlamento, oímos un rumor confuso que subía de Pest. Imre Nagy se dirigía por vez primera a decenas de miles de personas reunidas ante el edificio que representaba la soberanía nacional. Tras cruzar el puente de la Libertad —que yo atravesaba a diario para ir desde mi último destino a los baños Gellért—, me encontré, estupefacto, con cuatro alumnos del instituto que llevaban un gigantesco globo de helio con forma de estrella roja y que me saludaron decididos. En ese mismo instante sonaron los primeros tiroteos. El ruido de las armas debía de provenir de las garitas de la avenida Üllői, no muy alejadas del barrio donde vive actualmente Teréz. Como un buen maestro, procedí a aconsejarles prudencia, sin culparlos por su activismo, pero recomendándoles que volvieran a sus casas. Por supuesto, me dieron a entender con bastante claridad que todavía tenían mucho que hacer.

Las masas populares se echaron a la caza de la escoria parapolicial, es decir, de los adictos a Rákosi y a Gerő. Imre Nagy, el antiguo gobernador comunista, cuya madre había muerto aplastada por un carro de combate soviético en 1945 mientras arrastraba el carrito de la compra, llegó al poder en octubre de 1945. Nadie había olvidado que, tres años antes, fue Nagy quien puso punto final a la deportación interior y quien devolvió a los campesinos la esperanza de poder disfrutar algún día de una parcela de tierra propia. Un clima de entusiasmo comenzaba a adueñarse de la ciudad, bastante maltratada como resultado de los combates entre los insurgentes y las fuerzas del orden. Es cierto, varios agentes de la policía secreta fueron linchados, pero no se encarceló a ninguno de los gobernantes depuestos. Las mazmorras se vaciaron, el cardenal Mindszenty fue liberado —impone respeto la valentía de este viejo príncipe de la Iglesia que, tras el absurdo proceso estaliniano a que fue sometido, seguía considerándose el primer dignatario del reino—, devolvieron a sus familias a los presos falsamente encausados por espionaje y dieron suelta a buen número de pícaros reincidentes, que se incorporaron otra vez a sus respectivas bandas. Tras los escaparates rotos, los objetos se quedaron en su sitio o fueron sustituidos por letreros donde podía leerse «próximamente le atenderemos». Durante los cortos días de júbilo y de libertad ilusoria vi al viejo Lukács cerca de la universidad; postergado por los estalinistas, quizá por aquello de que sabía con total certeza que «los conejos que bailan en las cimas del Himalaya —y aquí debe leerse "los partidarios del realismo socialista"— no son de ninguna forma más grandes que los elefantes que atraviesan la llanura», y que vendrían a ser Goethe, Balzac o Tolstói. El viejo león que, a su vuelta de Moscú en 1945, había ayudado a apuntalar el régimen comunista, el autor de *Goethe y su tiempo* o de *La novela histórica*, representaba para nosotros, quizá a su pesar, una especie de suma de la cultura europea tradicional.

En el instituto, mi colega y antiguo condiscípulo en los escolapios József Antall, el futuro primer ministro del primer Gobierno electo tras el derrumbe del comunismo, y Donászy, el director, parecían uña y carne. Antall, siempre bien informado, nos daba noticia de los movimientos de las tropas soviéticas, acantonadas en los cuarteles y campamentos que rodeaban la capital. Un día descubrí a los dos compadres desatornillando la placa de la Orden de la Bandera Roja que presidía la entrada al instituto. En una reunión de profesores, el portero nos contó que se había visto obligado a desarmar al señor Borzsák, un maestrillo estaliniano recalcitrante, cuando apuntaba con el fusil hacia los alumnos que desfilaban por las calles.

Tras un corto periodo de enloquecida e irracional euforia en el que hicimos completa abstracción de los datos objetivos —la presencia de tropas rusas diseminadas por todo el territorio nacional, la situación internacional, en especial la crisis de Suez y, en general, la cohesión pétrea del régimen soviético, que no podía permitirse perder un Estado tapón entre el Este y el Oeste—, la situación se reveló mucho más complicada. Los provocadores de la policía secreta disparaban a voleo sobre los manifestantes que exigían la independencia de Hungría apiñados ante el Parlamento. En el instituto, el amable Gergely, acreditado especialista en Virgilio, nos contó angustiado que no sabía nada de su hija desde antes de los primeros tiroteos. Al día siguiente le tocaría reconocer el cadáver en la morgue.

La invasión de Hungría, para algunos inconcebible, para otros perfectamente previsible, fue tortuosamente urdida por el Kremlin, que no podía consentir que el país abandonase el Pacto de Varsovia. Tras el patético último discurso de Nagy, en el que proclamó con solemnidad la neutralidad de Hungría, los carros de combate soviéticos cerraron el cerco en torno a la capital y se dispusieron para el asedio, como si solo se tratase de un objetivo que conquistar y luego destruir. Los comités revolucionarios repartían armas, elaboraban cócteles molotov y animaban a los mozalbetes a prender fuego a aquellas máquinas formidables. Los soldados kirguises, uzbecos y de otras regiones del Cáucaso creían encontrarse en un país fascista que había que arrasar. Los conductores de los carros de combate, que apenas disponían de gasolina, confraternizaban con la población cuya confianza acabarían por traicionar después, cuando convenientemente avituallados volvieran los cañones de sus carros hacia los edificios de viviendas para machacarlos sin piedad; los jóvenes revoltosos lograron quemar unos cuantos, y los adultos apuntaban con sus fusiles a las escotillas de esa especie de búnkeres rodantes. La desigual batalla, que con el paso del tiempo se convertiría en legendaria, carecía por completo de sentido. Desorganizado, espontáneo, irreflexivo, popular, carente de coordinación alguna, el levantamiento dio expresión a un insospechado sentimiento antisoviético. Debo mi libertad a esa guerrilla de desesperados, entre los que se contaron casi dos mil adolescentes. Ellos fueron los que me abrieron las fronteras del Oeste. Me quedé en casa, disgustado y descorazonado. ¿Cómo habría podido aceptar la muerte de todos esos muchachos? Quise sumergirme en la lectura de Montaigne, pero ni los escépticos ensayos dedicados a denunciar los estragos de la guerra ni las consideraciones acerca de la naturaleza humana, en nada superior a la de las bestias, me proporcionaron consuelo alguno. Nuestra casa fue sacudida por el disparo de advertencia de un carro de combate que se dirigía hacia la facultad de derecho. Siempre me había fijado en las huellas del obús durante cada una de mis visitas anteriores, pero esta vez, en mayo de 1997, no las vi por ninguna parte. La historia de la represión aún no ha sido escrita. Kádár y sus correligionarios hicieron detener a Imre Nagy y a sus más cercanos colaboradores. Hicieron encarcelar también a un muchacho de quince años, cuya ejecución fue prorrogada hasta que cumplió en presidio los dieciocho. La ejecución de ese chico sigue clamando al cielo.

Y después todo acabó y comenzaron los actos simbólicos de protesta, emocionantes a veces, como cuando decenas de miles de velas iluminaron las ventanas de las casas, sumidas hasta ese momento en la oscuridad; honraban la memoria de los jóvenes y no tan jóvenes caídos luchando por una causa noble en una revuelta desesperada que para ellos había resultado mortal. Sin repetirse del todo, la historia húngara de un siglo se proyecta sobre el siguiente, y a veces lo hace en el corto espacio de una década. En 1849, excitados por los discursos del soñador Kossuth, incorregiblemente romántico e idealista, los campesinos húngaros blandieron las hoces y se enfrentaron a los ejércitos del zar, que venían en auxilio de Francisco José para reprimir la revuelta de los húngaros separatistas. En otoño de 1944, el regente Horthy, que había decidido rendirse a las potencias aliadas y no a las rusas, anunciaba, mientras el país era ocupado por los alemanes, que rompía unilateralmente los compromisos que lo ligaban a las potencias del Eje. Un destino igual de trágico que el de Nagy, quien, tras ser condenado a muerte, renunció a ejercer su derecho a apelar. En un documental de la productora Arte pude ver algunas imágenes de su inicuo procesamiento; conservó la serenidad y la calma hasta el último instante de su vida. Kádár fue obligado a participar en su ejecución para mostrar su sumisión al poder soviético. Seguidamente, le fue permitido emprender su política de liberalización, lo que se dio en llamar el «comunismo *goulash*», consistente en destinar a subvencionar el consumo interno los préstamos graciosamente cedidos a Hungría por los países occidentales. Confieso que no conozco suficientemente los años del gobierno de Kádár como para historiarlos, pero recuerdo que en una de mis visitas de universitario sentí vivamente que cada cambio en el Comité Central del Partido tenía su importancia en relación con la vida cotidiana de la ciudadanía. Y, en resumidas cuentas, ¿qué es la libertad? Que las variaciones políticas de cada jornada no alteren el día a día de los ciudadanos al dictado del Comité Central de un partido único.

Un pequeño interregno precedió al momento en que la represión organizada por los nuevos gobernantes a sueldo de los soviéticos se desató sobre el país, convirtiéndolo en una gigantesca mazmorra. Durante este corto periodo de libertad inesperada limpiaron de minas y de alambre de espino la frontera entre Austria y Hungría. ¡La puerta del Oeste estaba abierta! Édith, mi hermana, expulsada de Instituto de Urbanismo de la Escuela Politécnica —por las mismas razones, naturalmente, que habían motivado mi despido de la universidad—, y destinada a un departamento exclusivamente dedicado a la técnica del hormigón armado, juzgó que no le quedaba un minuto que perder allí y que debía huir de ese país maltratado por la historia lo más rápidamente posible. En compañía de su amigo Miki se despidió de nosotros sin mostrar pena alguna y atravesaron la frontera por la región del lago Fertő, en condiciones muy difíciles. En Viena se alojó durante algunos días en casa de Marthe, la esposa divorciada de un primo lejano de mi madre. Al llegar a Francia fue acogida primero por Adrienne Marty, la mujer más generosa del estamento académico, trasladándose luego a un cuartito que le cedió Claude Mauriac en su casa del muelle de Béthune, donde el escritor había seguido con absoluta consternación los acontecimientos de Hungría. Édith se matriculó en Bellas Artes y volvió a sus estudios de arquitectura.

Mi decisión tardó algo más en fraguarse. «¿Cómo voy a hacerle *esto* a mi madre?», me preguntó un amigo a quien el director del instituto había prohibido matricularse en la universidad; en su ficha personal se especificaba: «Nacido en una familia burguesa de Buda, suele pasear a su perro por delante del colegio». Yo lo tranquilizaba y trataba de animarlo a intentarlo antes de que el país volviera a ser cerrado a cal y canto. Ni yo mismo sabía cómo consolar a mi propia madre, que rompió a llorar el día que descubrió la ropa de Marika, mi mujer, en el armario de mi hermana. «Tan rápido… Tan de repente… Sin esperar siquiera un par de semanas…», se lamentaba, dolida por la partida de su hija. Por mi parte, tenía que convencerme de que debía atravesar cuanto antes la brecha abierta en el telón de acero y que, a despecho de mi carácter poco emprendedor, era ya hora de convertirme en señor de mi propio destino. Recorrí los grandes bulevares para hacerme una idea de la devastación producida por los cañones rusos. Las fachadas arruinadas, el espectáculo de los abrigos colgados de los percheros a la entrada de un piso semidestruido, los techos hundidos, las tuberías colgando como mangueras estragadas, las tiendas saqueadas, todo me hacía pensar en el principio fundamental del sistema soviético: la falta de humanidad asociada a la más despiadada represión. Al volver a casa me encontré a Marika vomitando, en mitad de un ataque de nervios. Inicié una maniobra de acercamiento bien poco diplomática a Guy Turbet-Delof, el consejero cultural de la embajada de Francia. Hace poco han sido publicadas sus notas sobre los acontecimientos de octubre y noviembre de 1956, un diario de estilo telegráfico, el registro más objetivo y preciso que conozco sobre ese periodo. Preocupado siempre por el futuro de ese país del que había aprendido la lengua, convertido en funcionario del Quay d'Orsay, me desaconsejó tomar la ruta del exilio. «Prepare su tesis sobre Balzac —me dijo—. Tendrá usted oportunidad de defenderla un día en la Sorbona, pero podrá conservar su plaza en la universidad húngara». No seguí su consejo, cosa que no debió de tener muy en cuenta, porque me envío por valija diplomática una elogiosísima recomendación donde cantaba las excelencias de mi trayectoria como profesor ayudante de Francés; a falta de mis diplomas, el documento me vino muy bien para continuar empeñado en el desafío algo absurdo de dedicarme al trabajo académico en París. Consulté con un colega joven que estuvo veinte años destinado en un colegio de secundaria como represalia por haber apoyado la petición de indulto para otro colega, latinista y miembro del Comité Revolucionario de la Facultad de Letras, que se había enfrentado armado a los rusos y que había sido condenado a muerte y ejecutado poco después. La idea de emigrar ni siquiera se le había pasado por la cabeza. En aquellos últimos días del otoño de 1956 estuve también con una joven pareja amiga que se había dirigido en varias ocasiones a la frontera para inspeccionar los pasos, pero que no había acabado de decidirse a cruzar el Rubicón.

Mientras tanto, la hora de partir se acercaba inexorablemente. La tía Bözsi, viuda de mi tío materno —una aventurera a su modo, amante durante muchos años de un policía y casada después con un impetuoso burgués que murió, por su parte, de un derrame cerebral—, decidió visitar a sus dos hijas, que acababan de abandonar Hungría y se habían instalado en Austria en condiciones muy precarias. Preocupada por ellas, tenía intención de ir a verlas y entregarles un lingote de oro, último resto de antiguos esplendores. Bözsi consiguió el nombre y la dirección de un guía. El individuo le exigió mil forintos y una radio que la familia del huido le enviaría a la recepción de un papel rubricado que atestiguase el final feliz de la aventura. La tía nos invitó a unirnos a la expedición. Mi madre adoptó una pose heroica, animándonos a irnos: «... Y todos esos espectáculos maravillosos que vais a poder ver allí...», nos decía. Aunque tampoco era cuestión de echarnos encima cualquier cosa. Yo hubiera querido llevarme mi elegante traje azul para un viaje extraño como aquel, pero, según mi madre, «un refugiado no se viste así». Hoy la cosa me hace sonreír. ¿Qué ideas le rondaban por la cabeza? ¿El estilo ante todo? ¿O era preocupación porque las organizaciones caritativas no iban a ayudar a un individuo así vestido? La víspera de mi partida escribí una carta al profesor Eckhardt, con el que trabajaba como ayudante. El severo personaje, sajón de Transilvania que durante su juventud había memorizado entero el *Petit Larousse*, sostenía que, de sus dos pulmones, uno respiraba en Hungría y el otro, en Francia. «Maestro, abandono este país humillado, porque necesito un mundo más vasto, más verdadero, más libre. Téngame presente en sus oraciones». Siempre lo tuve al corriente de las vicisitudes de mi vida. Le molestó mi afán viajero, que tomó por una travesura, pero antes de morir leyó con gusto mi tesis sobre Balzac. Su hija Illike es testigo de mis esfuerzos por conseguirle una invitación a París. La más joven de la familia Eckhardt, Mária, directora del Museo Liszt de Budapest, tras leer estas páginas me escribió: «Eres incapaz de perdonar». Los acontecimientos descritos en esta autobiografía no pueden ser objeto de perdón. El perdón me es indiferente, lo que me importa es dejar memoria de cosas que a menudo han sido ocultadas en este país, y ser el testigo único de algunas que me siento obligado a transmitir a las futuras generaciones.

Sin derramar una lágrima, mi madre nos deseó «buen viaje» y nosotros le respondimos «hasta la vista, hasta pronto, hasta que volvamos a vernos en Francia», sabiendo que no tendría la menor oportunidad de unirse a nosotros hasta muchos años después. Así pues, a principios de diciembre de 1956, subimos al tranvía que nos llevó a la estación del Este, donde en mayo de 1997 estuve esperando una hora la salida del Orient-Express, que venía de Rumanía y se dirigía a Viena.

Salida de la misma estación con el mismo destino

Compramos los billetes hasta una estación cercana a la frontera austriaca, situada algo más lejos que nuestra estación de destino. Una medida de precaución absolutamente superflua, porque el tren iba al completo, lleno de candidatos a la emigración vigilados (tengo la convicción de que era así) por agentes de la Seguridad del Estado que no querían o no podían hacer nada contra nosotros. Los nuevos amos del poder tenían otras preocupaciones más acuciantes. Era necesario reorganizar y volver a poner en marcha la maquinaria represiva, al ejército y a la policía, que en muchos casos habían apoyado a los insurgentes. El desorganizado país todavía estaba bajo los efectos de la impresión producida por la invasión soviética. Casi era preferible dejar salir a los elementos hostiles al socialismo antes que complicarse la vida arrestándolos; esa parecía ser la tesis dominante entre los nuevos gobernantes, dirigidos desde Moscú. Bajamos en Mosonmagyaróvár y nos dirigimos hacia la misma avenida bordeada de castaños que reconocí tras la ventanilla en mi rápido paso por allí, en mayo de 1997, de camino a Viena. Un grupo de jóvenes nos esperaba en una casa situada a la salida del pequeño municipio. Al caer la noche, el contrabandista, un tipo malencarado y poco hablador, nos tomó a su cargo.

Lo seguimos atravesando los campos cultivados. La acelerada marcha se hizo bastante penosa. El calzado se hundía en la tierra, y en las zonas embarradas parecía que no iba a ser posible dar un paso más. A veces debía detenerme y soltarme las malditas zapatillas de suelas ligeras para quitármelas, volvérmelas a poner y salir luego corriendo para alcanzar al resto de la tropa. Mi tía apenas podía mantener el ritmo y más de una vez tuvo que parar y arrodillarse. Unos vigorosos jóvenes la agarraron de los brazos y la ayudaron a continuar. ¿La hubiera abandonado yo de haber renunciado ella a la aventura? Más adelante se marcharía a Estados Unidos con sus hijas y se reencontraría con su hermana, una monja moderna que daba clases de matemáticas y montaba a caballo.

La noche era hermosa y la ruta celeste se veía libre de nubes. «Que bella notte», como canta Don Giovanni. Contemplando el firmamento lleno de estrellas durante una parada que hicimos junto a un árbol desnudo —y, aunque pueda parecer patético, la situación me emocionó entonces y me sigue emocionando todavía hoy—, soñé con los dos mil personajes de las obras de Balzac a cuyo estudio había dedicado los años anteriores; llegué a preguntarme si olvidaría alguna vez a la pequeña Atala Judici, una de las últimas amantes del barón Hulot en *La prima Bette* (nunca hubiera supuesto que esa novela sería, años después, el tema de mi tesis doctoral). Nos dispusimos a continuar con la marcha. Uno de nuestros compañeros de infortunio nos dijo que se quedaba allí, con intención de recuperar fuerzas, tras lo que se detuvo y se puso a practicar posturas de yoga. Transmitía una calma, una sabiduría y una confianza que me impresionaron. Y, en efecto, nos alcanzó después. Muchos de los miembros del grupo comenzaron a ponerse nerviosos, y el guía parecía moverse con menos seguridad, también. La aventura no carecía de peligros: la línea fronteriza zigzagueaba en esa zona y nos arriesgábamos a acabar cayendo junto a algún puesto militar. El contrabandista nos dejó en las inmediaciones de un pueblo, no sin recoger antes nuestros documentos de identidad firmados, con los que trataría de conseguir aparatos de radio. Avanzamos cuidadosamente hasta el primer poste telefónico. La placa estaba escrita en alemán... Y una vez en territorio austriaco comenzamos a dar saltos de alegría. En las ropas de los viajeros podían observarse sospechosos bultos. Los más jóvenes, auténticos insurgentes, ¡llevaban los bolsillos llenos de granadas!

Apenas habíamos avanzado unos centenares de metros cuando apareció un americano, por su aspecto un estudiante idealista. Para gran consternación mía, que había estudiado inglés en el instituto, no entendí una maldita palabra de todo lo que dijo. Nos ofreció un té y por primera vez en mi vida bebí ese brebaje sagrado que siempre había rechazado con diferentes pretextos en las meriendas de mi infancia. Poco después, una patrulla de fronteras austriaca se hizo cargo de nosotros. Mi alemán de Hungría no me fue de mucha utilidad para entender el oscuro dialecto de Burgenland en el que se dirigieron a nosotros... Después de algunas rápidas formalidades nos subieron al *jeep* y pronto llegamos al campo de refugiados de Eisenstadt, instalado en medio de un cuartel de la antigua zona de ocupación soviética. Nos esperaban allí unas enfermeras de la Cruz Roja y unos colchones, es decir, unos sacos de tela basta rellenos de paja. A modo de bienvenida, se entregaban a los hombres unas pequeñas bolsas de plástico que contenían maquinillas y un tubo de crema para el afeitado, una pastilla de jabón y pañuelos de papel; la bolsa para las mujeres incluía compresas higiénicas, en lugar de utensilios de afeitado. Se trataba de la época pionera de lo que luego se denominaría «ayuda humanitaria»…

La vida en el antiguo cuartel no tenía nada que ver con lo que se espera de un campo de refugiados. Medio centenar de personas se apiñaban en nuestro barracón la primera noche, pero no recuerdo ni caras de desesperación ni gestos crispados. Los refugiados, a menudo ingenuos e irreflexivos, habían sido arrastrados en muchos casos por la ola migratoria —sobre un total de doscientos mil, solo unos cuantos miles regresarían a Hungría— y soñaban con un porvenir mejor, una vez puestos al cuidado de las organizaciones caritativas de ese opulento Occidente que no tenía la menor intención de alterar el estatuto pactado en los acuerdos de Yalta. A las autoridades austriacas les hacía poca gracia que todos aquellos individuos de pasado oscuro e ignorado circulasen por el país libremente, pese a lo cual me permitieron visitar el castillo de Eisenstadt, menos impresionante que el de los Esterházy, es cierto, pero elegante y bien proporcionado, construido tras el periodo de euforia posterior a la desaparición de la amenaza turca, que había tenido en jaque al país al punto de poner en peligro, por decirlo con palabras de un poeta húngaro del XIX, «la orgullosa fortaleza de Viena». Las habitaciones eran barridas por un viento glacial y los frescos barrocos de colores cálidos abundaban en personajes mitológicos desnudos que, insensibles al frío, contemplaban con indiferencia al visitante apátrida cuyo entusiasmo estaba tan congelado como el mismo ambiente. El corazón «no andaba por allí». Sin embargo, también llegaría, a su tiempo, la hora del placer estético.

«Don Giovanni»: estrenos en Viena en diciembre de 1956

Al día siguiente, debido al tiempo lluvioso que hacía, me dediqué a pasear alrededor de la fuente, vestigio de un glorioso pasado en aquel patio de grises barracones. Trabé conversación con un guapo joven: quizá debería decir «de buena planta», pero es que era realmente guapo, alto, elegante y distinguido. Nos pusimos a hablar de ópera, pasión que resultó que compartíamos. Me parecía seguir una conversación interrumpida hacía tiempo. Se presentó: era Wolfgang, príncipe de Liechtenstein. «¿Puedo hacer algo por usted?», me preguntó. «Sí —contesté—, conseguirnos entradas para la Ópera de Viena».

«¡Qué gran idea! —dijo—. Vayamos a Viena, tenemos *Don Giovanni* en cartel y os podremos acoger algunos días en el palacio Liechtenstein, antes de la invasión familiar de las fiestas navideñas». Nos hizo abandonar el campo y nos acompañó al último palco de la Ópera, que había vuelto a funcionar hacía seis años. (En 1950, la ceremonia de inauguración fue retransmitida por la radio. En Budapest habíamos llorado escuchando *Fidelio*, un himno a esa libertad que entonces acabábamos de recuperar). Y fue así como, embutido en unos pantalones ceñidos y con la camisa sucia, volví a verme inmerso en mi «elemento natural», la música de Mozart, admirablemente interpretada por Paul Schöffler, Erich Kunz, Anton Dermota, Ludwig Weber, Sena Jurinac e Hilde Güden, personajes legendarios todos ellos. Puse todas mis energías en este acontecimiento excepcional que me permitió mantener el hilo de mis preocupaciones intelectuales de siempre y reavivó mi entusiasmo por mis placeres preferidos. Fue entonces cuando comprendí que, aunque expulsado para siempre de mi propia clase social, cuando me veía llamando a las puertas de Occidente, no podría renunciar nunca a mi condición de burgués centroeuropeo, lleno de complejos, es verdad, pero bien educado; no solo culto, también sensible a la belleza y capaz de conversar con sus interlocutores en varios idiomas, como era de rigor en el universo de antes de la guerra. No es que me hubiera convertido en un tipo altivo o pretencioso, simplemente estaba orgulloso de mi educación budapestina. No tenía nada, lo había perdido todo, y las únicas prendas de mi ajuar eran un traje, varias camisas y un par de zapatos. Voluntariamente decidí pasar por alto mi miseria y rechazar cualquier sentimiento de inferioridad, considerándome un igual entre mis nuevos conciudadanos, los europeos. Esa fue mi «gran apuesta», mi debut como acróbata en la cuerda floja, con la cultura ayudándome a mantener el equilibrio y a tener confianza en el porvenir.

La breve estancia en el palacio Liechtenstein llegaba a su fin. Con ocasión de nuestra comida de despedida, a Marika, que se sentía fuera de lugar en medio del espléndido mobiliario, se le cayó una copa de cristal veneciano artísticamente elaborada. Wolfgang la tranquilizó: «No se preocupe, todavía quedan otras once…». Así se habla, como un verdadero Liechtenstein… El joven príncipe nos trató de maravilla y nos mandó después a casa de un conde amigo suyo, en los alrededores de Sankt Pölten. Allí fuimos conducidos al granero del señorial palacio, donde nos encontramos con una docena de jóvenes y un depravado cuarentón que se pasaba el día presumiendo de sus hazañas sexuales y tratando de convencer al estupefacto personal de que utilizasen sus recetas mágicas: «Tómese usted veinte cucharadas de vino blanco antes del acto y ya se puede olvidar de esos dolores que tanto le molestan…». Celebramos la Navidad en el granero, en perfecta armonía con nuestros compañeros de alojamiento. Pero la atmósfera se fue deteriorando con la llegada del año nuevo. Los administradores del conde, a la altura de los de *El castillo* de Kafka, nos hicieron salir del granero y nos mandaron a una casa campesina, desprovista de calefacción y de cualquier comodidad. Mi sentido del decoro se vio violentamente puesto a prueba cada vez que veía mis propias deyecciones sobre el blanco manto con el que la nieve había cubierto el paisaje. Y fue Marthe, la angulosa, la devota, la abandonada esposa de nuestro primo Franzi, Marthe, que contaba con muchos menos medios que nosotros, la que nos hizo sortear aquella incómoda situación. Mientras nosotros dormíamos sobre el único lecho disponible, el sofá del salón, ella se ocupaba de llevar los balances de varios comerciantes locales para completar sus ingresos a fin de mes. «¡Mira que son marrulleros y tramposos!», murmuraba, y sus quejas sonaban como arrullos hasta que me quedaba dormido.

Para ganar algunos chelines austriacos, me presenté en la delegación vienesa de Radio Europa Libre, que apoyaba a los insurgentes y emitía boletines con las listas de los refugiados llegados a lugar seguro. Propuse a los periodistas allí presentes hacer unas declaraciones sobre las supercherías del Movimiento por la Paz, puesto en marcha por los estalinianos para explotar la buena fe de los pacifistas de los países occidentales. Me acordaba de los miles de personas que, obedeciendo órdenes del Partido, se reunían para escuchar a Ravi Shankar, que se acompañaba con el majestuoso sonido de su sitar, o los discursos de Joliot-Curie, que denunciaba la carrera armamentística occidental sin mencionar siquiera los preparativos soviéticos para llevar al mundo a un nuevo conflicto planetario. Los textos de los discursos eran preparados de antemano por los organizadores y, después, impresos y repartidos a los intervinientes; los oradores utilizaban argumentos y vocabulario idénticos y el auditorio fingía no darse cuenta, según suele hacerse en esos casos. Miembros de los diferentes comités húngaro-soviéticos, intelectuales «sin partido» y ese género de seres prostituidos que el régimen exhibía a todas horas se partían las manos aplaudiendo. Me pagaron el comentario político con bastante generosidad y gracias a eso pude comprarme un segundo traje, de franela, en los almacenes ITA, el equivalente vienés de los Biedermann. Tuve en esa época la impresión de que Marthe me envidiaba un poco, sobre todo por haber conseguido una remuneración *tan* generosa por un trabajo tan poco exigente.

Kitty, la esposa del banquero, magnífica jugadora de golf, quincuagenaria elegante, jugó un importante papel en nuestras vidas. Nos recibió, irritada, el día que regresamos de Sankt Pölten a Viena. A decir verdad, nos presentamos en su casa sin avisar, dándole a entender que estábamos en ayunas. Tenía invitados almorzando y se acababan de servir los postres. La criada, que llevaba cofia y delantal blancos —como suele ser norma entre las familias honorables de la Europa central o en la escena del Burgtheater—, nos hizo pasar al despacho del señor y nos sirvió unas alubias preparadas como un *goulash*, plato de pobres por excelencia, en una mesa desplegable. Kitty vino a inspeccionarnos para ver si estábamos presentables. Su voz ronca de fumadora, que recordaba el tono arrastrado de una Zarah Leander —«Ich weiss, es wird einmal en Wunder geschehen», es decir, «sé que va a ocurrir un milagro», recitaba, más que cantar, durante la guerra—, se volvió cálida y cariñosa, revelándonos entonces el natural generoso de su personalidad, oculto bajo su energía de deportista algo mandona. Por supuesto que se acordaba de mi madre, aunque el gesto le cambió al pronunciar el nombre de Endre, mi padre. ¿Habría sido acaso más que amable con él? Después se fue a buscarnos algo de ropa, que nos dejó en mitad de la habitación. No tuvimos mucho donde elegir… Y eso nos permitió intuir la causa de su inicial reserva. La primera ola de refugiados había pasado antes por allí, arramplando con las mejores piezas y poniendo seriamente a prueba su altruismo de gran dama… Quedamos en volvernos a ver y salimos de allí algo humillados, quizá.

Es verdad que, cuando las tropas nazis entraron en Viena, las autoridades austriacas habían hecho limpiar las calles a las mujeres judías con cepillos de dientes. Pese a lo cual, el comportamiento de los vieneses en 1956-1957 no tuvo nada que ver con el que preconizaría hoy en día un Haider, por poner un ejemplo. Podíamos subir al tranvía gratuitamente gracias a nuestro carné de refugiado y asistir a la Ópera, por descontado que en las localidades más baratas. Fuimos también a ver *Lo que el viento se llevó* (1939) y descubrimos el cine americano en pantalla panorámica. Teníamos la sensación de estar cumpliendo con un acto simbólico, pero la película no me impresionó en lo más mínimo. Por el contrario, *Calle de la Estrapada*, de Jacques Becker, la primera película francesa que vi en Viena, reavivó mis angustiosas preocupaciones: ¿tendría también yo que vivir así, en un cuartucho o en una buhardilla de París sin ninguna comodidad?

Kitty Schantz, jugadora de *bridge*, esquiadora y conductora de un Mini Morris —que entre una de sus citas mundanas y otra solía guardar en un camión de mudanzas—, tenía auténtico talento para las relaciones públicas. Estaba al corriente de que Mátyás Polakovitch, más conocido por su alias, Paul Mathias, periodista del *Paris-Match*, nos echaría una mano en nuestra huida. Ni más ni menos húngaro que yo, era bien conocido en la embajada de Francia. Nos prometió presentarnos al embajador, el señor Seydoux; el resto quedaría en nuestras manos. El embajador nos recibió amablemente. Diplomático de ley, se lo veía encantado de habernos conocido, incluso encantado con su propio encanto, y rápidamente nos puso en manos del señor Singer, uno de sus agregados. «Y consideraré una ofensa no tener noticias suyas en el futuro», fue la frase con la que nos despidió. El señor Singer, por su parte, más práctico y no tan expresivo como su distinguido superior jerárquico, nos apuntó en la lista del siguiente convoy con destino a

París. Nos observó que podríamos conseguir una beca de doscientos cincuenta francos —veinticinco mil céntimos, entonces y ahora— sufragados por el Servicio Francés Universitario, cuyos locales estaban en la calle Tournon. «Exultate, jubilate!». Ante nosotros se abría un horizonte despejado, libre de los nubarrones de la incertidumbre, que iluminaba el sol de Francia, como en uno de los frescos de Versalles a mayor gloria de Luis XIV.

Llegada a Francia

Algunos días más tarde, tomamos un tren fletado por las autoridades francesas, con las puertas atrancadas durante nuestro paso por Alemania pero poblado por las amables damas de la Cruz Roja, que llevaban un velo de color azul añil, como las niñeras de antes de la guerra. Tras una breve estancia en Estrasburgo, instalados en los confortables barracones del ejército americano, pudimos visitar, bajo vigilancia, porque no teníamos permiso de residencia, su deslumbrante catedral. ¿Podéis imaginar lo que la visión de esa catedral de piedra rosa supuso para el mísero refugiado que era yo? La catedral se alzaba ante mis ojos como el umbral de una nueva vida, y me hizo olvidar que era un apátrida cuyo único bagaje eran sus lecturas, su entusiasmo por las obras maestras de la cultura, su buena disposición para las relaciones personales y una confianza en el destino firmemente arraigada en lo más profundo de sí mismo. Nos detuvimos en la estación del Este, un sitio lleno de humo pero con un aura mítica a ojos de cualquier húngaro llegado a Francia en esa época, y fuimos recibidos por la señora Goodman, cercana al grupo de la revista *Preuves*, que dirigía François Bondy, y por un grupo de señoras americanas dedicadas a la colecta que se había organizado para ayudar a los «héroes húngaros de la libertad». Las vi algo decepcionadas cuando, valorando las posibles represalias que el régimen podía ejecutar contra mi madre, les pedí que no tomasen fotografías de nuestro grupo para un reportaje del *New York Herald Tribune*.

Durante una conferencia organizada por *Preuves*, tuve la oportunidad de conocer a Suzanne Aron, esposa de Raymond Aron, que acababa de escribir un artículo en *Le Figaro littéraire* sobre un misterioso personaje llamado Godot, que aparecía en *Le Faiseur* de Balzac, como el famoso Godot de Samuel Beckett. Su hija Dominique —hoy Dominique Schnapper— puso su mejor voluntad en ayudarnos. Nos invitó a cenar, suponiendo seguramente que el gran hombre no aparecería esa noche por casa. Pero, tras una serie de incidentes imprevistos, Raymond Aron llegó a su domicilio. Naturalmente, estaba mucho más al corriente que nosotros mismos acerca de los sucesos acaecidos en Hungría, lo que no es raro, dado que nosotros los habíamos vivido encerrados en nuestro infierno particular. La sabiduría y la lucidez de Raymond, el interés que Suzanne, su mujer, mostró por mis investigaciones balzaquianas y la hermosa voz de Dominique nos estimularon enormemente, haciéndonos sentir que sabríamos hacer frente a las inevitables dificultades derivadas de nuestro desembarco en Francia. ¿Cómo podría no mencionar ahora a los Bérend, que nos acogieron por consejo del propietario de una fábrica de automóviles loco de amor por Hungría y las húngaras guapas? Francis, que se había especializado en la elaboración de aparatos de seguridad —cascos, protectores de materiales plásticos, etc.—, abrió el armario y me animó a elegir un traje. Me propuso trabajar para él como viajante. Denyse, que había sido alumna de Lili Rév y profesora de piano en su juventud, entendió algo mejor mis ambiciones intelectuales, que seguramente desconcertarían al afamado industrial, y me regaló una máquina de escribir. Gracias a François Bondy, Roger Caillois me recibió en su despacho de la Unesco, recomendándome que escribiera un libro, ¡pero no una tesis doctoral! Debía aceptar, creía él, la discreta beca que me ofrecía el Congreso por la Libertad de la Cultura, del que dependía la revista *Preuves*. Años más tarde, se supo que el dinero provenía de los fondos de la CIA. Fuera como fuese, le saqué el partido que pude, tratando de perfeccionar mi inglés en el City of London College y visitando al equipo húngaro de la BBC. Con no disimulada emoción, di la mano a alguno de los locutores cuya voz había acabado siéndome familiar a lo largo de los años, durante la guerra primero y bajo el régimen comunista después.

El París que descubrí alrededor del Hôtel de l'Aqueduc, donde aquellas caritativas damas nos habían instalado, no se parecía en nada al de los Thibault o los Pasquier. Envuelto en un abrigo heredado de mi padre, grande, feo y pasado de moda, me dedicaba a dar vueltas por ese barrio sin interés que queda detrás de la estación del Norte. Habría podido sacarme unos francos dando clases de francés a los jóvenes húngaros que vivían en el hotel —un aristócrata austrohúngaro venido a menos, que se hacía llamar señor de Collomer, me pagaba con cargo a la señora Goodman—, pero en realidad no tenía ni idea de qué orientación dar a mi vida. Determinaron mi suerte finalmente el azar y la señora Adrienne Marty, una gran dama con un corazón «del tamaño de tres edificios», por recuperar la pintoresca expresión de una fantasiosa vecina que tuvimos en Trouville; la protección que proporcionó a muchos estudiantes perseguidos por sus opiniones políticas será recordada siempre. «¡Buenos días, André! Lleva usted unos cuantos años preparando una tesis sobre Balzac, ¿no es así? ¡Con eso podrá usted aspirar al Centro Nacional para la Investigación Científica!». Esta brevísima conversación puede considerarse el inicio de mi carrera en Francia. Me convertí en un balzaquiano y defendí una tesis doctoral, dirigida por Pierre-Georges Castex, un prestigioso profesor de la Sorbona, sabio, tolerante y generoso como no ha habido otro, que me dictó la primera carta que envié a Jean Pommier, profesor en el Collège de France y fiel guardián de los manuscritos del maestro.

Mientras la discreta ciudad de Monsonmagyaróvár desfilaba ante mis ojos, me di cuenta, en mayo de 1997, de que estaba repitiendo mi viaje de 1956. No se me había pasado por la cabeza al comprar el billete a Viena, donde tenía intención de visitar a Pali y Médy, los amigos de mis padres a quienes ya me he referido. Reconocí el lugar repentinamente, pero la visión no llegó a alumbrar mis recuerdos hasta cuarenta años después. Son las imágenes que evoco ahora. Hoy siento la irresistible necesidad de tender la mano a ese joven de veintiséis años, de prestarle atención, de asistir a los acontecimientos que van a jalonar su peregrinación y de acogerlo luego aquí, conmigo. Casi me hace sonreír. ¿No quería comprarse, nada más llegar al solar europeo, una boina vasca, del tipo de la que había llevado en Hungría como distintivo de protesta contra el régimen y buscando afirmar *allá* su identidad francesa? Sin embargo, salió de la tienda tocado con un sombrero flexible, del estilo de los que estaban de moda en ese momento en el Barrio Latino.

CAPÍTULO UNDÉCIMO

En Viena: Pali y Médy

Llego a Viena y cruzo el vestíbulo luminoso, grande y limpio de la Westbahnhof. El ruido de las ruedas de mi maleta sobre el caucho que tapiza los pasillos es apenas perceptible. Compro un abono de viaje válido para tres días y bajo al andén del metro que me llevará hasta la Währingerstrasse, donde se encuentra mi pensión. El vagón es moderno, los asientos están intactos, los viajeros visten correctamente, los inmigrantes se expresan en checo, croata o polaco; perfectamente integrados en la vida cotidiana austriaca, se dirigen a su lugar de trabajo. Me siento en un universo enteramente distinto al que acabo de abandonar y me doy cuenta bruscamente de que estoy en Occidente, *en casa*, en el lado de la civilización. No llego a comprender de inmediato que esta visita representa simbólicamente mi «segunda llegada» a Viena, réplica de la de 1956, resultado de esa conjuración demoníaca de incertidumbre y miseria que fue lo que determinó mi viaje de hace cuarenta años. Un reencuentro conmigo mismo, en cierto sentido, y con la renovada maravilla de la capital austriaca, destino reverenciado por los húngaros, incluso por los más radicales secesionistas de antaño.

Unas exhuberantes mujeres —una en bata de satén azul claro, con la espalda cubierta por una mantilla forrada de seda púrpura con volantes blancos que se derrama sobre un ancho sillón de contundente mal gusto, que seguramente datará de principios de siglo— me sonríen en el comedor de la pensión familiar, un piso que debió ser rico en tiempos, donde he alquilado una habitación. Me apresuro a telefonear a Médy y Pali, los viejos amigos de mis padres, únicos supervivientes de ese «mundo del pasado» que evoco.

Pali tiene noventa y dos años, Médy acaba de cumplir ochenta y siete. Han sobrevivido a todo y a todos: a amigos, a enemigos, a matrimonios y divorcios, a persecuciones antisemitas, a huidas, a robos, al encarcelamiento de su hijo desequilibrado y, en fin, a ellos mismos. Por lo que parece, estos dos grandes burgueses se volvieron comunistas con el único objeto de proteger a su hijo.

Ingeniero titulado por la Escuela Politécnica Federal de Zúrich, antiguo propietario de una granja modelo, Pali consiguió sortear los peligrosos años 1944-1945 conservando vida y fortuna. Enviado por el Ministerio de Agricultura a Londres como encargado de la compra de maquinaria agrícola para las cooperativas —los *koljózniki* húngaros—, fue arrestado en 1950, acusado de malversar en Occidente las divisas del Estado. Rehabilitado tras una breve estancia en prisión, se convirtió en profesor en la Escuela de Agronomía. A falta de un BMW, desfilaba en los tractores que conducía. Sus cursos de Mecánica Agrícola tuvieron que ser reescritos, murmuraban las malas lenguas. Después de 1945, Pali y Médy apenas frecuentaron a mi madre, material y moralmente arruinada. Sin embargo, una vez al año, con ocasión de mi cumpleaños, la pareja venía en una moto con sidecar y me traía siempre hermosos regalos. Durante los años de abundancia, Pali pasaba por casa, en la avenida Aréna, con relativa frecuencia. Ya entonces tenía problemas de sordera y llevaba una prótesis auditiva, por lo que no participaba en las partidas de *bridge*. Mi madre lo acomodaba en el recibidor, y allí, el amigo, que tenía cosas de niño a veces, se quedaba dormido hojeando revistas de automovilismo. Médy, por su parte, heredera de una tía vendedora de diamantes en Brasil, se convirtió en una comunista formidable —según Pali, era como si hubiese «entrado en religión»—, hostigando a sus semejantes, damas asustadas de la antigua alta burguesía, desde su puesto de responsable de personal. Conocía a la perfección sus mentiras, la cara oculta de sus vidas, la cuantía de sus bienes no declarados o que sus padres habían salido a tiempo del país, en 1948. En octubre de 1956, Pali y Médy se dieron cuenta de que había que aprovechar aquella ocasión única para tratar de recuperar los valores que tenían depositados en la banca suiza. Se embarcaron en su Opel azul celeste y decidieron seguir la ruta de los antiguos intendentes de su granja modelo de antes de la guerra. Todavía se acuerdan de los suculentos menús que fueron jalonando la ruta que los condujo a la frontera, que cruzaron sin mayor problema. En Viena tenían la existencia asegurada y solo les faltaba buscar alguna ocupación. En diciembre de 1956, esos generosos amigos nos invitaron a comer en distintos restaurantes y también nos acompañaron a visitar el Museo de Historia del Arte de Viena, donde pude admirar alguna de las mejores piezas de Brueghel.

Ahora viven en las afueras de Viena, en un amplio entresuelo con terraza. Rodeados de personal de servicio y acompañados también por una exquisita violinista húngara que, para poder pagarse los estudios, pasa la noche con Médy, se encuentran sin embargo aislados por su edad, por sus enfermedades y por su propia soledad de supervivientes, que pude percibir al visitarlos. Tienen un hijo esquizofrénico que vive en Alemania. Se sienten culpables de su locura y viven entregados al cuidado de la nieta, cuyo carácter inestable y cuyos caprichos los tienen preocupados. Pali exhibe tal inteligencia de anciano que no puedo dejar de interrogarlo acerca de los últimos días de mi padre y de nuestro pasado familiar. «No, tu padre no se suicidó. No habría tenido fuerzas suficientes para quitarse la vida. Durante sus últimos meses nos vimos muchas veces. Íbamos al café Petit Royal y nos quedábamos un rato sin decir palabra. Apenas comía, pero lloraba mucho. ¿Por qué me preguntas eso? ¡En fin, qué puede importar! Ya no es cosa de este mundo. Sí, volví a ver a tu madre en París. Me preparó unos bocadillos tan exquisitos como los de antes de la guerra». Aludo a los comentarios de Teréz. «No prestes atención a los chismes de las criadas... Siempre están fabulando, cuando no inventando... No les des importancia». Es todo. ¿Acaso busca protegerse evitando evocar esos fantasmas? ¿Quiere ahorrármelos y llevárselos consigo a la tumba? La edad tardía tiene misterios, debilidades inquietantes, tranquilizadoras manías y energías que desencadenan fuerzas psíquicas insospechadas. Tras unas horas en su compañía casi me había olvidado de mis padres. Durante algunos días, Pali y Médy se convertirán en centro de mi universo, y estaré entre ellos, petrificado y aturdido, escuchándolos y ayudándolos. Son los últimos testigos, mudos antes de tiempo, de la vida de mis padres, con quienes compartieron el alocado decenio 1928-1938. Pali evoca esa época refiriéndose a ella como «los viejos tiempos»: el príncipe de Gales, de visita en Budapest, rellenando su crep de caviar y creando así un nuevo plato de su invención para los menús de la sociedad de aquellos años, aficionada al foxtrot y al charlestón. Mi sitio estaba junto a estos dos esqueléticos extraterrestres. Me convertí en su psicólogo de cabecera, pese a que lo ignoraba todo acerca de los síntomas de la depresión en edades tan avanzadas.

Pali dirige la vida en la casa, tiraniza a todos y cuida con celo las llaves de una caja bien surtida de efectivo y de bonos y acciones. Cuenta cada pedazo de pan y cada loncha de salchichón, observa cómo van madurando los albaricoques, controla la fecha de caducidad de cada envase de yogur. Sabe muy bien que la memoria le falla a veces y ordena las cosas de forma obsesiva para tenerlo siempre todo a mano. Su vocabulario es preciso, se expresa de forma cuidadosa y parece que conserva la mayor parte de sus conocimientos. Siempre lleva su audífono y exige de su interlocutor no tanto que hable alto como que articule bien. Alguno de sus abogados se ha puesto en su contra, acusándolo de senilidad y tratando de aprovecharse de su decrepitud. Es eso lo que pone a este viejo rey Lear fuera de sí: que intenten engañarlo y aprovecharse de él precisamente sus antiguos hombres de confianza, y eso es también lo que lo lleva a bloquearse, a babear de impotencia y a repetir continuamente las mismas historias. Echa pestes a todas horas de un estafador, supuesto jurista y perito en sucesiones, aunque en realidad… ¡solo se le conocen «estudios de biología»! Es un asunto que tiene relación con la herencia de su hermano, el dentista, que pasó a mejor vida en Londres; herencia codiciada por una de sus tres amantes, que tenía acceso al piso. Extiende, ordena y mete y vuelve a sacar los mismos documentos de la misma carpeta, antes de confesarme que en realidad es solo un viejo lamentable que tiene dificultad incluso para concentrarse —algo de lo que acaba de hacerme una perfecta demostración— y que le resulta complicado hasta mecanografiar sus cartas, que no puede leer más que con una lupa, porque padece estrabismo, provocado por una esclerosis irreversible del fondo del ojo. ¿En quién delegar su firma? Ni en su nieta, ni en su hijo, ni en nadie de su entorno. ¿Y que sucederá entonces si su salud se deteriora? ¿Quién se ocupará de sus asuntos si se ven obligados a trasladarse a la residencia para ancianos enfermos que, por supuesto, ya tienen elegida? ¿Quién irá al banco para recortar los cupones de las acciones conservadas en la caja de seguridad, visto el coste exorbitante de un gestor de fondos contratado? Por la noche, me encuentro en presencia de un vejestorio desamparado, lúcido y pesimista pero aferrado con todas sus fuerzas a la vida; se refiere a su muerte, previendo el hundimiento del seguro edificio que ha levantado en vida, profiere un confuso discurso, se repite, se hace preguntas para las que sabe que no tiene respuesta, porque «finalmente todo sucede sin relación alguna con lo que uno había previsto», expresión común entre los que se encuentran en una situación como la suya. Se observa y analiza, angustiado: le tiemblan las manos, tiene una herida en la pierna que no ha cicatrizado en tres semanas, sus huesos son cada vez más frágiles, le dan vértigos en la ducha. Tiene miedo de tropezar, de caerse. Se mueve con extrema precaución alrededor del televisor y entre los muebles que ocupan el salón. Muy débil, baja los dos escalones que conducen al jardín aferrándose a la verja que protege la puerta. Y no obstante... Acaba de salir, acompañado de la violinista, a comprar un frigorífico equipado con un gran congelador. Me cuenta que el viejo frigorífico tiene casi treinta años y que en cualquier momento puede dejar de funcionar. ¿Qué ocurrirá entonces con todas esas bolsas de plástico, maniáticamente numeradas y que contienen platos cocinados por las empleadas, todas cocineras expertas, que han cocido con amor y a fuego muy lento lo mismo el pollo con páprika que los pimientos verdes rellenos? Pali se queja de estar abrumado por la angustia al sentir tan cercano el final («Schlussgefühl»), pero siempre la supera planeando el porvenir inmediato. Se ocupa minuciosamente de su bienestar e, ingeniero al fin, estudia los planos para instalar aire acondicionado en la vivienda. Curiosamente (y felizmente, se podría decir), una violencia difícil de contener parece bullir todavía en el interior de este hombre viejo y enfermo. Y estalla cuando, al descorchar con poco cuidado una botella de vino, parto el corcho. Pali se pone rojo de furia y la voz se le altera: «Come, come», ordena. Le tiemblan las manos, pero, gracias al moderno sacacorchos —con una lengüeta plegada que permite dirigir la rotación—, recupera el trozo de corcho. De nuevo soy el chiquillo de cuatro años al que Pali lavaba el pelo en los años treinta. En un par de minutos ha restablecido las relaciones de dependencia entre un padre tiránico y temible y un hijo atemorizado y lleno de sentimientos de culpa. ¿Siente quizá haber desperdiciado una botella de buen vino? «No serás capaz de acabártela…», me dice malintencionadamente. Hice lo que pude, desde luego, y llegué al centro de la ciudad tambaleándome.

Médy está aparentemente impedida; pero en realidad no lo está en absoluto. En el piso se desplaza ayudándose con un andador, aunque luego es perfectamente capaz de moverse con una muleta o apoyándose en el brazo de alguien. Doy un paseo con ella durante algo más de media hora por el parque cercano a la casa. Se pasa el rato quejándose: «Pali no se imagina todo lo que me ha tocado sufrir. Creo que me odia». En húngaro, la raíz de este último verbo se relaciona con «llenarse de pus». Le respondo que Pali está lleno de preocupaciones. «Sí —me responde, repentinamente animada por su extraordinario deseo de vivir—, yo sé que le preocupa qué será de mí si se muere». Todos los episodios negativos de su vida desfilan ante sus ojos, me confiesa. ¿Sabía yo que sus padres se habían suicidado? (La verdad es que lo ignoraba, aunque tenía noticia de que había heredado un cierto desequilibrio mental). Nunca se sintió a gusto ni con su padre ni con su madre, y eso todavía la mortifica. Por la misma razón, se siente responsable del carácter inestable de su hijo (nunca ha aceptado que tenga una enfermedad mental). Tiene absoluta necesidad de que alguien la escuche. ¿Existe alguna psicoterapia pensada para la cuarta edad? Le repito una y otra vez, usando los mismos argumentos que el padre Tijon con Stavroguin, que hay que saber perdonar y perdonarse. Yo mismo he necesitado una buena cantidad de años para llegar a entenderlo…

Médy, a sus ochenta y siete años, es lista, monstruosamente egoísta, histéricamente exigente e incontinente, también: usa pañales. Sus raros comentarios suelen ser precisos y su memoria se conserva intacta. Pero ¿de qué serviría forzarla a hablar con sus deformados labios —que parecen estar masticando continuamente—, obligarla a reaccionar, a sacar a la luz sus recuerdos, si en este miserable mundo, del que ella no ha sacado nada, todo es vanidad? Es el objetivo principal de la agresividad de Pali. Cada gesto, cada palabra suya, exaspera al marido, que apenas consigue reprimir su mal genio. Médy suele comenzar cualquier frase con un «No...», levantando el índice como hacen los pedagogos. Pali se burla de ella y la imita despectivamente. Analiza la enfermedad de su esposa y se cobra con ello venganza de la tarea nocturna a la que se obliga a diario: limpiar los pequeños charcos que la mujer va dejando por el pasillo, porque le da vergüenza que queden a la vista de la violinista, su única confidente. La vida de estos dos viejos, a los que por otra parte no les falta de nada, es triste..., pero no se quejan. Se sientan a la mesa sin verdadero apetito y, después, descubren entusiasmados que tienen hambre. Pali come con mayor contención, pero Médy la pierde por completo, se vuelve ávida, exige la salsa y la ingiere, saboreándola. Pero a la vez se lamenta de haber perdido el gusto y consume grandes dosis de laxantes. Lleva acatarrada desde hace seis meses, por lo visto, y siempre está pidiendo pañuelos de papel. Se empeña obstinadamente en ver el telediario de las diez y media para retrasar la hora de irse a la cama y fastidiar a la hungarita. Lee mucho, pero es incapaz de «leer en sí misma».

Como buenos burgueses, tienen un santo temor a los imprevistos y por norma están siempre preparados para afrontar los reveses de la fortuna. Cuando se plantean el día de mañana, no temen a la muerte, sino a la pérdida de autonomía. La idea de acabar en el hospicio de las monjas de Győr, la ciudad de Transdanubia de donde es originaria la niñera-enfermera que trabaja para ellos, se les pasa por la cabeza de vez en cuando. Los animo a que se queden en su casa, porque pienso que si salen de aquí tendrán los días contados. ¿Qué me mueve a hacerlo? Quizá, probablemente, ese hábito tan común que consiste en fantasear con la muerte de los seres que uno ama.

Peregrinación vienesa: de la Ópera al barrio judío

Me olvido de mis imaginarios temores en la Ópera, asistiendo a una representación de la *Electra* de Richard Strauss. Me dejo arrastrar por las pasiones que se desencadenan en la escena; la invocación de Electra, subrayada con vigor por el conjunto de la orquesta, «Agamenón, Agamenón, padre, ¿dónde estás», consigue emocionarme hasta hacerme llorar. Acepto las lágrimas, las siento, ascienden desde mi ser más profundo. Liberan la tristeza que se esconde en los pliegues más secretos de mi alma. En el *Hamlet* de Laurence Olivier, la secuencia en la que, espada en mano, para que el arma con forma de cruz conjure la aparición demoníaca, el hijo sigue al padre por la escalera en espiral hasta la plataforma del castillo, también conseguía sumirme en la misma congoja. Al juntarme con Pali y Médy buscaba reencontrarme con mi padre, el depresivo, el que tan tempranamente había desaparecido de mi vida.

La jornada de mis ancianos amigos da comienzo a mediodía. Aprovecho la mañana para ver mis cuadros preferidos en el Museo de Historia del Arte de Viena. ¡Qué milagro el de esa *Torre de Babel* de Brueghel el Viejo que sugiere, en el estrecho marco del lienzo, una concepción de lo inconmensurable, una desmesurada tentativa de rivalizar con la divinidad! La torre inacabada, levantada a base de bóvedas superpuestas con la ayuda de máquinas, elevadores y grúas, es una denuncia contra la soberbia humana, pero exalta a la vez el genio de los arquitectos, cuyo intento se verá condenado al fracaso. El color brillante de los ladrillos, el azul del río, el verde oscuro de los árboles, el naranja azulado del paisaje, reclaman una vez y otra mi atención. Me siento hijo de Babel, y esa maldición bíblica de «la confusión de las lenguas», que debía castigar a los hombres por su soberbia, siempre me ha parecido una bendición divina, algo extraordinariamente enriquecedor, el punto de partida de mi diálogo con las lenguas extranjeras. Una gran sabiduría se desprende de los autorretratos de Rembrandt, obras maestras de la introspección. El rostro del gran retrato de 1652 está lleno de arrugas, y los pliegues de la barbilla y el cuello se irán acentuando en los retratos posteriores. Los ojos expresan una gravedad, una determinación, que no debilitará del todo la depresión que sobrevendrá al artista en sus últimos años. Me detengo ante la *Susana* de Tintoretto. Siento envidia de esos viejos que espían a la jovencita de formas opulentas. Tiene las piernas separadas, una de ellas dentro del agua y la otra apoyada en el borde de la alberca. Orgullosa de su desnudez, la inocente joven se admira en el espejo. El reflejo que ve constituye su secreto, la entrepierna, ese nido sombrío que de ninguna forma podría figurar en el cuadro. Antes de salir del museo, recorro la magnífica exposición «Mito y Eros», en la que destaca un salero dorado («Saliera») de Benvenuto Cellini: sobre una base ovalada con piedras preciosas engastadas, una Venus desnuda está tumbada frente a un Neptuno igualmente desnudo, sentado encima de sus corceles. Los pies de la una y del otro se cruzan, se tocan, y el dios del mar sostiene el tridente con su mano derecha. Belleza plácida, serena, desnudez admirable que se ofrece a la vista del espectador del futuro; mito y felicidad, la Antigüedad que el Renacimiento resucitó vive para siempre. Salgo contento y bajo la gran escalinata casi bailando. Mi visita vienesa ha tenido su episodio erótico y el Eros al que se dedica la exposición ha logrado vencer la fúnebre impresión que acompañó mi otra visita, a Pali y Médy. Atravieso la Hofburg y me desvío de mi itinerario en una dirección imprevista.

Ese viernes alargué el perímetro de mi visita hasta los alrededores de Stefansdom. Bajo efecto de una inspiración repentina, me dirigí hacia el barrio judío de la Judengasse para volver a encontrarme con los lugares que había creído olvidados desde enero de 1957. ¿No serían la sesión en la Ópera y la larga visita al Museo de Historia del Arte de Viena más que desvíos para alejarme del camino que me llevaba más allá de Graben?

El Joint Distribution Committee americano, organización caritativa que acudió en auxilio de los judíos húngaros huidos de su patria, estuvo instalado aquí. Al ser muy abundante el número de auténticos malhechores que se hacían pasar por israelitas, era preciso demostrar mediante una entrevista individual que se formaba parte de la comunidad perseguida en Hungría. Se otorgaba entonces una generosa ayuda, y el sellado del «carné de refugiado», que había sido emitido por la policía en la frontera entre Austria y Hungría, atestiguaba el reconocimiento por parte del Joint del estatuto de judío apátrida al interesado. Fui allí una mañana fría, neblinosa y gris de enero de 1956. Aunque nacido de padre y madre judíos, había sido bautizado en mi infancia y tanto mis padres como mis abuelos paternos eran conversos desde tiempo atrás. Hasta 1935-1936, lo recuerdo perfectamente, mi madre hacía donaciones a la asociación Jevrá Kadishá, creada por sus padres, fundadores también de un asilo para judíos invidentes. Mi hermana había sido alumna de las madres irlandesas, religiosas muy a la antigua que obligaban a sus internas a bañarse vestidas con un camisón de lino; y yo, de los escolapios. Ambos recibimos una educación católica, lo que no evitó que tuviésemos que llevar encima la estrella del escudo del rey David. Yo no había sido circuncidado y no tenía intención de mentir al respecto en los interrogatorios orquestados por el Joint Distribution Committee. Marika y yo deseábamos en realidad renegar, rechazar, olvidar nuestra condición de judíos por razones que hoy pueden parecer confusas y complejas. Es cierto que las persecuciones antisemitas nos habían marcado y que buscábamos olvidar para siempre nuestro pasado húngaro, una ilusión ingenua y puede que hasta peligrosa. Nos costaba hacernos a la idea de que el sello del Joint en el carné de refugiado que nos serviría de documento de identidad estampaba a la vez, sobre nuestras frentes de judíos errantes, la estrella amarilla. ¿Debería haberme juntado con mis hermanos y hermanas en las filas de los rezagados junto al puente de la Libertad? Un deseo egoísta de supervivencia me impidió hacerlo. ¿Debería haber aceptado que aquella organización caritativa —a la que no podía y no quería ocultar mi condición marginal con respecto a la comunidad judía— me alojase en uno de los confortables hoteles del barrio Stefansdom y cubriese mis necesidades simplemente dejando que estampasen en mis documentos un sello que no hacía más que reactivar mis temores? Sí, probablemente. He necesitado cuarenta años para volver a la Judengasse, donde se encontraba el Joint, y para tratar de entender, al menos en parte, mis actitudes en enero de 1956.

De hecho, no conseguí encontrar el sitio exacto donde se hallaba la oficina de la organización, pero estuve bastante cerca. Cruzo la Grabenstrasse y, con el corazón encogido, como si estuviera violando alguna prohibición, entro al Museo Judío. Los responsables del lugar parecen haber querido evitar las visiones macabras. La exposición de la primera planta está dedicada a una asociación deportiva que funcionó desde 1922 a 1928. Me acuerdo de mi padre vestido de tenista, pero esas fotos del museo no acaban de impresionarme. Aunque luego me vienen a la cabeza imágenes largamente enterradas en la memoria. Mis padres eran miembros de un club de tenis donde se reunían con buena parte de sus amigos, y mi padre, con varias de sus amantes. Lo frecuentaron hasta que un día, en torno a 1939 o 1940, se les impidió la entrada porque su certificado de nacimiento incumplía alguna de las normas recientes promovidas por una sociedad crecientemente «arianizada». Con nueve o diez años noté con toda claridad la angustia de mi padre, que había sido excluido de su particular Roland Garros; finalmente, descubrió unas pistas rodeadas de altos y antipáticos muros en un rincón poco acogedor del nuevo Pest, el barrio industrial del norte de la capital. Puedo imaginarme lo que sintió. Yo frecuentaba entonces la pista de patinaje del parque Municipal. Allí me pasaba el día dando vueltas, como la mayoría de los patinadores, y eso me procuraba un enorme placer. Es cierto que la presencia de chicos mayores con ganas de bronca me tenía atemorizado, pero los valses de Strauss, Lehár, Suppé o Millöcker me animaban lo bastante como para olvidarme de todo. Me gustaban sobre todo los ratos de silencio sobre la pista iluminada por bombillas que bailoteaban, canturreando un tema de Granados, melodioso y sentimental, muy apreciado por Pablo Casals y que concluye, para sorpresa del oyente, en una modulación en menor. Lo recuerdo perfectamente, tenía seis años y quise consignar mis impresiones en un cuaderno. Pues bien, en este mismo periodo, hacia 1940, mi abuelo, accionista de la sociedad gestora de la pista de patinaje, tuvo que presentar su partida de nacimiento para una revisión. Mi abono fue anulado. No nos fue posible imitar a Gyula Csortos, el gran actor húngaro que, requerido igualmente para que presentara su partida de nacimiento, respondió al requerimiento con su tarjeta de visita. Esta especie de Charles Laughton, gruñón centroeuropeo, tras el sitio de la capital en 1945, se dirigió en su silla de ruedas al teatro y recitó el monólogo de Chéjov *Sobre los perjuicios que causa el tabaco*. Poco después murió de neumonía, por falta de penicilina.

En la segunda planta del museo se halla una espaciosa sala donde se exponen objetos de culto en vitrinas alineadas a lo largo de una pared, mientras en la pared de enfrente han instalado un panel blanco de unos treinta centímetros de ancho en el que, como en la pizarra de una clase, los visitantes han ido dejando sus espontáneos y efímeros mensajes: «Acuérdate... Emocionante... Maravillosa iniciativa... ¿Cuándo volveré a verte?... El año próximo en Jerusalén». Añado el mío: «Ruhe... Ruhe... Paz», evocando la hermosa voz de Brunilda en *El ocaso de los dioses*. La música está por encima de la política, algo que nunca discutiría un Barenboim, especialista en Wagner y en Bruckner. Fue mi «pax vobiscum» dirigido a los muertos y a los supervivientes. Y el descubrimiento del sentido de mis vagabundeos por esta ciudad, a la búsqueda de unos orígenes de los que había renegado.

Salgo de Viena: meditación sobre «El Danubio azul»

De vuelta a la pensión donde me alojo, paso por delante del Café Mozart. Frente a la Albertina se ubica el grupo escultórico levantado en memoria de las víctimas de la *anschluss* y de la guerra. El pasado fascista no parece que preocupe a nadie, excepto a Thomas Bernhardt, quizá. La escultura del judío arrastrándose, de un estilo dudoso y hasta provocador, forma parte de este monumento sin peana, perfectamente integrado en el universo banal de los paseantes y los turistas. Siento un gran malestar. Unos jóvenes beben Coca-Cola y comen un bocadillo casi al lado, sin preocuparse del pasado ni de lo que ese personaje que se arrastra representa. Como en Hiroshima, en el parque memorial que recorrían despreocupados ciclistas, me dejo llevar por el espíritu de reconciliación que sopla aquí, barriendo las pesadillas del pasado. Voy a casa de Pali y Médy para despedirme. «Avísanos cuando vuelvas a venir por aquí», me dice Médy. Pali me acompaña hasta la puerta del jardín. No nos decimos nada que se parezca a una despedida.

Mientras repasaba estas páginas me llegó la noticia de la muerte de Pali. Una gripe lo dejó postrado y parece que renunció a luchar. Su existencia carecía ya de sentido. Asignó una renta vitalicia a su hijo vagabundo, premió a la violinista con una magnífica dote que le permitió casarse con un músico de la Orquesta Filarmónica, contrató el entierro… ¿Para qué volverse a levantar, buscar la lupa para leer el *Neue Zürche Zeitung*, ajustarse el audífono para oír vanas palabras de aliento, convencer a su nieta de que debe ocuparse de la gestión de los bienes que constituyen su herencia? Perfectamente lúcido, no ha hecho nada por retomar el hilo que ahora siente que se le escapa. Me avisaron muy tarde y no pude darle mi último adiós. Durante la incineración, la hungarita violinista y su marido tocaron, con los ojos cubiertos de lágrimas, el movimiento lento del *Concierto para dos violines* de Bach mientras el féretro desaparecía tras la trampilla.

Antes de abandonar Viena, recorro una última vez Hofburg. Al pasar por delante de los andamiajes que rodean los edificios de la zona —se repinta, se rehabilita, se acondiciona, no se piensa en otra cosa que en restaurar los esplendores más aristocráticos que burgueses del pasado—, me acuerdo de las vigas que todavía apuntalan tantos edificios de Pest a punto de venirse abajo, y también de la ciudad toda de Budapest, llena de polución y de vulgaridad y a la que solo redime de su irreparable decadencia su incomparable ubicación. El «hermoso Danubio azul», que no hace sino bordear la ciudad imperial, atraviesa majestuosamente la antigua capital del reino de los magiares. Barcos alemanes lo recorren hoy día, verdaderos centros de ocio llenos de turistas que se aprovechan de los bajos precios húngaros, de las putas llamativamente vestidas controladas por chulos de la mafia ucraniana y de los conciertos en el Reducto, donde se ofrece diariamente un popurrí de valses de Johann Strauss y extractos de operetas de Franz Léhar. ¡«Schöne blaue Donau», cuántos crímenes se cometen en tu nombre! Schiele y Klimt, Berg y Bartók, Janaćek y Kodály se rebelaron contra esa cultura provinciana que se dejaba mecer por tus olas. Y sin embargo..., cada vez que los aplausos del público interrumpen el trémolo de violines que anuncia el vals de Strauss en el concierto de Año Nuevo, me embarga la emoción. La interrupción es un rito: siento una agridulce nostalgia cuando el director da la señal de continuar y la orquesta retoma la melodía. ¿Será síntoma de una sentimentalidad mal controlada, la nostalgia del paraíso perdido de la infancia, que jamás fue, en realidad, un jardín del Edén? ¡Qué es lo que hace que me emocione ese fragmento musical, de un tan perfecto *kitsch* que exige toda su maestría al director de la orquesta para evitar la vulgaridad y lograr traducir su ritmo, su gracia y su ligereza? ¿Me estaré dejando arrastrar por la histeria colectiva del concierto de Año Nuevo, ejecutado bajo los emblemas de una monarquía multinacional arruinada por un emperador débil y por una corte de torpes aristócratas? No lo creo. ¿Acaso el vals despierta en mí un irremediable sentimiento de desarraigo? Jamás me sentí integrado en la sociedad húngara, y el Danubio nunca me pareció «azul», ni antes ni después de 1945. Después de la guerra, Viena se convirtió para mí en una especie de Jerusalén celeste que nunca podría alcanzar. Y lo que me resulta aún más difícil confesar, es decir, que sintiéndome en París como en mi casa y habiendo logrado allí un cierto prestigio como profesor universitario, el sentimiento de hallarme desterrado no me ha abandonado nunca, ni tampoco esa oscura nostalgia de la Silesia ancestral y de una Hungría amada y odiada a la vez.

Vuelvo a la Westbahnhof y, tratando de evitar a los juerguistas domingueros, me acomodo en primera clase, en un vagón climatizado en el que tirito de frío. El tren está prácticamente vacío, como esas torres de vigilancia de otro tiempo de las que solo algunas permanecen en pie en las zonas fronterizas. Me bajo en la estación del Este, en medio de mendigos, de tullidos, de miserables agitados por convulsiones o cubiertos de pústulas. Atravieso a toda velocidad esa pequeña corte de los milagros y voy esquivando a los taxistas, estafadores notables y chulos desvergonzados, siempre a la caza del ingenuo viajero del Oeste. ¡Qué difícil me resulta este regreso a una casa que no es ya la mía! En la parada del autobús me topo con mis conciudadanos y nos dejamos llevar al centro. De una zancada salto al asfalto de mi infancia. Yo no sé qué impaciencia me arrastra y avanzo a buen ritmo en dirección al paso subterráneo, pero las prisas me juegan una mala pasada. La maleta con ruedas se me desarma y se abre sobre el asfalto. Unos adolescentes que disfrutan del exagerado calor de esta noche primaveral me señalan con el dedo y se carcajean. Vuelvo al hotel Peregrinus.

Al día siguiente, compro algunos manteles y tapetes con dibujos folclóricos en una tienda en la que un chico joven, con ropa de pastor de la *puszta* y torpes gestos de putón primerizo, anima a los extranjeros a gastar sus divisas. El taxi colectivo me lleva hasta el aeropuerto de Ferihegy, que se halla en reconstrucción. En un futuro próximo podrá albergar gigantescos aviones llenos hasta los topes de visitantes ávidos de descubrir la ciudad, sus puentes, sus restaurantes y su circuito automovilístico, además de poder darse una vuelta por sus célebres burdeles. El Airbus me devuelve a París, a *mi casa*.

CAPÍTULO DUODÉCIMO

En Venecia

Durante largas jornadas me sentí abrumado, cansado, sin comprender del todo las causas de mi depresión. Decidí que un viaje a Venecia bajo el patronazgo de Erasmo, padre de los intercambios culturales europeos, me haría mucho bien.

Para un exrefugiado como yo, la llegada en el tren que atraviesa el dique de la laguna sigue siendo un prodigio inagotable.

Me alojo en la Fundación Levi y voy todos los días a la Academia. *La Piedad* de Bellini, el rostro lleno de dolor de la Madre con el Hijo en las rodillas, me emociona profundamente, porque la falta de realismo de la representación la sitúa más allá de las lágrimas. Los Carpaccio siguen en la sala donde los vi por primera vez, en 1957. Cuarenta años más tarde, miro todavía con los ojos de Proust los brocados de los altos dignatarios y al joven gondolero, un deseable efebo, erguido en la parte trasera de la barca. Recorro Venecia desde Frari a San Juan y San Pablo, desde los Jardines —donde las «instalaciones» concebidas por los artistas de la Bienal me resultan chocantes, de una gratuita iconoclastia— al Gueto, cuyas calles estrechas me agobian, ¿por qué no confesarlo? En Venecia, donde iglesias, monumentos y obras de arte son hitos a la vez reales y simbólicos, me siento también en mi casa. Me olvido de mi condición mortal y la tontería esa de «¿cómo es posible que toda esta belleza vaya a morir conmigo?» no se me pasa por la cabeza más que un par de veces. Un deslumbrante pasado aflora por doquier en este marco eternamente admirable. El esplendor de la ciudad flotante, cuya fragilidad olvida uno fácilmente cuando admira sus palacios, me inspira un tranquilizador sentimiento de permanencia.

Algunas semanas antes, en Budapest, junto a mi refugio en el hotel Peregrinus, en la calle Szerb, a cuatro pasos de mi antiguo domicilio, *el tiempo se salió se su sitio*. Como Hamlet al regresar a Elsinor, mi estupefacción inicial por encontrarme en «mi casa» (una «casa» que tras cuarenta años no era en absoluto la mía) se convirtió en indiferencia ante esa cita y, luego, en un malestar que llegó a provocarme náuseas.

Preparando estos viajes, en Budapest y en Venecia, después, volví a mirar las fotos de un viejo álbum familiar.

Veo a mi madre con absoluta claridad, y quizá también a mi padre, en mitad de la plaza de San Marcos atestada de gente, llena de animación, de alegría y de palomas. ¿Será esta la recompensa, el consuelo que me corresponde en pago por estos meses de escritura, buscándome a mí mismo?

En Trieste: reencuentros en el Caffè degli Specchi

Este hilo rojo de mi vida lo perdí en Budapest y no puedo recuperarlo sino *en otra parte*. Tengo siete u ocho años; acompaño a mi padre en uno de sus desplazamientos en coche; desde Abbazia, nuestro lugar de vacación, nos dirigimos a Trieste por asuntos de negocios. El rápido viaje, atravesando el paisaje lunar del karst esloveno, permanece intacto en mi memoria. Mi padre me dejó a solas en la terraza de un café mientras se ocupaba de sus asuntos, en el banco o en alguna de las sociedades comerciales domiciliadas en Trieste. De repente me sentí muy cercano a mi padre, un sentimiento que nunca antes había disfrutado, y estoy convencido de que mi reprimido amor filial tiene que ver con esta visita, profundamente grabada en mi memoria. Trieste está más o menos a una hora en tren desde Venecia. Este mes de junio de 1997, he decidido volver a la terraza del café de la plaza grande para cumplir con un rito. Los amigos de Belgrado — Brankica, especialista en poesía moderna, y su marido— me dejan discretamente a solas para que me reúna con el muchachito que espera, después de tantos años, en la Piazza Unità d'Italia, no lejos del mar. Descubro el Caffè degli Specchi, donde mi padre me había dejado a solas sesenta años antes. A la izquierda no queda la catedral que me parecía entrever en mis ensoñaciones, sino el Palacio del Gobierno, una gran construcción neoclásica en cuya torre central hay un reloj protegido por una cornisa con forma de media luna. Dos figuras de bronce dan la hora golpeando con sus martillos en la campana que los separa. El mecanismo me impresionaba, me intimidaba, pero me sentía orgulloso de estar solo. En mi recuerdo, el mar estaba más cerca; y el suelo, cubierto de baldosas blancas y negras, y no encementado y liso. Sin duda, con el paso de los años, la plaza de San Marcos se ha superpuesto a la plaza de Trieste, componiendo un híbrido curioso.

En junio de 1997 la temperatura ronda lo canicular. A la sombra de un toldo observo a mis vecinos, habituales del local, por lo que parece. A mi derecha, un hemipléjico de edad cercana a la mía se concede unos minutos suplementarios en su sillón de mimbre para tomar un segundo zumo de naranja. A mi izquierda, una pareja de viejos que sin duda conocieron tiempos mejores comen helados, lenta, ceremoniosamente, como para matar el rato. Es la hora de la siesta y estoy solo y feliz entre estos desterrados de la ciudad. Los conos cerrados de las sombrillas blancas salpican el panorama. Algunas filas delante de mí distingo a mi juvenil *alter ego*. Olvidado de todas sus inquietudes, respira el aire marino, que le hace cosquillas en la nariz. En Abbazia, mantiene generalmente una buena relación con su madre y nada con placer acompañando a sus padres, sin preocuparse por pulpos ni por tiburones. Escasamente intimidado por las dimensiones imponentes de la plaza, observa y escruta las fachadas monumentales de los palacios que ocupan las oficinas de la Assicurazioni Generali o el famoso Lloyd Triestino. En ese 1938, sin que nadie lo perciba y casi sin darse cuenta, está filmando una película que proyectará medio siglo después en la pantalla de su memoria. ¡Decididamente, la vida es una aventura extraordinaria, porque permite estos insólitos encuentros con uno mismo! Las columnas de la antigua Bolsa, los ricos inmuebles de la calle de la Cassa di Risparmio, son auténticas obras de arte de la arquitectura de siempre, además de testimonio secreto, pese a su imponente apariencia, del esplendor de una monarquía que tuvo en Trieste su salida al Adriático. Mis amigos, radiantes, y su hija —que tiene una hermosa complicidad con el padre— me llevan a Duino, lleno de reminiscencias de Rilke. Al día siguiente, Brankica me acompaña por la gran plaza. Nos instalamos en la terraza de un hotel, frente al Caffè degli Specchi. Hablamos de la autobiografía, de ese proceso al que nosotros mismos nos sometemos, y de la sentencia absolutoria que creemos merecer.

El proceso de la autobiografía

¿Me puse a escribir estas páginas a las seis semanas de mi estancia en Budapest para exorcizar mis sentimientos de culpa? ¿Para disculparme por no haber «sentido nada» al haber abandonado a mi madre y la tierra patria, la *terra patris*, la del cementerio donde reposa mi padre? ¿He cometido algún pecado contra natura deseando romper radicalmente con el pasado que por un lado me dio forma y, por otro, bajo dos muy diferentes regímenes políticos, pudo haberme arrastrado a la tumba? No sabría decirlo.

No habría podido revelar enteramente mis recuerdos aquí, me habría vuelto loco en este pasado-presente irreal y confuso. He perdido confianza en mi memoria, que antaño creí infalible, tratando de evocar ciertos episodios dolorosos de mi vida vinculados a lugares muy precisos. Secciones completas de mis años húngaros han desaparecido, parecidas a los trozos de fuselaje de un cohete desintegrado que siguen desplazándose eternamente por el espacio.

Vivo desde hace un cuarto de siglo junto a la explanada de los Inválidos. El paso de las estaciones sobre los árboles de la plaza siempre me maravilla cuando miro por la ventana. Es un encantamiento diario, un don sin cesar renovado. Y, parafraseando a Fausto, que solo olvida sus pensamientos fúnebres o escépticos ante el espectáculo deslumbrante de la naturaleza, afirmo: «Solo aquí me siento hombre, solo aquí me atrevo a serlo». Con indecible placer me paseo por los tres patios sucesivos del ala Richelieu del Louvre, donde cada vez emprendo un diálogo nuevo con los cuadros de Rembrandt, Vermeer o Simon Vouet, o por Orsay, donde mi mirada vibra bajo el efecto de la luz descompuesta y vuelta a componer en las obras de los impresionistas. ¡Me pertenecen la decoración pseudoegipcia y la gran escalera de mármol de la Ópera del palacio Garnier y el inmenso espacio vacío de la Ópera de la Bastilla! ¡Son míos los Turner de la Tate, los Botticelli de los Uffizi, las iglesias barrocas de Viena y de Lecce! Me olvido de mi padre y de mi madre comentando la sonata de Vinteuil, la depravación de Otelo y los celos de Swann, disfruto hablando de Don Giovanni y me identifico con Hamlet. Y sin embargo..., no puedo dejar de analizar mi pasado húngaro, de evocar los traumas de mi infancia, de asombrarme por mi rechazo hacia el país de los magiares, de acusarme de falta de sensibilidad cuando me paseo por las calles de Budapest para, a renglón seguido, disculparme por estar haciéndolo. ¿Es posible que esta experiencia de escritura no me haya servido para nada? ¿Dónde están la paz y la reconciliación esperadas? ¿Mi rebelión contra Hungría, mi particular octubre de 1956, no tendrá nunca fin?

Historia de un loro

Durante mi última visita a Budapest, Teréz, nuestra antigua criada, me regaló la funda de un cojín hecha a mano por mi madre en la época en que estuvo embarazada de mí. Mi hermana la enmarcó. Temiendo la confrontación con el pasado, buscando dejar atrás mis recuerdos más dolorosos, en su día la metí en una caja y la olvidé. La evocación de mi infancia la ha hecho reaparecer.

Tengo el cuadro enfrente. Un loro de color amarillo, un color otoñal, con el penacho rojo y el pico púrpura apenas curvado, en mitad de un fondo de vegetación.

No recuerda para nada a esos pájaros erguidos sobre sus espolones, insolentes, orgullosos, que imitan con un tono chirriante la voz humana. Ni tiene en absoluto el aire orgulloso de los tucanes de los bosques tropicales americanos, entronizados en sus perchas en las villas de los mexicanos ricos. No es más que algún hada reencarnada bajo la forma de una psitácida, que es como llaman los diccionarios a estos seres exóticos. Tiene las alas alargadas y las plumas marrones con pequeñas pintas verdes. Todo en él es serenidad, felicidad y calma. Las hojas malva, verdes, tostadas —los colores se degradan y funden, llenos de matices, en una especie de *crescendo* que acaba por hacerse *cantabile*—, se pliegan, se curvan, sus contornos se perfilan de una manera que el ojo apenas percibe. En el dibujo, bordado paciente y cuidadosamente por mi madre, se producen extrañas metamorfosis: las hojas rojas se despliegan como alas de mariposas inmóviles y cubren una misteriosa flor azul. En otra sección, un tulipán rojo da origen a unas corolas ocres y, bajo el pico del ave, una hermosa peonía se abre, a punto de florecer. A un lado, unas bellotas rojas sostienen un tallo del que brotan unas hojas dispuestas a echarse a volar como polillas. Al otro, unos pétalos anchos cuyo tinte broncíneo adquiere tonalidades purpúreas.

    Este loro fue guardián de mi vida fetal, y la tela bordada me cubría cuando mi madre la apoyaba en su vientre. Hoy día, lo invoco como patrono y protector de este libro introspectivo. Paloma paródica, me trae el ramo de olivo de la reconciliación, tras un diluvio de recuerdos que a punto ha estado de ahogarme. Será el símbolo de esta catarsis, el pájaro de la aurora, que me anima a que siga mi camino. Me hubiera gustado tenerlo en mis manos y haber podido echarlo a volar. ¿Se encontraría entonces con aquel cisne blanco que adornó con su presencia, según testimonio de un viejo amigo, el primer baile de disfraces de mi madre? Me temo que no haría más que echarlo de menos. Como un Espíritu Santo de mi biografía, apacigua mi corazón agitado. El loro parlotea apacible, canta con voz ronca al perdón, me inclina a la reconciliación. Continúo escuchándolo: internarse en los años de la infancia es un trabajo que no tiene

FIN.

André Lorant, nacido en Budapest en 1930, en el seno de una familia de la burguesía judía conversa, salió de Hungría tras el fracaso de la Revolución de 1956 y se instaló en Francia, donde continuó sus investigaciones universitarias en el CNRS, especializándose en Balzac, a quien dedicó su tesis doctoral (*Les parents pauvres d'Honoré de Balzac: la cousine Bette, le cousin Pons: Étude historique et critique*, Droz, Ginebra, 1967) y de cuyas obras ha sido incansable editor (Bibliothèque de la Pléiade, Garnier-Flammarion, Robert Laffont, etc.). Colaborador habitual de *L'Année balzacienne* desde los años sesenta, en sus páginas se hallan recogidos algunos de sus más importantes estudios, como «Balzac et le plaisir» o «Balzac et la mélancolie dans les textes philosophiques». Como historiador de las ideas ha dado a la imprenta títulos como *Le Compromis Austro-Hongrois et l'opinion publique francaise en 1867* (Droz, Ginebra, 1971), *Orientations étrangères chez André Malraux, Dostoievski et Trotsky* (Minard, París, 1971) y el reciente *Vers l'innommable: L'Antisémitisme institutionnel en Hongrie, 1920-1944* (L'Harmattan, París, 2020), un importante informe documental sobre el antisemitismo húngaro de la primera mitad del siglo XX.

Autor tardío, su obra literaria abarca una traducción de *Hamlet* (Presses Universitaires de France, París, 1992), la novela *Fugato* (Cohen & Cohen, París, 2017) y el volumen memorialístico *El loro de Budapest*, publicado por Viviane Hamy en 2002, reeditado en 2006 y traducido al húngaro diez años después (*A budapesti papagáj. Az újraélt gyerekkor*, en versión de Zsuzsa Mihályi, Kijárat, Budapest, 2016). En su estela cabe ubicar el pequeño volumen *Les retrouver. Lettres d'une mère hongroise en partance pour la France* (Budapest, 2014).

La presente edición de *El loro de Budapest*, dirigida y revisada por el autor, incorpora algunos materiales tomados de la versión húngara del libro, en cuya traducción ha colaborado, con su usual bonhomía y generosidad, György Sved, responsable, en muchos sentidos, de la publicación española de esta obra.

A.M.G.

Título original: *Le Perroquet de Budapest*

© 2002 Éditions Viviane Hamy
© 2021 Alfonso Martínez Galilea por la traducción
© 2021 Sophie Bassouls por la fotografía del autor.
Todos los derechos reservados.
© 2021 Fulgencio Pimentel en español para todo el mundo
www.fulgenciopimentel.com

Primera edición: julio de 2021
Editor: César Sánchez
Editores adjuntos: Joana Carro y Alberto Gª Marcos
Comunicación: Isabel Bellido
prensa@fulgenciopimentel.com

Esta obra se benefició del apoyo de los Programas de ayudas a la publicación del Institut Français.

ISBN: 978-84-16167-80-7
Depósito legal: LG G 00293-2021

Impreso en España